渋沢栄一「青淵論叢」

道徳経済合一説

鹿島　茂 編訳

講談社学術文庫

目次

青淵論叢

本書について

・一九二七（昭和二）年に刊行された渋沢栄一の談話集『青淵回顧録』に「第一附録」として収められた「青淵論叢」を編訳者である鹿島茂が現代語訳したものである。

・『青淵回顧録』は、渋沢栄一に師事していた小貫修一郎が、長年にわたって渋沢の談話を聞き取り口述筆記した原稿を、渋沢本人による了解を経て刊行されたものである。『青淵回顧録』は渋沢の半生記であり、「青淵論叢」は渋沢が自身の政治観、経済観、人生論、教育論を述べたものである。なお、「青淵」は渋沢栄一の雅号である。

・現代語訳と原文を併載しているが、原文については、一九二七年刊を底本とし、明白な誤字と判断されるところは適宜校正を加え、微細な用字の揺れについては訳者の判断で統一した。

・原文には、発話障害者について記述する箇所がある。現代においては障害に対する差別と判断せざるを得ないものであるが、著作者自身の判断による修正は不可能であり、本書は渋沢の思想を理解する歴史的資料という性格をもつため、みだりに改訂することは差し控え、原意のまま現代語訳した。

青淵論叢

富者の要務

金は貴《たっと》いものであるとか、貴ばねばならぬものであるとか言われますが、これに関しては、昔からずいぶん多くの格言もありますし、俚諺《りげん》（ことわざ）もあります。ある人の漢詩に、世間の人は付き合う相手を選ぶのに金を基準にする、金を持っていない人ならば交際は深くならないという一句があります。これは、金は友情という無形の精神まで支配する力のあるものと解釈することができます。東洋古来の風習では、精神を尊んで物質を卑《いや》しめるというのが普通でしたから、このように黄金によって友情まで左右されるというのでは、人情の堕落が思いやられて、はなはだ寒心の至りであります。とはいえ、私たちの日常では、むしろ、こうした金が縁を結ぶという事態にしばしば出会います。たとえば親睦会などいうものがありますが、そこでは、それほど親しくない者同士でもかならず一緒に飲食をともにします。飲食が友愛の情を助けるからです。また久しぶりに訪ねてくれた友人に対して酒や御馳走を供することができないようでは、親交の緒も結びにくいものです。ことほどさように、こうしたことにはみな金が関係するのです。

諺《ことわざ》に「銭ほど阿弥陀は光る」というのがありますが、これは十銭投げれば、阿弥陀が十銭だけ光る、二十銭投げれば二十銭だけ光る、という意味で、信心も金次第だということです。また、「地獄の沙汰も金次第」という諺に至っては、これ以上皮肉な感がしないでもないですが、そのいっぽうで、金の効能がいかに大きいものであるかを説明したものと見ることもできます。

一例を挙げますと、東京停車場に行って汽車の切符を買おうとするときには、どんな富豪でも赤切符を買えば三等にしか乗れません。また、いかに貧乏人でも白切符を買えば一等に乗れます。これこそ、まったく金の効能であると言えます。とにかく金にはある種の大いなる力があることを拒むわけにはいかないのです。いかに多くの財産を費やしても唐辛子を甘くすることはできないけれども、無限の砂糖をもってその辛味を消すことはできます。また、常日ごろから苦り切った顔をしてやかましく文句を言う人でも、金をもらえるとなったらすぐに甘くなるのは世間では普通のことです。ことに政治の世界などではよく見かける例です。

このように、金はじつに偉力あるものと言うこともできますが、しかしながら、金の本質はと言うと、これは無心なのです。善用されることもあるし悪用されることもある。つまり使用者の心しだいなのです。金は持つべきものであるか、持つべからざるものであるかは容易には判断できません。金それ自身には善悪を判別する力はありません。善人がこれを持てば良くなり、悪人がこれを持てば悪《あ》しくなる。つまり所有者の人格いかんによって善ともなれば悪ともなる。このことに関して私は常に人に語っていますが、昭憲皇太后の、

もつ人の心によりて宝とも
　他ともなるは黄金なりけり

との御歌は、じつに感佩敬服《かんぱいけいふく》に堪えません。

ですが、世間の人はこの金をよく悪用したがるものですから、古人もこれを戒めて「小人罪なし宝を抱くこれ罪（小人自身には罪はない。金をもつことが罪なのだ）」とか「君子財多ければ其徳を損じ、小人財多ければ其過を増す（君子でも財産が多いと、有徳であることが少なくなるし、小人は財産が多いと、過つことが多くなる）」などと言っています。『論語』を読んでみても、金に関する教訓はずいぶん多くあります。

「不義にして富み且つ貴きは我に於て浮雲の如し（不正を働いて金を儲け、かつ高い地位を得ることは、私に言わせると、浮雲のように空しいことだ）」と言い、または「富にして求むべくんば執鞭の士と雖も吾亦之をなさん（金儲けならなにをしてもいいということだったら、露払いのような仕事でも平気でするだろう）」といい、『大学』には「徳は本也財は末也（徳が重要なのであり、財はどうでもいいことだ）」とも言っています。

このような訓言をここに引用するのは、かならずしも金を軽視してよいということではありません。いやしくも世の中に立って完全に人たらんとするにはまず金に対する覚悟がなくてはならないと述べたいのです。

こうした訓言を例にとってみても、社会における金の威力という問題はすこぶる考慮を要するということです。あまりに金を重んじすぎるのも誤りであれば、またこれを軽んじすぎるのもよろしくない。「国道《くにみち》ありて、貧且《か》つ賤しきは恥也。国道なくして富且貴きは恥也（道徳心のある国に住んでいながら貧乏で地位がないのは恥ずかしいことだ。しかし、道徳心のない国にいて金持ちであり地位が高いのはもっと恥ずかしいことだ）」というように、孔子もけっして貧乏は奨励されなかった。ただ「その道を以てせざれば之れを得るとも処らざる也（富と高い身分はだれでも欲しいものだ。しかし、正しい方法によって得たのでなければ、得たとしても意味がない）」と言われている。ここが重要なところです。

元来、金とはいま世界に通用している貨幣の通称であり、貨幣はさまざまな物や品の代りとなるものです。貨幣が特に便利であるというのは、どんな物にも代り得るからです。大むかしは物々交換でしたが、いまは貨幣さえ出せばどんな物でも好きなように購《あがな》うことができます。この代表的価値のあるところが貴いのです。だから貨幣の第一の要件として、貨幣そのものの実価と物品の値とが等しくなければなりません。もし称呼が同一でありながら、その貨幣の実価が減少すると、反対に物価は騰貴します。また貨幣は分割に便利です。いまここに一円の湯呑みがあるとしましょう。これを二人分に分けようと思っても分けることはできません。壊して五十銭分ずつに分けることはできません。ところが、貨幣だとそれができます。一円の十分の一が欲しいと思えば十銭銀貨があります。また貨幣は物の価を定めることができます。もし貨幣というものがなかったなら、この茶碗と煙草盆との等級をはっきりと定めることはできません。ところが、茶碗は一個十銭で、煙草盆は一円だということに決まれば、すなわち茶碗は煙草盆の十分の一に当たるということになります。貨幣あってはじめて両者の価格は定まるのです。

総じて金は貴ばなければならないものです。老人も、壮者も、青年も、男も女もすべての人の貴ぶべきものであると言えます。前にも言ったとおり、貨幣は物の代表ですから、物と同じく貴ばなければならないのです。昔、禹王という人は些細な物をも粗末にしませんでした。また、宋の朱子は、「一食一飯正に之を作るの難きを思うべし。半紙半縷来所の易からざるを知れ（一食一飯をとるたびに、これを作るのがどれほどたいへんかを思うべきである。半枚の紙でも半分の布切れでも、それが作られるのにどれほどの苦労が払われているのかを知る必要がある）」と言っています。一寸の糸屑、半紙の紙切、または一粒の米とても、決して粗末にしてはならないのです。これはあえて自分のためのみではありません。つまり社会のためなのです。

これはイングランド銀行のギルバートという有名な人の話です。ギルバートは採用面接のために銀行に出頭して、帰る時に室内に一本のピンが落ちているのを見つけると、ただちにこれを拾って襟につけた。この様子を見ていた銀行の試験官はギルバートを呼び止め、「いま、あなたは室内で何かお拾いになったようですが、あれは何ですか？」と聞いた。するとギルバートは臆する色もなく、「一本のピンが落ちていましたが、私が拾えば役にたつものです。しかし、このままにしておけば危険であると思って拾いました」と答えた。この答えに試験官は大いに感心して、さらにいろいろと質問してみると、まことに思慮深い有為な青年であるとわかったので、ついに任用を決めた。この人物が後年に至って有名な銀行家となったギルバート氏のそもそもの始まりであったのです。

まとめると、金というものは社会の力を表象している役にたつ道具ですから、これを貴ぶのは正当なことですが、しかし、必要な場合にはよくこれを消費しなければなりません。消費はもちろんよいことなのです。よく集めてよく散じ、もって社会を活発にし、それによって経済界の進歩を促すのはまさに有為の人が心がけなければならないことなのです。真に経済がよくわかった人は、よく集めてよく散じるようでなくてはなりません。よく散じるとは正当に支出することです。金を善用することです。

過日、ある富豪の子息が大学を卒業したので、これから社会に出ていくにあたっていろいろ御注意に与《あずか》りたいということでお見えになりました。私はその時、「こんな話をしてあなたのお父さんから、渋沢は余計なことを言うと蔭で恨まれるかもしれませんが」と前置きしたうえで、次のような話をしました。

いまどきの富豪はとかく引っ込み思案ばかりしていて、社会のことには実に冷淡で困ります。富豪といえども自分一人の力で儲けているわけではありません。言わば社会から儲けさせて貰っているようなものなのです。たとえば、ある人が地所をたくさん所有しているとしましょう。その地主は地代が安くて困るとか空地が多くて困るとか言って嘆いているかもしれません。しかし、よく考えると、地主が利益を挙げているのは、その地主の地所を借りて地代を納めてくれる人がいるからです。社会のなかで人が働いて金儲けをし、事業が盛んになればこそです。空地も塞がり地代もだんだん高くなるから、地主もそれにおうじて儲かるわけなのです。だから、功なり名を遂げた人が、自分がいまのような金持ちになれたのも、すべては社会の恩だと自覚して、社会の救済だとか、公共事業とかいうものに対し、常に率先して尽くすようにすれば、社会はますます健全になるはずなのです。そして、社会が健全になれば、それと同時に自分の資産運用もますます健実になるというわけなのです。もし富豪が社会を無視し、社会から離れたところで富を維持し得るというように考えて、公共事業、社会事業のようなことを捨てて顧みなかったならば、ここに富豪と社会人民との衝突が起り、富豪怨嗟の声はやがて社会主義となり、ストライキとなり、結局、大不利益を招く様にならぬとも限らないのです。ゆえに富を作ることにおいては、その裏に常に社会的な恩義があることを思い、徳義上の義務として社会に尽すことを忘れてはならないのです。

この話にさらに蛇足を添えるには及ばないと思いますが、富豪とか富者とかという社会において比較的富裕な生活をしている人たちは社会における自己の地位を正当に認識しなければなりません。富者に必要な義務は、必然的に、この認識から生ずるのです。

というようなわけで、現代の少壮なる中堅国民は、成功を遂げる前に、よりよく自己の地位を認識しておく必要があると思います。この必要が充分に行きわたってはじめて、社会のすべての節度が保たれ、平和なる社会、愉快なる社会、よりよき社会が現出されるのです。

【原文】

金は貴いものであるとか、貴ばねばならぬものであるとかいふことに關しては、古來隨分多くの格言もあり、俚諺もある。或る人の詩に世人交を結ぶに黄金を以つてす、黄金多からざれば交深からずとある一句などは、黄金は友情といふ無形の精神までも支配する力のある如くにいつたものと取れる。精神を尊んで物質を卑める東洋古來の風習では、黄金によつて友情まで左右されるのは、人情の墮落思ひやられて甚だ寒心の至りであるが、然も斯ういふ事が吾々の日常よく出會する問題である、例へば親睦會などゝいふと、必ず相寄つて飲食する、是れは飲食も友愛の情を幇助するからである。又久し振りに來訪してくれる友人に、酒食を供することも出來ない樣では親交の緒も結び難い。而して是等のことには皆金が關係する。

諺に『錢程阿彌陀は光る』と言うて十錢投ぐれば十錢だけ光る、二十錢投ぐれば二十錢だけ光ると計算してゐる、又『地獄の沙汰も金次第』といふに至りては最も皮肉の感が無いでも無いが、又以て金の効能の如何に大なるものであるかを説明したものと見る事が出來る。一例を擧げると、東京停車場に行つて汽車の切符を買はうとするにどんな富豪でも赤切符を買へば三等にしか乘れぬ、又如何に貧乏人でも白切符を買へば一等に乘れる、是れ全く金の効能である。兎に角金には或る大なる力がある事を拒む譯にはゆかぬ。如何に多く財産を費しても、唐辛子を甘くすることは出來ないけれども、無限の砂糖を以て其辛味を消すことは出來る、又平常苦り切つて八釜しく云つてゐる人でも、金の爲めにはすぐ甘くなるのは世間普通の事で殊に政治界などにはよく見る例である。

斯く云へば金は實に偉力あるものであるけれども、然しながら金はもとより無心である。善用されると惡用されるとは其使用者の心にあるから、金は持つべきものであるか、持つべからざるものであるかは容易に判斷出來ぬ。金はそれ自身に善惡を判別する力はない、善人が之れを持てばよくなり惡人が之れを持てば惡しくなる、つまり所有者の人格如何によりて善ともなれば惡ともなる。此事に關しては私は常に人に語つてゐるが、昭憲皇太后の

もつ人の心によりて寶とも
　他ともなるは黄金なりけり

との御歌は、實に感佩敬服に堪へぬのである。

然るに世間の人はよくこの金を惡用したがるものであるから、古人も之を戒めて『小人罪なし寶を抱くこれ罪』とか『君子財多ければ其德を損じ、小人財多ければ其過を增す』などと云つてゐる。論語を讀んで見ても金に關する教訓は隨分多くある。『不義にして富み且つ尊きは我に於て浮雲の如し』といひ、又は『富にして得べくんば執鞭の士と雖も吾亦之をなさむ』といひ、大學には『德は本也財は末也』とも云つてゐる。斯かる訓言を此所に引用するのは必ずしも金を輕視してよいと云ふのではない。苟くも世の中に立つて完全に人たらんとするには先づ金に對する覺悟がなくてはならぬといふ事を述べたいのである。斯かる訓言に徵しても、社會に於る金の威力は如何に考ふべきものであるか、頗る考慮を要するのである。餘りに之を重んじ過ぎるのも誤りであれば、又之を輕んじ過ぎるのも宜しくない。『國道ありて、貧且つ賤しきは耻也。國道なくして富且貴きは耻也』というて孔子も決して、貧乏は奬勵されなかつた。只だ『その道を以てせざれば之れを得るとも處らざる也』といはれてゐる。此所が要義の存する所である。

元來金とは、現に世界に通用する貨幣の通稱にして、而して貨幣は諸物品の代表者である。貨幣が特に便利であるといふのは、何物にも代り得るからである。大古は物々の交換であつたが、今は貨幣さへ出せばどんな物でも心に任せて購ふことが出來る。此の代表的價値のある所が貴いのである。だから貨幣の第一の要件として、貨幣そのものゝ實價と物品の値とが等しくなければならぬ。若し稱呼同一にして其貨幣の實價が減少すると、反對に物價は騰貴する。又貨幣は分割に便利である、茲に一圓の湯呑がある、之を二人分に分けようと思つても分けることは出來ぬ、壞して五十錢宛に分ける事は出來ぬ、貨幣だとそれが出來る、一圓の十分の一が欲しいと思へば十錢銀貨がある。又貨幣は物の價を定める、若し貨幣といふものが無かつたなら、此茶碗と煙草盆との等級を明に定めることは出來ぬ、然るに茶碗は一個十錢煙草盆は一圓だといふならば、即ち茶碗は煙草盆の十分の一に當り、貨幣あつて兩者の價格は定まるのである。

總じて金は貴ばなければならぬ。老人も、壯者も、青年も、男も女も凡ての人の貴ぶべきものである。前にも云つた如く貨幣は物の代表であるから、物と同じく貴ばなければならぬ、昔禹王といふ人は些細の物をも粗末にしなかつた。又宋の朱子は、『一食一飯正に之を作るの難きを思ふべし。半紙半縷來所の易からざるを知れ』といつてゐる。一寸の糸屑、半紙の紙切、又は一粒の米とても、決して粗末にしてはならないのである。是れは敢て自分の爲めのみではない。詰り社會の爲めである。イングランド銀行のギルバルトと云ふ有名なる人が目見えの爲めに銀行に出頭して、其歸る時に室内に落ちてありし一本のピンを見付けて、ギルバルトは直ちに之を拾つて襟につけた。是を見た銀行の試驗員はギルバルトを呼び止め、『今足下は室内で何かお拾ひになつた樣ですが、あれは何ですか』と聞くとギルバルトは臆する色もなく『一本のピンが落ちて居たが、取り上げれば要用のものであるが、このまゝにして置けば危險であると思つて拾ひました』

と答へた。此に於て試験員は大に感心して、更に色々質問して見ると誠に思慮深い有爲な青年であつたので、遂に之れを任用したのが後年に至りて大名をなす銀行家たるの發端であつた。

要するに金は社會の力を表彰するの要具であるから、之を貴ぶのは正當であるが、必要の場合によく費消するのは勿論よいことである。よく集めてよく散じ以て社會を活潑にし、從つて經濟界の進歩を促すのは正に有爲の人の心掛くべき事にして、眞に理財に長ずる人はよく集めてよく散ずる樣でなくてはならぬ。よく散ずるとは正當に支出することである、善用することである。過日或富豪の子息で大學を卒業したから之から社會に立つに就て色々御注意に與りたいといふので御見えになつた、私は其時『こんな話をして貴方のお父さんに、澁澤は餘計な事を云ふと蔭で恨まれるかも知れんが』と冒頭して、次の樣な話をした。『今時の富豪は兎角引込み思案ばかりして社會の事には實に冷淡で困るが、富豪と雖も自分一人で儲ける譯ではない。言はゞ社會から儲けさせて貰つた樣なものだ。例へば地所を澤山所有して居るとして、地主は地代が安くて困るとか空地が多くて困るとか云つてゐるが、其地所を借りて地代を納めるのは社會の人が働いて金儲けをし、事業が盛んになれば空地も塞がり地代も段々高くなるから、地主も從つて儲かるわけである。だから自分の斯く分限者になれたのも、一つは社會の恩だといふことを自覺し、社會の救濟だとか、公共事業とかいふものに對し、常に率先して盡す樣にすれば、社會は益々健全になる。それと同時に自分の資產運用も益々健實になるといふ譯であるが、若し富豪が社會を無視し、社會を離れて富を維持し得る如くに考へ、公共事業、社會事業の如きを捨てゝ顧みなかつたならば、茲に富豪と社會人民との衝突が起り、富豪怨嗟の聲はやがて社會主義となり、ストライキとなり、結局大不利益を招く樣にならぬとも限らぬ。故に富を作るといふ一面には常に社會的恩義あることを思ひ、德義上の義務として社會に盡す事を忘れてはならぬ』といふ意味の話をしたのである。

此の話に更に蛇足を添へるには及ぶまいが、富豪とか富者とかと云ふ社會に於て比較的安易なる生活をなす人達は社會に於ける自己の地位を正當に認識しなければならぬ。富者の要務は從つて玆に生ずるのである。而して現代の少壯なる中堅國民は、成功を遂ぐる前によりよく自己の地位を明らかにして置く必要があると思ふ。此の必要が充分に行き亘つて初めて、社會の總ての節度が保たれ、平和なる社會、愉快なる社會、よりよき社會が現出されるのである。

堅固正当な目的を持て

目的の選択

およそ人の世に処する（社会に身をおいて行動する）については、目的というものがぜひなくてはなりません。その場合、目的はなるたけ明瞭にまた正確に立てるということが、男子の世に処するにおいてとても必要なことなのです。ただし、いまさら改めて述べるまでもありませんが、この目的というものは、絶対に変化しないとは限りません。ときには大きく変わることもあるのです。かく言うこの私がそうでした。人生の初めに抱いた目的がどのようなものであったかと言うと、それは、自分の村のまわりの村々の中でもいちばん良い農民となって、農事にいくばくかの新知識を加え一村一郷の公益を図ること、こうしたものでした。また副業として藍玉《あいだま》を商《あきな》っていましたから、この藍屋という商売についても、近辺の農村において優良な地位に進みたいと思っていました。しかし、ただ金を多く儲けたいということではなく、手掛けている事業が近隣の人たちから見て、ほぼ完全な仕方で行われていると言われるくらいの地位にはなりたいと、まあこれくらいの希望はもっていたのです。

ところが、それが時勢のためにころりと変化してしまったのです。このまま放っておくと国家が外国のために倒れてしまうかもしれない、もしくは奪われてしまうかもしれない、というような悲憤慷慨《ひふんこうがい》の心が生じてきたのです。はなはだしきは天子の詔《みことのり》を幕府が蔑《ないがしろ》にしているのではないか、外国からの脅迫は唯々諾々とこれを奉じているが、これはすなわち外国を尊び内を卑むということではないか、いわゆる神州陸沈という、漢学者流の議論が事実じゃないかと思ったのです。こうなったら、百姓をしているのではなく、微力ながら国家のために一身を犠牲にするほかはない。すなわち尊王攘夷ということが重要な目的になって、百姓という身分に安んじていることができなくなり、以前の目的を変更したのです。

これは私の人生経歴の上で、誤りと言わねばならないことです。はなはだ分を越えた企てであったという誹《そし》りを免れないけれども、その時の私の目的はたしかにこうだったのです。それから、ついに浪士となり、幕吏となり、維新後には政府の官吏ともなりました。そうして経験を積むうちに、いろいろと熟考した結果、国が真正に富強となるには、政治とか、軍事とか、法律とか、教育とかいうものが進歩していかなければならないのはもちろんですが、それと同時に実業の発達が同じように進んでいき、商工業者の地位が政治界、軍人界の人とほぼ上下するだけにならなければ完全とは言えないと思うようになりました。このことをおのれの天職として、そうした位置に達することができるように進んでいきたいというのが、私が明治四、五年頃から定めた目的であったのです。

【原文】

凡そ人の世に處するに就いては、目的といふものが是非なくてはならぬ。而して目的は成るたけ明瞭に又正確に立てると云ふことが、男子の世に處するに於いて極く必要なることである。今更事新しく述べるまでも無いが、併し此の目的と云ふものは時として、必ず變化せぬとも限らぬ。斯く云ふ私が其初めにどう云ふ目的であつたかと云ふと、それこそ八基村の良農となつて農事に幾許の新知識でも加へて、一村一郷の公益を謀ることを目的とした。又副業として藍玉を商つて居つたから此の藍屋と云ふことに就いても、此の近邊に於いて優良なる地位に進みたいと思うて居た。併し獨り金を多く儲けたいといふのではないが、其の事業が近隣から見て先づ完全なる仕方であると云はれる位の地位にはなりたい、斯う云ふ様な觀念を持つて居つたのである。併し、それが時勢の爲めにころりと變化して、どうしても國家が外國の爲めに倒れてしまふであらうか、若しくは奪はれてしまふであらうかといふ様な慷慨の心が生じて、甚だしきは天子の詔を幕府が蔑ろにする、外國からの脅迫は唯々諾々之れを奉ずる、是れ即ち外國を尊び內を卑むの甚だしきものである。所謂神州陸沈といふ、漢學者流の議論が事實ぢやないかと思つた。是れは百姓をして居るよりか、此の場合微力ながら國家の爲めに一身を犧牲にする外はない。即ち尊王攘夷が重なる目的になつて、百姓と云ふ者に安んずる事が出來なくなり、以前の目的を變更したのだ。是れは私の經歷上の間違と云はねばならぬので、甚だ非分なる企であつたといふ誇りを免れぬけれども、其時私の目的はそれであつた。それから遂ひに浪士となり、幕吏となり、維新後には政府の官吏ともなり、其經過中種々熟考して國の眞正なる富强を得るには政治とか、軍事とか、法律とか、教育とか云ふものが進んで行かなければならぬが、それと同時に實業の發達が同じく進んで、商工業者の地位が政治界、軍人界の人とほゞ上下するだけに成らなければ完全でない。其れを己れの天職として、其の位置に達せしめるやうに進めて見たいものだと云ふのが、明治四五年頃から定めた目的であつた。

目的は理想を要す

しかしながら、目的はただ単に漠然と立て、それから先はどうなっても構わないというのでは、真正なる目的とは言えません。おのれが立てた目的には、かならず目的に伴う理想というものがあるはずです。その理想をぜひとも実現させようというのが、すなわち目的を立てることの効能です。私は目的を立ててほとんど四十年、ただこの目的に依って苦心経営しているのです。もとより力も足らず事業も困難で、思っていた十分の一にも達していませんん。そうではありますが、その目的は次第に広がりをもつようになり、今日では世の中で私を友人とみなして、前述の目的をもって勉強してくれる人がとても多いと言っていいかと思います。そうだとすると、この目的は決して空想でなかったと言えるでしょう。今日においても私自身は商工業者として、なんとしてもこの目的を完成したいと祈願することでは、決して人後に落ちないつもりです。しかし、身を実業界に処していやしくも国家の経済を説く者なのに、自分自身が窮乏して他人に面倒をかけ、昔の友人にまで厄介をかけるというような有り様では、諺に言う「莚《むしろ》打ち、菰《こも》に寝る」の類となりますから、自分自身が大きな富をなすことは必要としないとしても、それなりの恥かしからぬだけの富は造らねばなりません。そこでとにかく自立をなし得るだけのことはしましたが、しかし、おのれの蓄財を主たる目的とはしないで、世の経済界の進運を理想としたつもりです。ですからその点から考えると、どの人が富むのか、どこの地方が富むのか、またいずれの事業が盛んになるのかは、別にそれは問題ではありません。私の目的は達せられたと言ってもよいのです。

ですから、私は青年諸君が世の中に出て仕事をすることについても、ただ漠然と仕事に従事することなく、一つの目的を確立することが肝要であると信じます。けれども、私のように目的を定めよとは言いません。私はすでに前にも述べたように、実業家となる前にはしばしば横道に踏込んで、大いに一身を危うくしたこともあります。ですから、けっして私を模範にせよなどと言うつもりはありませんが、およそ人が目的を立てるにあたっては、かならず一つの理想がなければなりません。そして、その理想を実現するということについても覚悟を定めなければなりません。ただ風のまにまに揺られていくというような定見も節操もないのでは、それはけっして適切だとは言えないのです。

【原文】

併しながら目的は唯だ單に漠然と立て、それから先は何うなつても構はぬといふのでは、眞正なる目的ではない。己れが立てた目的には目的に伴ふ理想がある。其理想を是非實現せしめようといふのが、即ち目的を立てた効能である。爾來私は殆ど四十年、只管此の目的に依つて苦心經營して居る。素より力も足らず事業も困難で、思うた十分の一にも達して居ない。さりながら其の目的は次第〳〵に進んで行つて、今日では世の中で、私を友人として前述の目的を以て勉強してくれる人は頗る多いというてよからうと思ふ。さすれば即ち此の目的は決して空想でなかつたと云ひ得るだらうが、今日に於いても自身は商工業者として何卒此の目的を完成せしめる様にしたいと云ふ祈願は決して人後に落ちないつもりである。併し身を實業界に處して、苟も國家の經濟を説く者が、自ら窮乏して他人に煩をかけ、故舊に厄介を掛けると云ふ有様では、諺にいふ莚打菰に寢るの類であるから、己れ自からは大なる富をなすことは要せぬとしても、相當恥かしからぬだけの富は造らねばならぬ。そこで兎に角自立を爲し得るだけのことはしたが、併し己れの蓄財を主たる目的とはせぬ、世の經濟界の進運を理想としたつもりである。故に其點から考へると、何れの人が富み、何れの地方が富むも、又何れの事業が盛んになるも、开は措いて問ふ處ではない。予の目的は即ち達せられたと云つて宜い。

故に私は青年諸君が世の中に出て仕事をせらるゝに就いても、たゞ漠然と仕事に從事することなく宜しく一の目的を確立する事が肝要であると信ずる。けれども私の通りに目的を定めよとは云はぬ。私は既に前にも述べた如く、實業家たるの前に於いて屢〻横道に踏込んで、大いに一身を危うしたと云ふこともあるのだから、決して私を模範にせよと云ふ意味では無いが、凡そ人の目的を立つるに就いては、必ず一つの理想が無ければならない。而して其理想を實現すると云ふことに覺悟を定めなければならぬ。唯風のまに〳〵搖られて行くと云ふ様な定見も節操もないのでは、それは決して宜しきを得たものとは云はれない。

目的遂行の手段

次にいま一つ言うべきことは、およそ人間の世の中に働いていく道は大別して二様あるということです。

たとえば政治上で言うと、官に就くのは人に雇われるためです。また会社事業で言うと、会社員になるのは雇われるためです。つまり、ある団体に依ってそれを根本として自分がもっている才能を啓発していくという方針です。自分がもっている技術を施していくというのは、これはみな、他動的行為であると言えます。

これに対して、自分が独立して営業し、ついには大きな店を持って大事業をなし、大勢の人を使役して、すべてを一身一己の計算に基づいてやっていく。これは独立事業すなわち自働的であると言えます。こうした二様の行動以外にはないのです。

しかしながら、この二つのうちいずれがよろしいかいずれが悪いかということになると、私はいずれが是とも非とも言えないと思います。アメリカのカーネギー氏などは、なるだけ会社に入るとか、給金を取って働くとかいうことはしないで、独立して事業を営むようにしたほうがよいと、その著書で教えています。また日本にもそういうことを言う人が多くいます。実際、独立の事業で成功した人が、世間ではとくに賞讃されることがあります。私も、自己の計算で事業を成り立たせていくことを必ずしも悪いとは言いません。しかし、だからと言って、その人の性質が政府や会社などといったものに向いているのに、隣の人が自己の計算で営業して大金持ちになったからと言って、他人の事業に従事するのは得るところが少ないからつまらぬ、これは望ましくないといったような観念を無理に起こすのは、けっして適当ではないだろうと思います。ですから、状況と自分の才能とをよく考察したうえで、他の事業に就いてその事務を担当するなり、言葉を換えて言えば官に就くなり、会社に雇われるなり、また、独立して事業を起こすなりしなくてはならないのです。その人の才能境遇も吟味せずにかくかくにせねばならぬと確定して論ずることはできません。けれども、前にも述べたとおり、目的というものは、そうした行動や決断の以前において、こうしよう、こういう塩梅《あんばい》にしていきたいということを自分で定めなければなりません。その目的を達するための手段として、自己の才覚でやるとか、また他人の仕事に依ってやるといったことになるのです。

【原文】

次ぎに今一つ云ふべき事は、凡そ人間の世の中に働いて行く道は大別して二様ある。例へば政治上で云ふと、官に就くのは人に傭はれるのだ、又會社事業で云ふと、會社員に爲るのは傭はれるのだ。つまり或團体に依つて、それを根本として吾が有する處の才能を啓發して行く。吾が有する處の技術を施して行くと云ふのは、是れは皆他動的行爲である。之れに反して自分が獨立して營業し終には大きな店を持つて、大事業を爲し、大勢を使役して一身一己の計算で遣る。之れは獨立事業即ち自働的である、此の二様の行動の外はないのである。然らば此の二つの中何れが宜いか何れが惡いかと云ふと、私は何れを是とも何れを非とも云へぬと思ふ。アメリカのカーネギー氏などは、成るだけ人は會社に入るとか、給金を取つて働くとか云ふよりは、獨立して事業を營む様にした方がよいと、其著書に教へて居る、又日本にもさういふ事を云ふ人が多い。而して、獨立の事業で成功した人をば、殊に世間で之れを賞讃する。私も自己の計算で事業を成り立たせて行く事を必ずしも惡いとは云はぬけれども、さればとて其の人の性質が或ひは政府とか又は會社とか云ふ向きに相當して居るものを、隣の人が自己の計算で營業して、大金持ちになつたから他人の事業に從事するは、誠に得る處も少くして詰らぬ、之れは望ましく無いと云ふ如き觀念を無理に起すは、決して適當な考へではなからうと思ふ。故に斯かる時には宜敷く塲合と我才能とをよく考察し、或ひは他の事業に就いて其事務を擔當するなり、言葉を換へて云へば官に就くなり、會社に雇はれるなり、又獨立して事業を起すなりする事が必要である。其人の才能境遇も吟味せず、斯く〱にせねばならぬと確定して論ずることは出來ない。けれども前にも述べた目的と云ふものは、其以前に於いて斯うしよう、斯ういふ攄梅にしてゆきたいといふ事を自分で定めなければならぬ。其の目的を行ふ手段として、或ひは自己の計算でやるとか、又他人の仕事に依つて遣るとか云ふことゝなるのである。

最終の目的

それから、こうした目的のなかで実業について言う人は、まず利益を余計に得て富を得たいということが多いようです。もちろん成功という場合、事業破れて貧しくなったのが成功ではないのは言うまでもありません。ことに経済に関する事業では、富ということをもって目的達成の指標とすることは争いようのない事実です。そうではありますが、そういうようにだけ立論すると、仕事は道理に適っていなくても富みさえすればいいのかという反問が生まれます。それでは、金をいちばん多く持った人が世の中にとっていちばん効能の多い人なのか、ということに議論が帰着します。私はこうした議論をけっして容赦しません。そういうことであったならば、世の中の人の知識も気象も品格もことごとく失われてしまうわけになりますから、それを主たる目的とするのはけっしてよろしくないと考えるのです。ですから、自分の従事する事業や企てる仕事は、道理に適うようにしながら必ず成功させるということを目的とするべきで、単に金が儲かるからということだけを目的とするということはよろしくないのです。

人の世に処するにあたっては、堅固にして正当な目的というものを是非とももつべきで、そうでないと行動が時には右へ振れ、時には左に動き、自分の意思がとかく変化しやすくなってしまいます。青年が志を立てるに際しては、自分はこの事業をこのような方針でこういう理想によりやりとげたいと定めることが、およそ物事を覚えて世に処するという際に最も必要です。ところで、その目的はかならず履行するのだという考えがすべての人にあってほしいと思いますが、今日の有り様はそこまでには至らないと私は思います。これが人として世に処するための要訣《ようけつ》とも言うべきもので、私が自分の目的についての経歴を前に述べたのも、畢竟《ひっきょう》、渋沢はかく目的を立てたということを参考に示したまでです。

【原文】

それから此の目的中實業に就いて言ふ時は、先づ利益を餘計に得て富を致したいといふ事が多い。勿論成功といふものは、事業破れて貧しくなつたのが成功で無いのは云ふ迄もない。殊に經濟に關する事業では富といふことを以て目的を達する標準とすることは爭はれぬ事實である。さりながら私はさういふ風にのみ立論すると遂ひには仕事は道理に適はぬでも、富みさへすればいゝ乎といふ反問が生ずる。すると金を一番多く持つた人が、世の中に一番効能の多い人といふ事に議論が歸着する。私はこれを決して容赦せぬ。さういふ事であつたならば、世の中の人の知識も氣象も品格も悉く失つてしまふ譯になるから、それを主なる目的とするのは決して宜しくないと考へる。故に目的とする處は自分の從事する事業や、企てたる仕事を道理に適うて必ず成功せしめるといふことを以てすべきで、其仕事が單に金が儲かるからといふ事のみを目的とするといふ事は宜敷くない。

人の世に處するに就いては、是非とも堅固にして正當なる目的といふものを持たねば遣つて行く事柄が、或ひは右へ振れ、或ひは左に動き、其の意思が兎角變化し易くなる。青年の人々が志を立てるに際しては自己は此事業を斯かる方針で、斯ういふ理想により遣り遂げたいといふことを定めるのは、凡そ物心を覺えて世に處するといふ際に、最も必要である。而して其の目的は是非共履行するといふ考へが、總ての人にありたいと思ふが、今日の有樣は其處までに至らぬと私は思ふのである。これが人として世に處するの要訣ともいふべきもので、私が自分の目的に就いての經歴を前に述べたのも、畢竟澁澤は斯く目的をたてたといふ事を參考に示したまでゝある。

立身出世の秘訣

一

富貴栄達は世人がみな望むところではありますが、富貴栄達を得るには道をもってせねばなりません。「不義にして富み且つ貴きは我に於て浮雲の如し」と孔夫子（孔子）が言われたように、いかに富貴を贏《か》ち得ても、それが道をもって得たものでなければ心安らかな状態ではいられないのです。ところで、今日は昔と違って文化も進み、世の中の人も悧巧《りこう》になりましたが、一般に功を焦りすぎる傾向があり、その結果として無理をする人が多くなったように思われます。ですが、無理はけっして立身出世の近道ではありません。むしろ蹉跌《さてつ》を来たし将来をあやまる恐れがありますから、功を焦り無理をすることは大いに慎まなければなりません。

私の経験によれば、成功出世をするには、まずもって実力を養うことが肝要であると思います。世の中が進むにしたがって、職業も多岐にわたり、その仕事によってそれぞれ特徴がありますが、どんな職業でも実力を養うということが最も必要なことです。「才能のある人の世にあるはあたかも嚢《ふくろ》の中にある錐《きり》のようなものである」と古諺にありますが、これはふくろの中の錐は上から押されるとその尖端が現われるということです。それと同様に、実力の備わっている人はことあれば必ずその才能が顕われるということを意味するものです。ですから実力を養うことは、いかなる職業を問わず、成功を志すものの根本条件と言うべきもので、これに加えて、責任を重んじ正心誠意をもってことに当たる人であったならば、まず成功の資格を具備していると言えるでしょう。

【原文】

富貴榮達は世人の等しく望むところであるが、富貴榮達を得るには道を以てせねばならぬ。『不義にして富み且つ貴きは我に於て浮雲の如し』と孔夫子が言はれた如く、如何に富貴を贏ち得ても、それが道を以て得たるものでなければ晏然としてゐる譯には行かぬ。處で、今日は昔と違つて文化も進み、世の中の人も悧巧になつたが、一般に功を焦り過ぎる傾きがあり、其の結果無理をする人が多くなつた樣に思はれる。だが、之れは決して立身出世の捷徑ではない。寧ろ蹉跌を來たし將來を誤る惧れがある故、功を焦り無理をする事は大に愼まなければならぬ。

私の經驗によれば、成功出世をするには、先づ以て實力を養ふ事が肝要であると思ふ。世の中が進むに從つて、職業も多岐に亘り、其の仕事によつてそれぐ〵特徴があるけれども、凡ての職業を通じて、實力を養ふといふことは最も必要な事である。『才能のある人の世にあるは恰かも嚢の中にある錐のやうなものである』と古諺にあるが、之れは嚢中の錐は上から押されると其の尖端が現はれると同樣に、實力の備はつてゐる人は事あれば必ず其の才能が顯はれるといふ事を意味するものである。されば實力を養ふことは、如何なる職業を問はず、成功を志すものゝ根本條件といふ可く之れに加ふるに責任を重んじ、正心誠意を以て事に當る人であつたならば、先づ成功の資格を具備してゐると稱する事が出來やう。

二

世の中にはどうかして早く世に出ようとし、そのために自家広告をして自己宣伝を試み、機会あるごとに自分を偉く見せようと吹聴する人があります。しかも、こういう人に限って、最も大切な自己の修養を閑却する傾向がありますが、これは本末転倒であって、砂上に楼閣を築くようなことです。なるほど、現今はすべてが広告の世の中であり、広告が上手であれば商品が売れます。ことに化粧品や売薬などは実質よりもむしろ広告で売っていますが、人間の世に立つのは化粧品や売薬を売るのとはまったく訳が違っているのです。一時は虚名を博し、虚位を得るとしても、実力がこれに伴わなければ決して永続するものではありません。したがって真の成功を期することはできません。それにもう一つ注意すべきことは、志を一つにして執着力を強くしようとする心がけです。とかく功を焦る人は大局に眼を注ぐことを忘れ、目前の利害に拘泥する通弊があります。たとえば、学校を卒業して銀行なり会社なりに勤務した場合、自分の実力を認めてくれないとか、地位や俸給が低すぎるとか言っては、他に優遇してくれるところがあればそちらに転じてしまい、仕事に対する執着力もなければ、名利のためには志を二つにも三つにもするという有り様では、とうてい成功するものではありません。いったん自分がその職業を選択して従事した以上は、あくまでもその仕事に努力し、他から好条件をもって転職を望まれてもそれに心を動かすことなく、側目《わきめ》もふらず進むようでなければなりません。こうした辛抱力がなく、目前の小利に眩惑されて転職する人は、ついには一生を有耶無耶に終わるでしょう。

また、自分の不遇を喞《かこ》ち（嘆き不平を言う）、他人の出世を羨《うらや》む人がいますが、これは大きな誤りです。人間の立身出世というものは与えられるものではなく、自分自身で築くべきものなのです。たとえば、人間は磁石のごときものであって、その人に十分の能力があり人格が立派であれば、あたかも磁石が鉄を吸いつけるように、自分の力で仕事や地位を吸い寄せられるのです。これに反して、もし自分の力が十分でなければ、仕事を与えられても良い地位にすえられても、十分に能力を発揮して成績を挙げることはできません。悪い磁石はそばに鉄屑を置いても引きつける力がないのと同様です。不遇を喞つ人というのは、とりもなおさず自分の磁石力が足りないためなのです。ならばどうすればよいかと言うと、職業によって差異があるかもしれませんが、だいたいにおいて、自分の与えられた仕事に真剣味をもって臨み、それを安全にしかも迅速に成しとげるように努力することが肝要です。そのような人は自然と先輩同輩に信頼され、世間から信用されるようになり、第二、第三の仕事が来るようになります。ちょうど、良い磁石が自然にたくさんの鉄を集めるというのと同じ理窟です。そうした人物こそ、真に価値ある人物と言うことができ、将来の富貴栄達が期待できるでしょう。そうであれば、いたずらに自分の地位の低いことに不平不満を抱いたり、先輩に目がなく自分を認めてくれないなどと嘆く者は、不平を並べたり憤慨したりする前に、まず自分の磁石力が果たして十分であるかどうかを顧み、なおいっそうその磁石力を強大にすることに努力すべきなのです。

【原文】

世の中にはどうかして早く世に出ようとし、之れが爲めに自家廣告をなし、自己宣傳を試み、機會ある每に自分を偉く見せようと吹聽する人がある。而も斯ういふ人に限つて、最も大切な自己の修養を閑却するの傾向があるが、之れは本末を顚倒せるものであつて、砂上に樓閣を築くにも比すべきである。成程、現今は凡てが廣告の世の中である、廣告が上手であれば商品が賣れる。殊に化粧品や賣藥などは實質よりも寧ろ廣告で賣つてゐるが、人間の世に立つのは化粧品や賣藥を賣るのとは全然譯が違つてゐる。一時は虛名を博し、虛位を得るとしても、實力が之れに伴はなければ決して永續するものではない、從つて眞の成功を期する事は出來ぬ。それにもう一つ注意すべき事は志を一にして執着力を強くするの心掛けである。兎角、功を焦る人は大局に眼を注ぐ事を忘れ、目前の利害に拘泥する通弊がある。例へば學校を卒業して銀行なり會社なりに勤務した場合、自分の實力を認めて吳れぬとか、地位や俸給が低過ぎるとか云つては、他に優遇する處があれば其方に轉じて仕舞ひ、仕事に對する執着力もなければ、名利の爲めには志を二つにも三つにもするといふ有樣では、到底成功するものではない。一旦自分が其の職業を選擇して從事した以上は、飽くまでも其の仕事に努力し、他から好條件を以て轉職を望まれても、それに心を動かすことなく、側目もふらず進むやうでなければならぬ。此の辛抱力がなく、目前の小利に眩惑して轉職する人は遂ひに一生を有耶無耶に終るであらう。

又、自分の不遇を喞ち、他人の出世を羨む人があるが、之れは大きな誤りである。人間の立身出世といふものは與へらるゝものではなく、自から築くべきものである。例へば人間は磁石の如きものであつて、其人に十分の能力があり、人格が立派であれば、恰かも磁石が鐵を吸ひつけるが如く自分の力を以て仕事や地位を吸收し得るのである。之れに反して若し自分の力が十分でなければ、仕事を與へられても、良い地位に据ゑられても、十分に能力を發揮して成績を擧げる事は出來ない。即ち悪い磁石は傍らに鐵屑を置いても、之れを吸收する力がないと同様である。不遇を喞つ人は、取りも直さず自分の磁石力が足りない爲めに外ならぬ。然らば如何にすればよいかといふに、職業によつて差異があるけれども、大体に於いて、自分の與へられた仕事に眞劍味を以て、完全に而も迅速に成し遂げる様に努力する事が肝要である。斯くの如き人は自から求めずして先輩同輩に信頼せられ、世人より信用せらるゝ様になり、第二、第三の仕事が來るやうになる。丁度、良い磁石が自然に澤山の鐵を吸收すると同じ理窟である。斯くの如き人物こそ、眞に價値ある人物と稱すべく、將來富貴榮達を期する事が出來やう。されば徒らに自分の地位の低いのに不平不滿を抱いたり、先輩の自分を認むるの明のないのを嘆く者は、不平を並べたり憤慨したりする前に、先づ自分の磁石力が果して十分であるかどうかを顧み、尙ほ一層其の磁石力を强大にする事に努力すべきである。

三

福沢諭吉先生は常に独立自尊ということを説かれましたが、私は必ずしも強い意味での独立自尊を勧めようとは思いません。しかしながら、けっして依頼心があってはなりません。これこそ私が人間の力を磁石に譬《たと》えるゆえんです。人間が社会の一員としてこの世の中に生活している以上は、いっさい他人の世話にはならないと言っても、事実においてできるようなことではありません。常に相手を尊重して自ら守るべきところは守り、自分の利益ばかりを考えて他人に迷惑を及ぼすようなことをしてはならないのです。言うまでもなくお互いに共同生活を営んでいるのですから、共存共栄の精神が根本であり、協和の心が最も大切であります。けれども、世の中ではいつの時代でも自然淘汰が行われ、磁石力の強い者は社会に重用されて立身出世するのに対して、磁石力の弱い者は世の中に出ることは困難なのです。だから人々はこの点を深く省みて、常に時勢の進歩に遅れないよう実力を養い、修養を怠らず、そうすることで磁石力が強大な有用の人物となるよう心がけることが必要です。「天は自ら助くる者を助く」という金言がありますが、立身出世の秘訣も煎じ詰めればこの数語に尽きると思います。

なお、大いに立身出世を志す者は、遠大の理想を樹ててこれに邁進すべきはもちろんですが、ここで注意すべきは、実際、世に処するに当たっては理想と実際とは必ずしも一致するものではないということです。だからもし理想と一致しないような場合があっても、決して失望落胆することなく、いっそうの勇気を奮い起こして事に当たるという覚悟がなければなりません。万一、自暴自棄に陥るようなことがあっては、一生を誤ることになりますが、これを突破することができれば、かえって世間の信用を得ることができ、成功の彼岸に到達するに至るでしょう。また、新時代の人はややもすれば先輩を時代遅れのように考え、内心これを蔑視する傾向がありますが、先輩は幾多の実際的経験を積んでおり、この実際の経験は成功と失敗とにかかわらず後進者にとってはことごとく活きた教訓であって、机上の名論に勝ることこの上なく、また金銭で購《あがな》うことのできない尊いものですから、つとめて先輩に接してその意見を敲《たた》き、経験談を聞き、これを鵜呑みにせず参考資料としてよく消化し、周到の用意をもって事に臨むという心がけが肝要であると信じます。

【原文】

福澤諭吉先生は常に獨立自尊といふ事を説かれたが、私は必ずしも強い意味での獨立自尊を勸めようとは思はぬ。併しながら決して依頼心があつてはならぬ。之れ私が人間の力を磁石に譬ふる所以である。人間が社會の一員として此の世の中に生活してゐる以上は、一切他人の世話にならぬと云つても、それは事實に於いて出來得べき事柄ではないが、常に相手を尊重して自ら守るべき處は守り、自分の利益ばかりを考へて他人に迷惑を及ぼす樣な事をしてはならぬ。言ふまでもなくお互ひに共同生活を營んで居るのであるから、共存共榮の精神が根本であり、協和の心が最も大切であるけれども、世の中では何時の時代でも自然淘汰が行はれ、磁石力の強き者は社會に重用されて立身出世するに反し、磁石力の弱い者は世の中に出る事は困難なのである。されば世人は此点を深く省みて、常に時勢の進歩に遲れざるよう實力を養ひ、修養を怠らず、以て磁石力の強大な有用の人物となるの心掛けが必要である。『天は自ら助くる者を助く』といふ金言があるが、立身出世の秘訣も煎じ詰むれば此の數語に盡きると思ふ。

尙、大に立身出世を志す者は、遠大の理想を樹てゝ之れに邁進すべきは勿論であるが、玆に注意すべきは、實際世に處するに當つては理想と實際とは必ずしも相一致するものではないといふことである。されば若し理想と一致しない様な場合があつても、決して失望落膽することなく、一層の勇氣を奮ひ起こして事に當るの覺悟がなければならぬ。萬一、自暴自棄に陷る様な事があつては、一生を誤る事になるが、之れを突破するに於いては却つて世人の信用を加へ、成功の彼岸に到達するに到るであらう。又、新時代の人は動もすれば先輩を時代遲れのやうに考へ、內心これを蔑視する傾きがあるが、先輩は幾多の實際的經驗を積んで居り、此の實際の經驗は成功と失敗とに拘らず後進者にとつては悉く活きた教訓であつて、机上の名論に勝ること萬々であり、且つ金錢で購ふことの出來ぬ尊いものであるから、力めて先輩に接して其の意見を敲き、經驗談を聞き、之れを鵜呑みにせず參考資料としてよく消化し、周到の用意を以て事に臨むの心掛けが肝要であると信ずる。

現代青年の短所と通弊

功を焦り過ぎるは不可

時勢の推移によって社会状態は始終うつり変っていきます。したがって、いわゆる時代思想なるものはその時代の社会状態の反映となりますが、現代の青年は私どもの青年時代と異って、いちだんと悧巧になり目先が利くようになりました。これは一面から言えば喜ぶべき現象であるとも言えますが、その反面から評すれば、多くの短所や通弊があると言わざるを得ません。一得一失と言えばそれまでのことですが、長所はあくまでこれを尊重し、短所通弊はこれを捨て、改善するようにしなければならないものです。この意味において、時に欠点のほうだけをとりあげてみるのも、かならずしも無駄な指摘とは言えないでしょう。

まず第一に、現代青年の通弊とするところは、あまりに成功を焦りすぎる嫌いがあることです。あえて青年の全部がそうだとは言いませんが、その大部分はどうかして早く出世しようと焦り、他人を押しのけても自分の都合のよいようにと利己的立場から考えるようです。また、その一手段として機会あるごとに自分を偉く見せようとして、自己宣伝や自家広告をする。その結果、最も大切な自己の修養を閑却する傾向があります。これは単に青年に限ったことでなく現代人一般の通弊なのですが、特に前途ある青年が成功を焦るようなことは、大いに慎むべきであると言えます。

もっとも、人間は銘々の顔がちがうのと同様に、それぞれ異った考えを持っているものですから、その思想を単に自分の心の中にのみ蓄えておけるものではありません。いわんや言論の自由が国法によって保障されている今日、自分の考えを発表することは少しも差し支えありませんが、時と場合とをよく考えることを忘れてはなりません。自分から進んで知ったかぶりをして偉く見せようとすることは、本人の気持では早く世に知られ、栄達する方法だと信じているかもしれませんが、公平な眼から見れば奥行のない軽薄な人間と見られ、信頼して仕事を托することのできない人間と思われるに過ぎないのです。これに反して平素修養に心掛けている人は、いかなる場合に遭遇しても狼狽するようなことがありません。そのような人こそ、本当に価値ある人間と言うことができると思います。嚢中《のうちゅう》の錐《きり》という譬《たとえ》があるように、実力が備わっている人は、事があれば必ずその才能が顕われます。青年諸君はこの点を深く考えて、成功を焦ることはかえって将来の栄達を阻害し蹉跌を来す原因となることを想うべきなのです。

なお、現代の青年は概して与えられた仕事に対して十分責任を果たさず、地位の低いことや俸給の少ないことに不平をもっている人が多いように見受けられます。これははなはだ間違った考えであって、どういう仕事でも決して不平や不満を抱かず、与えられた職務はこれを自分の天職と心得てこれを完全に迅速に仕遂げるようにしなければなりません。そのようにすれば、求めずして信用され重用されるようになり、将来の栄達を期待することができるでしょう。

【原文】

時勢の推移に依つて社會狀態は始終遷り變つて行く。從つて所謂時代思想なるものは、其の時代の社會狀態の反映であるが、現代の青年は私共の青年時代と異つて、一段に悧巧になり目先が利く樣になつた。之れは一面から言へば喜ぶ可き現象であるとも言へるが、其の反面から評すれば、幾多の短所や通弊あるのを免れない。一得一失と言へばそれ迄の事であるが、長所は飽くまで之れを尊重し、短所通弊は之れを捨て、之れを改善する樣にしなければならぬものである。此の意味に於いて時に欠点の方だけを見るのも强ち徒爾ではなからう。

先づ第一に現代青年の通弊とする處は、餘りに成功を焦り過ぎる嫌ひがある事である。敢て青年の悉くがさうだとは言はぬが、其の大部分はどうかして早く出世しようと焦り、他人を押しのけても自分の都合のよい樣にと利己的立場から考へる。又其の一手段として機會ある每に自分を偉く見せようとして、自己宣傳や自家廣告をする。而して最も大切な自己の修養を閑却するの傾向がある。之れは單に青年に限つた事でなく、現代人一般の通弊であるが、特に前途ある青年が成功を焦るが如きは大に愼むべき事である。

尤も人間は銘々の顏が異ふと同樣に、それぐ\異つた考へを持つて居るものであるから、其の思想を單に自分の心の中にのみ蓄へて置かれるものではない。況んや言論の自由が國法によつて保證されて居る今日自分の考へを發表する事は少しも差支へないが、時と場合とをよく考へる事を忘れてはならぬ。自から進んで知つたか振りをし偉く見せようとする事は、本人の氣持では早く世に知られ榮達する途と信じて居るかも知れぬが、公平な眼から見れば奥行のない輕薄な人間と見られ、信頼して仕事を托する事の出來ぬ人間と思はるゝに過ぎないのである。之れに反して平素修養に心掛けて居る人は如何なる場合に遭遇しても狼狽する様な事はない。斯かる人こそ本當に價値ある人間と云ふ事が出來やうと思ふ。嚢中の錐の譬のある如く、實力の備はつて居る人は事あれば必ず其の才能が顯はれる。青年諸君は深く此点を省みて成功を焦ることは却つて將來の榮達を阻害し、蹉跌を來すの基である事を想ふ可きである。

尙ほ現代の青年は概して與へられた仕事に對して十分責任を果さず、却つて地位の低い事や俸給の少ない事で不平を持つてゐる人が多いやうに見受けられる。之れは甚だ間違つた考へであつて、どう云ふ仕事でも決して不平や不滿を抱かず、與へられた職務は之れを自分の天職と心得て之れを完全に迅速に仕遂げる樣にしなければならぬ。斯くすれば求めずして信用され重用さるゝに至り、將來の榮達を期する事が出來やう。

謙譲の美徳を無視する勿《なか》れ

われわれの青年時代は漢学の盛んな時代でしたから、私なども西洋の学問よりも主として漢学を修めたのですが、その教訓の中に謙譲の美徳というのがありました。私は謙譲ということはいつの時代にも必要であると思っていますが、今日の世の中を見るに、謙譲を守る者は莫迦《ばか》だと思う者があるようです。口に出して露骨に言わぬまでも、たいていの人はそういう考えをもっているらしい。これは単に青年に限ったわけではなく、世間一般の風習がそうさせているのですが、畢竟、物質文明の発達に伴い人情が軽薄となり、他人を押しのけても自分が良ければそれでよいという利己主義に囚われすぎている結果にほかならないと思われます。自己満足ということは、当今の一般青年の間に漲《みなぎ》っている思想ですが、この考えからすれば、謙譲とか謙遜とかいうことは時代遅れの思想とされるでしょう。しかしながら、謙譲はけっして時代遅れでもなければ、間違った訓《おし》えでもありません。生きた社会に立って融和協調し、かつ他人の信用を受けるには是非とも必要な教訓です。ただ、謙譲と卑屈とはややもすれば誤解されやすいから、これを混同してはなりません。謙譲というのはわかりやすく言えば出遮張《でしゃば》らないことです。早く世に知られたいがために自家広告や自己宣伝をすることは、謙譲の美徳を傷つけるものですから、大いに慎まなければなりません。だからと言って、必要な場合にも知っていることを押し隠して、どこまでも知らぬ風を装うようなことは謙譲ではありません。これは謙遜の履《ふ》み違いであってむしろ卑屈の部類に属し、忌むべきことです。平常は決して出遮張らず自分を謹厳に保ち、それでいて必要な場合には自分の信ずるところを明確に述べるのが真の謙譲なのです。

新しい教育を受けた人々は、概して「老人の言うことは古臭い、時代遅れだ」と排斥する傾向がありますが、これは大きな間違いであると思います。時勢の推移によって思想もまた移り変るのは当然ですが、人倫の道徳というものは水の流れのように雑作なく動くものではありません。私は多年、孔孟（孔子と孟子）の教えを処世の活きた教訓として遵奉《じゅんぽう》していますが、御承知のとおり二千四百年前の教訓でありますから、その一言一句がことごとく現代に当てはまるというわけではありません。しかし、その根本精神は人間生活の活きた教訓となすべき立派な道徳なのです。お互いに旧習を墨守して時代に遅れるようなことは大いに排斥しなければなりませんが、だからと言って何事でも新しいことでさえあればよいというような間違った考えを鵜呑みにして、よく噛みしめて咀嚼、消化することをせずにこれを取り入れることは、最も慎まなければならぬことであると思います。

【原文】

吾々の青年時代は漢學の盛んな時代であつたから、私なども西洋の學問よりも主として漢學を修めたのであるが、其の教訓の中に謙譲の美徳といふのがある。私は謙譲といふ事は何時の時代にも必要であると思うて居るが、今日の世の中を見るに、謙譲を守る者は莫迦だと思ふ者がある様である。口に出して露骨に言はぬ迄も、大抵の人はさういふ考へを有つて居るらしい。之れは獨り青年に限つた譯ではなく、世間一般の風習の然らしむる處であるが、畢竟、物質文明の發達に伴ひ、人情が輕薄となり、他人を押しのけても自分が良ければそれで宜いといふ、利己主義に囚はれ過ぎてゐる結果に外ならぬと思はれる。自己満足といふ事は、當今の一般青年間に漲つてゐる思想であるが、此の考へからすれば、謙譲とか謙遜とかいふ事は時代遅れの思想と思考さるゝであらう。併しながら謙譲は決して時代遅れでもなければ、間違つた訓へでもない。活社會に立ちて融和協調し、且つ他人の信用を受けるには是非とも必要なる教訓である。只、謙譲と卑屈とは動もすれば誤解され易いから、之れを混同してはならない。謙譲といふのは分り易く言へば出遮張らぬ事である。早く世に知られ度いが爲めに、自家廣告や自己宣傳をする事は、謙譲の美徳を傷くるものであるから大に愼まなければならぬ。されぱと云つて、必要な場合にも知つて居る事を押し隱して、何處までも知らぬ風を装ふが如きは謙譲ではない。之れは謙遜の履み違ひであつて寧ろ卑屈の部に屬し、忌むべき事である。平常は決して出遮張らず自らを持するに謹嚴にし、而して必要な場合には自分の信ずる處を明確に述ぶるのが眞の謙譲である。

新らしい教育を受けた人々は、概して『老人の言ふ事は古臭い、時代遲れだ』と排斥する傾向があるが、之れは大きな間違ひであると思ふ。時勢の推移によつて思想も亦遷り變るのは當然であるが、人倫の道徳といふものは水の流れのやうに雜作なく動くものではない。私は多年孔孟の教へを處世の活教訓として遵奉して居るが、御承知の通り二千四百年前の教訓であるから、其の一言一句が悉く現代に當篏まるといふ譯ではないが、其の根本精神は以て人間生活の活教訓となすべき立派な道徳である。お互ひに舊習を墨守して時代に遲れるやうな事は大に排斥しなければならぬが、さればと謂うて何事でも新らしい事でさへあればよいといふ様な間違つた考へを以て鵜呑みにし、能く嚙みしめて咀嚼、消化する事をせずに之れを取り入れる事は、最も愼まなければならぬ事であると思ふ。

遠大の理想に勇進せよ

それから、現代の青年はややもすれば空想に趨《はし》りすぎる傾きがありますが、これは大いに慎むべきことです。もし人間に理想がなかったならば、その人間は単に生きんがために働いているにすぎません。それでは人間としての価値がないと言っても過言ではありません。とりわけ青年に理想がなかったならば、青年としての存在の意義をなさないのです。ですから、青年が高遠の理想を抱くことは大いに結構なことですが、一歩を誤って空想の域に入る時は、かえって栄達の途を誤ることが多いことを覚らなければなりません。青年は元気が横溢していることを第一の特色としますが、あまりに悧巧になりすぎた当今の青年は、総じて活気に乏しい嫌いがあります。これはあまりに目先の事ばかりを考えすぎている結果ではなかろうかと思います。明治維新の大勢を馴致《じゅんち》したのは青年の力でありました。もっとも幕末時代と今日とでは、はなはだしく時勢が異なっているから同一に論ずることはできませんが、青年の意気はかくあって欲しいと思います。この意気がなければ大いに伸びる事はできません。ただ、ここにくれぐれも注意すべきことは、理想と空想とは間違いやすいから、決して空想に趨らず、遠大の理想を樹《た》ててこれに向かって勇往邁進《ゆうおうまいしん》すべきであるということです。

なおいったん目的に向かって邁進した以上は、「百万人といえども我れ往《い》かん」（敵が百万人いようとも進もう）の大決心が必要です。いかに綿密周到な用意の下にある事業に着手しても、時に不可抗力の原因によって蹉跌を来す場合もありますし、かつ理想と実際とは必ずしも相《あい》一致するものではありませんから、予期に反することが往々にしてありがちです。しかし、もし理想と一致しないようなことがあっても、けっして失望落胆することなく、万一そういう場合に立ちいたった際には、さらに一層の勇気を奮い起してことに当たる覚悟がなければなりません。青年時代は思想の動揺しやすい最も危険な時代ですから、せっかく苦心努力した仕事に蹉跌を来すようなことがあると、自暴自棄に陥る者が少なくないようですが、これはただ単に一身一家を誤るばかりでなく、ひいては社会に迷惑を及ぼす結果となります。それにつけても平素の修養が肝要であって、十分な修養さえ積んでいたならば、いかなる難局に遭遇するもその方針を誤るようなことはないのですから、修養は処世上第一の必須条件であるということを深く心に銘ずるべきなのです。

【原文】

それから現代の青年は動もすれば空想に趨り過ぎる傾きがあるが、之れは大に愼むべき事である。若し人間に理想が無かつたならば、其の人間は單に生きんが爲めに働いてゐるに過ぎない。それでは人間としての價値がないと言つても過言ではあるまい。殊に青年に理想がなかつたならば、青年としての存在の意義をなさない。されば青年が高遠の理想を抱くことは大に結構なことであるが、一歩を誤つて空想の域に入る時は、却つて榮達の途を誤る事が多い事を覺らなければならぬ。青年は元氣の横溢してゐるのを第一の特色とするが、餘りに悧巧になり過ぎた當今の青年は、總じて活氣に乏しい嫌ひあるを免れない。之れは餘りに目先きの事ばかりを考へ過ぎてゐる結果ではなからうかと思ふ。明治維新の大勢を馴致したのは青年の力であつた。尤も幕末時代と今日とでは、甚だしく時勢が異つて居るから同一に論ずる事は出來ぬが、青年の意氣は斯くあつて欲しいと思ふ。此の意氣がなければ大に伸ぶる事は出來ない。只、茲に呉々も注意すべき事は、理想と空想とは間違ひ易いから、決して空想に趨らず、遠大の理想を樹てゝ之れに向つて勇往邁進すべきである。

尚ほ一旦目的に向つて邁進した以上は、百萬人と雖も我れ往かんの大決心が必要である。如何に綿密周到な用意の下に或る事業に着手しても、時に不可抗力の原因によつて蹉跌を來たす場合もあるし、且つ理想と實際とは必ずしも相一致するものではないから、豫期に反する事が往々にして有り勝ちである。併し若し理想と一致せぬ樣な事があつても、決して失望落膽する事なく、萬一さういふ場合に立ち到つた際には、更に一層の勇氣を奮ひ起して事に當るの覺悟がなければならぬ。青年時代は思想の動搖し易い最も危險な時代であるから、折角苦心努力した仕事に蹉跌を來たす樣な事があると、自暴自棄に陷る者が尠くない樣であるが、之れは啻に一身一家を誤る計りでなく、惹いては社會に迷惑を及ぼす結果となる。それにつけても平素の修養が肝要であつて、十分の修養さへ積んで居つたならば、如何なる難局に遭遇するも其の方針を誤る樣な事はないのであるから、修養は處世上第一の必須條件であることを深く心に銘すべきである。

先輩の経験を尊重せよ

活力の最も旺盛な青年および壮年の人々に、私は最も多くの望みを嘱します。すべての仕事はこれらの活気横溢する、元気潑剌たる人々が中心となって行うべきであると思います。だからと言って先輩を無視することはよろしくない。青年および壮年者は未来に生きるのですから、それだけ将来があり前途洋々としていますが、老年者には未来というものがありません。したがって多くは過去に生きています。こうしたところに青壮年者と老年者との隔りがあるわけですが、老年者には未来がない代りに、数多くの実際の経験を積んでいます。この実際の経験というものは、成功と失敗とにかかわらず、後進者にとっては生きた教訓ですから、この意味において先輩を尊敬しなければなりません。そうではありますが、老年者といえども、いたずらに過去にばかり生きることはよろしくない。境遇と健康の許す限りは分相応の働きをなして、幾分でも社会公共のために貢献するのは人間としての義務であらねばなりません。私自身はすでに老齢にして壮者のような健康体ではありませんが、この信条の下に及ばずながら自分のできるだけのことはしているつもりですが、なお時間の許す限りは誰とでも面会して、意見をたずねられれば意見を述べ、経験談を問われれば成功と失敗とにかかわらずすべてをありのままにお話しするようにしている次第です。

いささか横道に入った嫌いがありますが、要するに青壮年者と老年者とは、その生きる世界が違っているため、多くの青年は表面はともかくとして、内心では老人の言うことはすべてが時代遅れであるとして、その意見を尊重しない傾きがある。しかし、もしその思想は旧《ふる》いにしても、実際の経験は机上の名論に大きく勝りますし、かつ金銭で購うことのできぬ尊いものなので、青年諸君は努めて先輩に接し、その意見を敲《たた》き、経験を聞き、これを参考資料としてよく消化し、仕事をなすに際しても周到に用意をして、先人の失敗を繰り返さないように心がけるべきなのです。

【原文】

私は活力の最も旺盛な青年及び壯年の人々に最も多くの望みを囑する。凡ての仕事は是等の活氣横溢せる、元氣潑剌たる人々が中心となつて行ふ可きである。さればと云つて先輩を無視することは宜しくない。青年及び壯年者は未來に生きるのであるから、それだけ將來があり前途洋々たるものであるが、老年者には未來といふものがない、從つて多くは過去に生きる。此間に青壯年者と老年者との隔りがあるが、老年者には未來がない代り、幾多の實際の經驗を積んでゐる。此の實際の經驗といふものは、成功と失敗とに拘らず、後進者にとつては生きた教訓であるから、此の意味に於いて先輩を尊敬しなければならぬ。さりながら老年者と雖も、徒らに過去に計り生きることは宜しくない。境遇と健康の許す限りは分相應の働きをなして、幾分でも社會公共の爲めに貢献するのは人間としての義務であらねばならぬ。私自身は既に老齢にして壯者の如き健康体ではないが、此の信條の下に及ばずながら自分の出來るだけの事はして居る積りであるが、尙ほ時間の許す限りは誰とでも面會して、意見を徵さるれば意見を述べ、經驗談を問はるれば成功と失敗とに拘らず凡てを有りの儘にお話をする様にしてゐる次第である。

聊か横途に入つた嫌ひがあるが、要するに青壯年者と老年者とは、其の生きる世界が違つてゐる爲め、多くの青年は表面は兎も角として、内心では老人の言ふことは凡てが時代遲れであるとなし、其の意見を尊重しない傾きがある。併し假令其の思想は舊いにしても、實際の經驗は机上の名論に勝ることは萬々であるし、且つ金錢で購ふことの出來ぬ尊いものなるを以て、青年諸君は努めて先輩に接し、其の意見を敲き、經驗を聞き、之れを參考資料として、よく消化し、仕事をなすに際しても周到なる用意をなし、先人の失敗を繰返さゞる様に心掛く可きである。

信用を得る人得ない人

青年の意気

世の中は絶えず動いています。したがって社会の進歩発達を目指すには、時代に適応した人物でなければならないのはもちろんです。時代に適応した人物とは、言うまでもなく新人を意味するものであって、新人が出て絶えず世の中の空気を新しくし、向上進歩を計るところに国家社会の進歩発展があり、人類の幸福増進もまたそこに育まれるのです。この見地から、私は青年諸君に最も希望をもっているのです。

青年には元気が最も必要です。元気が横溢しているということは青年第一の特色とするところであって、青年の生命とも言い得るでしょう。ですが現代の青年は総じて活気に乏しいように思われます。これは悧巧《りこう》になりすぎていわゆる世渡りが上手になり、目先のことばかり考えているためではないでしょうか。維新の鴻業《こうぎょう》(大事業)を成就したのは主として青年の力でありましたが、今後の日本の発展も元気潑剌たる青年の力にまつところが多いのです。それにもかかわらず、いくぶん意気が衰えたかのような傾向があるのは、はなはだ遺憾至極なことです。もっとも、幕末時代と大正の今日とでは時勢が違っているから同一に論ずる事はできませんが、青年の意気は維新当時のようであって欲しいと思います。この意気がなければ将来大いに伸びることはできません。ただ、ここに注意すべきは理想と空想とは似て非なるものですから、空想に趨ることを深く慎み、遠大の理想を樹ててこれに向かって邁進すべきだということです。ある一つの問題に対して決断を下し、これに猛進するに先だって熟慮することが必要です。そうでないと、ややもすれば青年の客気にはやって、取り違えた道に進むことが往々にしてありがちだからです。

なお、いったん目的を定めて進んだ以上は、倒れて止むの勇猛心を振い起して驀進すべきです。とは言え、理想と実際とは必ずしも一致すべきものではありませんから、時にあるいは予期に反して蹉跌することがあるでしょうけれども、けっして失望落胆することなく、そういう場合に立ち到った際には、いっそうの勇気を鼓してことに当たるような覚悟がなければなりません。とかく血気盛んな青年は一気にことを成し遂げようとする傾向があり、その勇気は賞すべきですが、他の一面よりすれば持久力に乏しく、思うような効果が挙がらないと中途で挫折することが多いようです。それに加えて、青年時代は思想の動揺しやすい最も危険な時代であって、中途挫折の結果自暴自棄に陥り、その一生を誤るものが少なくないので、この点を深く自省して功を焦らず苦難に忍従して、あくまでも初志の貫徹に努めるべきなのです。

【原文】

世の中は絶えず動いて居る。從つて社會の進歩發達を期するには、時代に適應した人物を要することと勿論である。時代に適應した人物とは、言ふまでもなく新人を意味するものであつて、新人が出て絶えず世の中の空氣を新しくし、向上進歩を計る處に國家社會の進歩發展があり、人類の幸福增進も亦此處に育くまるゝのである。此の見地より私は青年諸君に最も望を囑するものである。

青年には元氣が最も必要である。元氣の横溢して居ると云ふ事は青年第一の特色とする處であつて、青年の生命とも謂ひ得られるだらう。然るに現代の青年は總じて活氣に乏しい様に思はれる。之れは悧巧になり過ぎて所謂世渡りが上手になり、目先の事ばかり考へてゐる爲めではあるまいか。維新の鴻業を成就したのは主として青年の力であつた、今後の日本の發展も元氣潑剌たる青年の力に俟つ處が多い。それにも拘らず、幾分意氣が衰へたかの傾向があるのは、甚だ遺憾至極である。尤も幕末時代と大正の今日とでは時勢が違つて居るから同一に論ずる事は出來ぬが、青年の意氣は維新當時の如くであつて欲しいと思ふ。此の意氣がなければ將來大に伸ぶる事は出來ない。只玆に注意すべきは理想と空想とは似て非なるものであるから、空想に趨ることを深く愼み、遠大の理想を樹てゝ之れに向つて邁進すべきである。且つ或る一つの問題に對して決斷を下し、之れに猛進するに先だつて熟慮する事が必要である。さうでないと、動もすれば青年の客氣に逸つて、取違へた途に進むことが往々にして有り勝ちだからである。

尙、一旦目的を定めて進んだ以上は、倒れて止むの勇猛心を振ひ起して驀進すべきである。而して理想と實際とは必ずしも一致すべきものではないから、時に或は豫期に反して蹉跌する事があらうけれども、決して失望落膽する事なく、さういふ場合に立到つた際には、一層の勇氣を鼓して事に當るの覺悟がなければならぬ。兎角血氣盛んな青年は一氣に事を成し遂げようとする傾向があり、其の勇氣は賞すべきであるが、他の一面よりすれば持久力に乏しく、思ふやうな効果が擧がらないと中途で挫折することが多い。加ふるに青年時代は思想の動搖し易い最も危險な時代であつて、中途挫折の結果自暴自棄に陥り、其の一生を誤るものが尠くない故、此點を深く自省して功を焦らず苦難に忍從して飽くまでも初志の貫徹に力むべきである。

不断の修養

それにつけても不断の修養は処世の必須条件であることを、深く心に銘ずるべきです。常に修養に心がけ、いわゆる内容の充実、実力の涵養に努力していれば、いかなる場合においても出所進退を誤ることなく、また失望落胆して自暴自棄に陥るようなこともありません。それなのに悧巧になった現代の青年は、この大切な修養を怠って、いたずらに世に出る事をのみ焦り、そのために自家広告や自己宣伝をし、機会あるごとに自分を偉く見せようと吹聴する者も少なくありません。自分から進んで知ったかぶりをし、偉く見せようとすることは、自分自身では早く世に知られ、栄達する道と信じているかもしれませんが、第三者の公平な眼から見れば、軽薄な奥行のない人間と見られ、信頼してことを托する事のできない人物と思われるに過ぎないのです。これに反して平素修養に心懸けている人物は、いかなる場合に遭遇しても、けっして狼狽するようなことなく、平素の修養が最も役立って、世人の信用を高め、有用の人物たることを認められるようになるものです。これでこそ本当の価値ある人間と言うことができるでしょう。

なお、知ったかぶりをして出遮張ることのよろしくないことは前に述べたとおりですが、必要な場合にも知っていることを押し隠して知らないふりをするようなこともあってはなりません。謙譲の美徳は大いに必要ですが、そのようなことは謙譲の履き違いであって、むしろ卑屈の部に属します。平常は決して出遮張らず、自ら持するに謹厳にして、それでも必要な場合には自分の信ずるところを明確に述べるのが真の謙譲です。謙譲と卑屈とはややもすれば誤解しやすいから、これを混同してはなりません。

【原文】

それにつけても不斷の修養は處世の必須條件である事を深く心に銘すべきである。常に修養に心掛け、所謂内容の充實、實力の涵養に努力して居れば、如何なる場合に於いても出所進退を誤る事なく、又失望落膽して自暴自棄に陷る樣な事もない。然るに悧巧になつた現代の青年は、此の大切なる修養を怠つて、徒らに世に出る事をのみ焦り、之れが爲め自家廣告や自己宣傳をし、機會ある毎に自分を偉く見せようと吹聽する者も尠くない。自分から進んで知つたか振りをし、偉く見せ樣とする事は、自分自身では早く世に知られ、榮達するの途と信じて居るかも知れぬが、第三者の公平な眼から見れば、輕薄な奥行のない人間と見られ、信賴して事を托する事の出來ない人物と思はるゝに過ぎないのである。之れに反して平素修養に心懸けて居る人物は、如何なる場合に遭遇しても、決して狼狽するやうな事なく、平素の修養が最も役立つて、世人の信用を高め、有用の人物たることを認めらるゝに到るものである。之れでこそ本當の價値ある人間と云ふ事が出來やう。

尙、知つたか振りをして出遮張る事の宜しくない事は前に述べた如くであるが、必要な場合にも知つてゐる事を押し隱して知らぬ風を裝ふ如き事あつてはならぬ。謙譲の美德は大に必要であるが斯くの如きは謙譲の履き違ひであつて、寧ろ卑屈の部に屬する。平常は決して出遮張らず、自ら持するに謹嚴にして、而して必要な場合には自分の信ずる處を明確に述ぶるのが眞の謙譲である。謙譲と卑屈とは動もすれば誤解し易いから、之れを混同してはならぬ。

処世上の必要条件

次に、現代の青年は大局に眼を注ぐことを忘れ、極めて小さい範囲の目前の事象に拘泥しすぎる傾向のあるのは、看過すべからざる通弊であると思います。たとえばここに一人の青年があって、首尾よく学校を卒業してある会社へ入社したとします。ところがその会社が自分の手腕を認めてくれないと言っては他にもっと優遇するところがあればそのほうへ転じてしまう。人間が世に立つには志を一つにしなければならないのに、現代青年の多くは目前の小利に囚われて、これを二つにも三つにもして平然としているばかりでなく、かえってこれを世渡り上手のように心得ていますが、これは自分の信用を篤くする上において大いに顧みねばならない点であります。このほか、責任観念の乏しいことや、執着力の欠如していることや、誠意の念に乏しいことなどいずれも現代青年の短所ですが、これらの欠点は自らその進路をはばみ、大成を傷つける素因をなすものですから、不断の修養によってこれを改めるようにしなければなりません。

責任観念が乏しいということは、私がしばしばその実際を見聞するところですが、これは結局その人の人格の反映であって、そのことがこの人物は頼もしくないということを裏書きするようなものです。些細な仕事だからと思って本人は無意識に粗末にするのかもしれませんが、先輩から見ればすこぶる頼りにできない人間ということになってしまい、そのような仕事でさえも十分になし遂げないのであれば、重大な仕事はなおさら任せられないと思わせてしまうことになるのです。また、執着力に乏しい人間は一面において仕事に倦《う》みやすいことの証拠にもなり、これまた信頼のできぬ人間であると思わせてしまうことになります。さらに、誠意の欠如した人間に至っては、いかに手際よく仕事ができる手腕があって豊富な新知識を有していても、世間の人々からの信用はとうてい得られないことはあらためて言うまでもありません。

これに反して責任観念が強く、執着力があり、誠心誠意をもってことに当たるような人であったならば、どこへ行っても重用され得る素質を持つ立派な人物であると言えます。責任を重んじ誠意をもって成した仕事であるならば、たとえ失敗することがあっても自ら良心が咎《とが》めることなく、またそのために信用を失墜するようなこともありません。孔子は、「内に顧みて疚《やま》しからずば、何をか憂え何をか懼《おそ》れんや」と論語に説いておられますが、そのような観念をもって仕事に対する人こそ、将来必ず大成することでしょう。

【原文】

次ぎに現代の青年は大局に眼を注ぐ事を忘れ、極めて小さい範圍の目前の事象に拘泥し過ぎる傾向のあるのは、看過すべからざる通弊であると思ふ。例へば此處に一人の青年があつて、首尾よく學校を卒業して或る會社へ入社したとする、處が其の會社が自分の手腕を認めて呉れないと云つては他にもつと優遇する處があれば其方へ轉じてしまふ。人間が世に立つには志を一ツにしなければならぬのに、現代青年の多くは目前の小利に囚はれて、之れを二ツにも三ツにもして平然としてゐる計りでなく、却つて之れを世渡り上手の如く心得て居るが、之れは自分の信用を篤くする上に於いて大に顧みねばならぬ點である。此外、責任觀念の乏しい事や、執着力の缺如して居る事や、誠意の念に乏しい事など何れも現代青年の短所であるが、是等の缺點は自ら其の進路をはゞみ、大成を傷くる素因をなすものであるから、不斷の修養に依つて之れを改むる様にせねばならぬ。

責任觀念の乏しいといふことは、私が屢〻其の實際を見聞する處であるが、之れは結局其人の人格の反映であつて、之れに依つて此の人物は頼もしくないといふ事を裏書させる様なものである。些細の仕事だからと思つて本人は無意識に之れを粗末にするかも知れぬが、先輩から見れば頗る頼みにならぬ人間であつて、斯かる仕事でさへも十分になし遂げぬのであるから、重大な仕事は猶更一任する事は出來ないといふ觀念を懐かしむるに到るのである。又執着力に乏しい人間は、一面に於いて仕事に倦み易い事を證據立てるものであつて、是れ亦信頼の出來ぬ人間であるとの感を起さしむる。更に誠意の缺如せる人間に至つては、如何に手際よく仕事をなし得る手腕があり、又豊富なる新知識を有して居つても、到底世人より信用し得られないことは改めて言ふまでもない。

之れに反して責任觀念が強く、執着力があり、誠心誠意を以て事に當る樣な人であつたならば、何處へ行つても重用され得る素質を持つ立派な人物である。責任を重んじ誠意を以て成した仕事であるならば、假令失敗することがあつても自ら良心が咎むる事なく、又之れが爲め信用を失墜するやうな事もない。孔子は、『内に顧みて疚しからずば、何をか憂へ何をか懼れんや』と論語に説いて居られるが、斯くの如き觀念を以て仕事に對する人こそ、將來必ず大成するであらう。

資本よりも信用

一

事業を創業するにしても、商売を営むにしても、先立つものは資本です。いかに有望な事業を計画しても、資本がなければその事業を創始することができませんし、いかに確実有利な商売があっても、資本がなければこれを営むことができません。また、資本がないために絶好の機会を眼前に見ながら、他人の活躍するところを指を咬《くわ》えて見ていなければならない場合もあります。このことを大きくして国家という立場から見ても、国家的施設の完備を期するには、国家の財政が根本であって、産業、教育、鉄道、港湾等の諸施設をはじめ、すべての有用な計画も、財政が豊かでなければ実行し得られないのです。すなわち産業の発達も社会政策的施設の完成も、教育機関の完備も、その実行には必ず資本を要するのです。そうであれば国家としても、個人としても、資本の必要であることは今さら贅言を要せぬところです。

しかしながら、資本は万能ではありません。もっと大切なのは人です。資本の価値も、これを活用する人によって定まるのです。たとえばここに一人の富豪があると仮定します。その富豪が国家的事業とか、社会的事業とか、その他の道理正しいことのために財産を活用する時は、その資産は非常に価値ある働きをするけれども、もし自分の道楽とか、その他の無用なことに使用する場合には、少しの価値もないばかりでなく、かえって社会に迷惑を及ぼすことさえあります。したがって財産が多いということのみをもって尊いと言うことはできません。道理正しい遣い道を知っている人にして、はじめてその財産にも価値があるのです。されば財産を造ることも結構であるが、資本を最も道理正しく活用する道を覚えることが、より以上に大切であると思うのです。

【原文】

事業を創めるにしても、商賣を營むにしても、先立つものは資本である。如何に有望な事業を計畫しても、資本がなければ其の事業を創始する事が出來ぬし、如何に確實有利な商賣があつても、資本がなければ之れを營むことが出來ない。又、資本がない爲めに絶好の機會を眼前に見ながら、他人の活躍するところを指を咬へて見てゐなければならぬ場合もある。更に之れを大にして國家といふ立場から見ても、國家的施設の完備を期するには、國家の財政が根本であつて、産業、教育、鐵道、港灣等の諸施設を始め、凡ての有用な計畫も、財政が豊かでなければ實行し得られないのである。即ち産業の發達も社會政策的施設の完成も、教育機關の完備も、其の實行には必ず資本を要するのである。されば國家としても、個人としても、資本の必要である事は今更贅言を要せぬ處である。

乍併、資本は萬能ではない、もつと大切なのは人である。資本の價値も、之れを活用する人によつて定まるのである。例へば玆に一人の富豪があると假定する。其の富豪が國家的事業とか、社會的事業とか、其他の道理正しい事のために財産を活用する時は、其の資産は非常に價値ある働きをするけれども、若し自分の道樂とか、其他の無用な事に使用する場合には、少しの價値もない計りでなく、却つて社會に迷惑を及ぼす事さへある。從つて財産が多いといふ事のみを以て尊いといふ事は出來ない。道理正しい遣ひ途を知つてゐる人にして、初めて其の財産にも價値があるのである。されば財産を造ることも結構であるが、資本を最も道理正しく活用する途を覺える事が、ヨリ以上に大切であると思ふ。

二

私は道徳と経済の合一という事を多年主張しており、私自身はこれを実践躬行《じっせんきゅうこう》してきたつもりですが、今日の世の中を見るに、どうも知識の進歩というほうに趨《はし》りすぎて、すべての方面に上すべりの傾向が多いように思われます。これは時勢の変遷とも言い得るでしょうし、教育の欠陥とも見られるでしょうが、いずれにしても好ましくない風潮です。我が国の教育は古い時代には、むしろ精神教育に偏していたようですが、今日は昔と反対に科学的教育に偏しているため、精神教育の方面はよほど閑却されているように思われます。このように、智育に偏して徳育のほうがあまり顧みられない結果、世の中は潤い味が少なくなって、人々はいずれも自我に囚われ、私利私慾に趨るという、はなはだ憂うべき思想が盛んになってきたように思います。

とかく、この富を致すという経済のことと私どもの主張する道徳とは一致を欠くことがしばしばありがちです。とは言え、あまり道徳に傾きすぎると富貴栄達を嫌うようになるし、また功名富貴に囚われすぎると道徳などはそっちのけで目的のためには手段を選ばないという弊風に陥りやすいようです。したがってそのいずれに偏してもよろしくないですが、中には道徳と経済とはとうてい一致できないかのように考えている人も少なくありません。しかし、これは皮相的な見解であって、富というものは道徳と一致するものでなければ正しい富とは言えないし、道徳と経済とは決して相反するものでなく、正しい道を履《ふ》むことがすなわち道徳なのですから、私の主張する義利合一論は、各人の心がけによっては誰にでも容易に実行することができるのです。ですから富を得ようとする人は、まず自分の履む道が正しいか否かを稽《かんが》え、あくまでも正しい道を履み脱《はず》さないように心がけなければなりません。「鹿を追う猟師山を見ず」という諺があるように、儲けようという考えだけが働いていると時には正道を履み脱して不義に陥ることがあります。心すべきことです。

【原文】

私は道徳と經濟の合一といふ事を多年主張して居り、私自身は之れを實踐躬行して來た積りであるが、今日の世の中を見るに、どうも知識の進歩といふ方に趨り過ぎて、凡ての方面に上辷りの傾向が多いやうに思はれる。之れは時勢の變遷とも言ひ得やうし、教育の缺陷とも見られるだらうが何れにしても好ましくない風潮である。我國の教育は古い時代には、寧ろ精神教育に偏してゐたやうであるが、今日は昔と反對に科學的教育に偏してゐるため、精神教育の方面は餘程閑却されてゐる様に思はれる。斯く智育に偏して徳育の方が餘り顧みられぬ結果、世の中は潤ひ味が少なくなつて、人々は何れも自我に囚はれ、私利私慾に趨るといふ、甚だ憂ふ可き思想が盛んになつて來たやうに思ふ。

兎角、此の富を致すといふ經濟の事と私共の主張する道徳とは一致を缺く事が屢〻有り勝ちである。而して餘り道徳に傾き過ぎると、富貴榮達を嫌ふやうになるし、又功名富貴に囚はれ過ぎると道徳などはそつちのけで目的の爲めには手段を選まぬといふ弊風に陷り易い。從つて其の何れに偏しても宜しくないが、中には道徳と經濟とは到底一致すべからざる様に考へてゐる人も尠くない。併し、之れは皮相の見解であつて、富といふものは道徳と一致するものでなければ正しい富とは言ひ得ないし、道徳と經濟とは決して相反するものでなく、正しい道を履むことが即ち道徳なのであるから、私の主張する義利合一論は、各人の心掛け如何によつて誰にでも容易に實行する事が出來るのである。されば富を得んと欲する人は、先づ自分の履む途が正しいか否かを稽へ、飽くまでも正しい途を履み脫さぬやうに心掛けなければならぬ。『鹿を追ふ獵師山を見ず』といふ諺がある如く儲けようといふ考へだけが働いてゐると、時には正道を履み脫して不義に陷る事がある。心すべきである。

三

「有望な仕事があるけれども資本がなくて困る」と言う人がいます。なるほど、資本がなければ仕事に着手することができないから、本人にとってはきっと遺憾であろうし、資本を持っている人を羨ましく思うこともあるでしょうが、それは畢竟、愚痴なのです。愚痴を零《こぼ》すような人は、よしんば資本があっても、大成できる人物ではありません。資産はないより有るほうが結構ではありますが、一人の資産には限りがあり、その限りある資本を頼りにするよりも、限りのない資本を活用するよう心掛けることが肝腎なのです。それでは、限りなき資本を活用する資格は何であるかと言うと、それは信用にほかなりません。一人の資産には限りがあるけれども、世間に信用のある人はその信用が大きければ大きいほど、大きな資本を活用することができます。したがって世の中に立って活動しようとする人は、資本を造るよりもまずもって信用の厚い人であるように心掛けることが肝要です。

信用のある人ならば、自分には資産がなくともその仕事が確実であり、かつ正しいことであれば、資本を投下する人はいくらもあります。だから、自分が少しも資本を持っていないことを嘆ずるには及びません。これに反して信用のない人であれば、社会が相手にしないため、たとえ資本を有していても大いに伸びることはできません。加うるに信用の厚い人であれば、万一失敗するようなことがあっても再起することができるけれども、信用のない人は一度失敗して投下した資産を失うようなことがあると、とうてい再起することは覚束《おぼつか》ないのです。人間が世の中に立つ上において、資本よりも信用が大切だというのは、そういうことなのです。

【原文】

『有望な仕事があるけれども資本がなくて困る』と云ふ人がある。成程、資本がなければ仕事に着手する事が出來ぬから、本人にとつては定めし遺憾であらうし、資本を持つてゐる人を羨ましく思ふ事もあらうが、それは畢竟愚痴である。愚痴を零すやうな人は、よしんば資本があつても、大に爲すあるの人物ではない。資産は無いより有る方が結構であるけれども、一人の資産には限りがある、其の限りある資本を頼りにするよりも、限りのない資本を活用するの心掛けが肝腎である。而して限りなき資本を活用するの資格は何であるかといふに、それは信用である。一人の資産には限りがあるけれども、世間に信用のある人は其の信用が大きければ大きいほど、大なる資本を活用する事が出來る。従つて世の中に立つて活動せんとする人は、資本を造るよりも先づ以て信用の厚い人たるべく心掛くる事が肝要である。

信用のある人ならば、自分には資産がなくとも其の仕事が確實であり、且つ正しい事であれば資本を投下する人は幾等もある。されば少しも自分が資本を持つて居らぬ事を嘆ずるに及ばない。之れに反して信用のない人であれば、社會が相手にせぬ故、假令資本を有して居つても大に伸ぶることは出來ない。加ふるに信用の厚い人であれば、萬一失敗するやうな事があつても再起する事が出來るけれども、信用のない人は一度失敗して投下した資産を失ふに於いては、到底再起することは覚束ない。人間が世の中に立つ上に於いて、資本よりも信用の大切なる所以である。

四

それでは社会の信用はどうして得られるものであるかというと、一言にして尽せば、責任を重んじ誠心誠意をもってことに当たることにあります。処世上、学問が必要であることは言うまでもありませんが、人間としての価値は学問のみによって定まるものではないのです。ですから、有用の人物として世に立ち信用を博するには、平素の修養と誠意努力があいまって進まなければならないのです。学問ばかりあってもこの方面に欠けるところがあれば、それは立派な人物と称することはできないのです。だから、最も必要なのは平素の修養であるということになります。絶えず修養を心がけていれば自然に常識も発達するし、知らず識らずの間に人格も磨かれていくのです。早い話が、大学を卒業したからと言って必ずしも立派な人物とは言われませんが、中等教育さえ満足に受けない人であっても、推称《すいしょう》するに足る人物が少なくないのです。これらはまったく不断の修養と人格の力ですから、大いに社会の信用を得て世の中に活動したいと思う人は、これをもって処世上の教訓となすべきなのです。

私は今日までの間に、各方面にわたってほとんどすべてのことに関係しないところはないと言いたいくらいに、さまざまな仕事に関係してきましたが、これは国家社会の進歩のために、自分の力の及ぶ限りは力を尽したいという微衷《びちゅう》（まごころ）にほかならないのです。しかし力の足らないのと、智慧の乏しいために、私自身では大きな富を造ることはできませんでしたが、実業方面においては、その進歩に相当の力を添えたと言えるつもりです。とは言え、これは私自身に資本があったためではなく、社会が私を信じ、私を援助して下さったからであって、けっして私一箇の力ではないのです。この私の体験より言っても、資本よりも信用が大切であることをつくづく感じる次第です。

【原文】

然らば社會の信用はどうして得られるものであるかと云ふに、一言にして盡せば、責任を重んじ誠心誠意を以て事に當るにある。處世上、學問の必要である事は言ふまでもないが、人間としての價値は學問のみによつて定まるものではない。即ち有用の人物として世に立ち、信用を博するには、平素の修養と誠意努力と相俟つて進まなければならぬ。學問ばかりあつても、此の方面に缺くる處があれば、それは立派な人物と稱する事は出來ぬのである。されば最も必要なのは平素の修養である。絶えず修養に心掛けて居れば、自然に常識も發達するし、知らず識らずの間に人格も磨かれて行くのである。早い話が、大學を卒業したからと云つて必ずしも立派な人物とは言はれないが、中等教育さへ滿足に受けない人であつても、推稱するに足る人物が尠くないのである。是等は全く不斷の修養と人格の力であるから、大に社會の信用を得て世の中に活動せんと欲する人は、之れを以て處世上の教訓となすべきである。

私は今日までの間に、各方面に亘つて殆んど凡ての事に關係せざるはなしと言ひたい位に、種々なる仕事に關係して來たが、之れは國家社會の進歩の爲めに、自分の力の及ぶ限りは力を盡したいといふ微衷に外ならぬのである。併し力の足らぬのと、智慧の乏しい爲めに、私自身では大なる富を造ることは出來なかつたが、實業方面に於いては、其の進歩に相當の力を添へたと申し得る積りである。而して之れは私自身に資本があつた爲めではなく、社會が私を信じ、私を援助して下さつたからであつて、決して私一箇の力ではないのである。此の私の體驗より申しても、資本よりも信用の大切である事を熟々感ずる次第である。

叱言《こごと》の云《い》い方

叱言にも中庸が必要

元来、叱言というものは、言うほうでもまた聞かされるほうでも、お互いに心持のよいものではありません。ですから、できることならたいていのことは簡単な注意を与えるくらいの程度にして、叱言を言わずにすますようにしたいものですが、物事によってはそうばかりもいかない場合もあります。ことに本人の将来のために、かえって叱言を言うほうが利益になる場合も少なくないのですから、叱言を言うことも絶対に排斥すべきではありません。しかしその程度よろしきを得るということは、なかなか難しいことです。

世の中には後進に対してあくまでも親切で、どんな欠点や失策があっても、深くこれを咎《とが》めないばかりか、どこまでもこれを庇護していこうとする人と、少しの欠点や失策にもガミガミと頭から怒鳴りつけて、これを完膚なきまでに叱り飛ばす人とがありますが、双方ともに程度を越えてはよろしくありません。なぜかと言うと、親切に後進を引立てることは結構ではありますが、それがために後進の依頼心を助長してしまい、その発奮心を鈍らすおそれがあります。また、あまりにやかましく罵り責める時は、おおいに後進を発奮させる動機ともなりますが、時には間違った考えを起させたり、あるいは慢性のようになって、悪賢いほうに発達させてしまうようなおそれもあります。中庸を得るということは何事にも必要ですが、叱言の言い方にもこれを忘れてはなりません。

【原文】

元來叱言といふものは、言ふ方でも亦聞かされる方でも、お互ひに心持のよいものではない。で、成らうことなら大抵の事は簡單な注意を與へる位の程度で、叱言を云はずに濟ます様にしたいものであるが、物事によつてはさうばかりも行かず、殊に本人の将來の爲めに、却つて叱言をいふ方が利益になる場合も尠くないのであるから、叱言をいふ事も絶對に排斥すべきではない。併し其の程度宜しきを得るといふ事は、仲々難かしいことである。

世の中には後進に對して飽くまでも親切で、どんな缺點や失策があつても、深く之れを咎めぬ計りか、何處までも之れを庇護して行かうとする人と、少しの缺點や失策にもガミ〳〵と頭から怒鳴りつけて、之れを完膚なきまでに叱り飛ばす人とがあるが、双方共に程度を越えては宜しくない。何故かといふに、親切に後進を引立てる事は結構であるが、それが爲めに後進の依頼心を助長せしめ、其の發奮心を鈍らす惧れがある。又、餘りに八釜しく罵り責める時は、大に後進を發奮せしむる動機ともなるが、時には間違つた考へを起させたり、或は慢性のやうになつて、悪賢い方に發達せしむるやうな惧れもある。中庸を得るといふ事は何事にも必要であるが、叱言の云ひ方にも之れを忘れてはならない。

叱言の寛厳を律する標準

それから叱言を言うときには、いかなる場合でも自分本位であってはならぬと思います。たとえばなんらかの過失をしたことについてこれを叱責するに際しても、外部に現われた結果よりも、まず過失を醸《かも》すに至ったその人の心理に立入って、これにより軽重を決するようにしなければなりません。もっとも、人によっては、人間は万能でないから過失は寛大に見過すほうがよいと言う人もいますけれど、決してそうではありません。ある種類の過失は社会のためにもまた本人の将来のためにも、これを叱責することは必要なのです。

過失にはだいたいにおいて無意識の過失と有意識の過失とがあります。誠意をもってことに当たりながら、計画に手落ちがあったとか、形勢に対する判断を誤ったために生じた過失などは、いわゆる無意識の過失ですから、単に将来を注意するくらいにとどめて、あまり追《つい》窮《きゅう》して責めるべきではありません。また、一時の出来心から物欲に禍《わざわい》されたような過失も、本人の平素の言動が正しければ寛恕すべきです。ですが、世の中にははじめから過失の陣立を整え、ひたすらに自分の利益のみを計ろうとする者がいます。手近い例を挙げると、最初から事業の失敗を予定計画として、会社を創立するような不所存者（不心得者）がいます。これなどは有意識の過失であって、社会の利益幸福を増進する点からするも、本人を改悛させる上から観ても、あくまでも詰責《きっせき》すべきです。

過失に対する叱言の寛厳は、まずだいたいにおいてこうした標準で律するようになればよいと思います。そして自分の怒りを他人に移すようなことをせず、本人の将来を考え、これを大にしては国家社会のためということを念頭に置くようにしたいと思います。

【原文】

それから叱言を云ふには、如何なる場合でも自分本位であつてはならぬと思ふ。例へば何等かの過失をしたに就いて、之れを叱責するに際しても、外部に現はれた結果よりも、先づ過失を醸すに到つた其人の心事に立入つて、之れに依り輕重を決する様にしなければならぬ。尤も人に依つては人間は萬能でないから、過失は寛大に見過す方がよいと言ふけれども、決してさうではない。或る種類の過失は社會の爲めにも又本人の將來の爲めにも、之れを叱責することは必要である。

過失には大體に於いて無意識の過失と有意識の過失とがある。誠意を以て事に當りながら、計畫に手落があつたとか、形勢に對する判斷を誤つた爲めに生じた過失などは、所謂無意識の過失であるから、單に將來を注意する位にとゞめて、餘り追窮して責むべきでない。又一時の出來心から物慾に禍されたやうな過失も、本人の平素の言動が正しければ寛恕すべきである。だが、世の中には初めから過失の陣立を整へ、遍に自分の利益のみを計らんとする者がある。手近い例を擧げると、最初から事業の失敗を豫定計畫として、會社を創立するやうな不所存者がゐる。之れなどは有意識の過失であつて、社會の利益幸福を增進する點からするも、本人を改悛せしむる上から觀るも、飽くまでも詰責すべきである。

過失に對する叱言の寛嚴は、先づ大體に於いて斯うした標準で律する様になればよいと思ふ。そして自分の怒りを他人に移すやうな事をせず、本人の將來を考へ、之れを大にしては國家社會の爲めと云ふことを念頭に置くやうにしたいと思ふ。

直言の叱責と間接的な戒告

なくて七癖という諺もあるとおり、円満に発達した人でも何かしら欠点をもっています。いわんや平凡人には種々な欠点が多く、しかも自分では欠点を知らずにいる人もいるし、知っていながらこれを改めようとしない人もあります。

万人に対して完全無欠な人たれと望んだところで、それは不可能なことですから、少しくらいの欠点についてはいちいち口喧《やか》ましく叱言を言うのは考えものですが、本人のためには是非改めさせたいと思うような欠点については、なるべく穏やかにこれを戒《いまし》めるようにしなければなりません。ですが、自分の子供であるとか、弟妹であるとか、親しい間柄の後進に対しては、明らかに欠点を指摘して戒告を加えることもよいでしょうが、相当分別ある年輩の者に対しては、相手の性質または欠点の種類により、面と対《むか》って直言するよりも、婉曲に間接的にするほうがはるかに効果のある場合が少なくないのです。「円い玉子も切り様で四角、物も言い様で角が立つ」という俗謡がありますが、いかに道理に適ったことでも、露骨に単刀直入的に頭から叱責すれば、かえって下らない反抗心などを起させることが往々にしてあります。こういう場合にはむしろ間接的に戒告を与えて、自分から反省するようにさせたほうがはるかに効果が多いと思われます。
なお直言するについても、よく時と場合とを考えるようにしなければなりません。ところかまわず本人の欠点を挙げ、衆人の前でこれを暴露するようなことは慎むべきであって、また、理路整然と道理に基づいて説くことをせずに無茶苦茶に怒鳴り立てて叱責するようなことは、叱言の効果を損うものであることを覚らなければなりません。

【原文】

無くて七癖といふ諺もある通り、圓滿に發達した人でも何かしら缺點を有つてゐる。況んや平凡人には種々な缺點が多いが、而かも自分では其の缺點を知らずにゐる人もあるし、知つて居りながら之れを改めようとしない人もある。

萬人に對して完全無缺な人たれと望んだ處で、それは不可能な事であるから、少し位の缺點は就いては一々口喧ましく叱言をいふのは考へものであるが、本人の爲めには是非改めさせ度いと思ふやうな缺點に就いては成るべく穩やかに之れを戒めるやうにしなければならぬ。だが、自分の子供であるとか、弟妹であるとか、親しい間柄の後進に對しては、明らかに缺點を指摘して戒告を加へる事もよいが、相當分別ある年輩の者に對しては、相手の性質又は缺點の種類により、面と對つて直言するよりも、婉曲に間接的にする方が遙かに效果のある場合が尠くない。『圓い玉子も切り樣で四角、物も言ひ樣で角が立つ』といふ俗謠があるが、如何に道理に適つたことでも、露骨に単刀直入的に頭から叱責すれば、却つて下らぬ反抗心などを起させる事が往々ある。

斯ういふ場合には寧ろ間接的に戒告を與へて、自から反省せしむる様にした方が遙かに効果が多いと思はれる。

尙ほ直言するに就いても、よく時と場合とを考へる様にしなければならぬ。處かまはず本人の缺點を擧げ、衆人の前で之れを暴露するが如きは愼むべき事柄であつて、且つ理路整然と道理に基いて説く事をせず、無茶苦茶に怒鳴り立てゝ叱責するが如きは、叱言の効果を損ふものである事を覺らなければならぬ。

虚心坦懐の心情が肝腎

次に、叱言を言う際には必ず他人のいないところですべきです。故井上馨侯は偉人ではありましたが、非常に口喧ましい性質で、来客でもあった時に取り次ぎに出た女中が何かヘマな真似でもすれば、ガミガミ叱責し、はては何の罪もない客にまで怒りを移して不機嫌な態度をとられたものですが、こういうことは客に対して礼を失するばかりでなく、叱責される本人にとっても反省よりもむしろ反感を抱かせる場合が少なくないのですから、是非とも慎むように心掛けるべきであると思います。

それから叱言はその場限りのものとし、戒告を与えた上は釈然として再びこれを念頭に置かぬような襟度《きんど》（心の広さ）が必要です。過ぎ去ったことにあくまで執着し、これをいつまでも問題にしてくりかえすのは愚の極みです。なにごとも過去に遡って人を咎めだてするのは、古傷を探すのと同様でよろしくないことです。孔子は「成事は説かず、遂事は諫めず、既往は咎めず」と訓えられていますが、これはまったく至言であって、叱言を言うにはこの教訓の趣旨をよく翫味《がんみ》し、万事に淡然としてネチネチした態度をとらず、虚心坦懐の心情をもってすればまず謬《あやま》りはなかろうと思います。

【原文】

次ぎに叱言をいふ際には、必ず他人の居らぬ處ですべきである。故井上馨侯は偉人ではあつたが非常に口喧ましい性質で、來客でもあつた時に取次に出た女中が何かヘマな眞似でもすれば、ガミ〳〵叱責し、果ては何の罪もない客にまで怒りを遷して不機嫌な様子をされたものであるが、斯ういふ事は客に對して禮を失する計りでなく、叱責される本人にとつても、反省よりも寧ろ反感を抱かしむる場合が尠くないのであるから、是非とも愼む様に心掛くべきである。

それから叱言は其場限りのものとし、戒告を與へた上は釋然として再び之れを念頭に置かぬやうな襟度が必要である。過ぎ去つた事に飽くまで執着し、之れを何時までも問題にして繰返すのは愚の極みである。何事も既往に遡つて人を咎め立てするのは、古傷を探すと同様で宜しくない事である。孔子は『成事は説かず、遂事は諫めず、既往は咎めず』と訓へられて居るが、之れは全く至言であつて、叱言をいふには此の教訓の趣旨を能く翫味し、萬事に淡然としてネチ〳〵した態度を去り、虚心坦懐の心情を以てすれば先づ謬りは無からうと思ふ。

勘忍強くなる様に修養した体験

勘忍は無事長久の基

人間が社会の一員として世に立っていくに当たって、第一に必要なことは誠実ということであります。孔子も「忠信を主とし」と言われていますが、まったくそのとおりであって、忠誠は人間の履むべき道の根本であらねばなりません。しかしながら誠実ばかりで世の中に立っていかれるものではありませんから、この誠実を基として知識を磨き、才能を練り、国家有用の人物たるように修養を積まなければなりません。とは言え、人間が生活していくには人と人とが絶えず相接触して進まなければならないのですから、難しく言えばいわゆる五倫五常を守らなければならないのですが、わかりやすく言えば、人に接し事物に対するには精神を籠めて諸事親切心をもってするようにせねばなりません。もっとも、他人に接するに親切をもってすると言っても、それには程度があることはもちろんであって、程度を超えてはかえって親切が親切にならない場合もあり、自身に迷惑を及ぼすことも少なくないのですから、この点は十分心すべきです。

であるならば、人間が世に立つに当たっては、忠誠であり、知識才能を備え、人に接するに親切であればそれで十分であるかと言うと、もう一つ必要な事があります。それはすなわち忍耐です。孔子は「君子有九思」（君子に九思あり）と訓えられ、その中に「忿思難」（忿は難を思い）と言われていますが、つまり「怒る心の生ずる時は患難を思うて忍耐せよ」という意味であります。徳川家康は論語に親しまれた人だけあってその感化を受けたと見え、勝つことを知って敗れることを知らぬは不幸であると言い、人の一生は重荷を負うて遠き道を旅するがごときものであると言い、忍耐の必要であることを説き、だから勘忍は無事長久の基なのだと言っています。家康などは忍耐を実践躬行《じっせんきゅうこう》してついに徳川三百年の基礎を定めた人だけあって、その教訓にも生命が籠っています。

【原文】

人間が社會の一員として世に立つて行くに就いて、第一に必要なことは誠實といふ事である。孔子も『忠信を主とし』と謂はれてゐるが、全く其の通りであつて、忠誠は人間の履むべき道の根本であらねばならぬ。併しながら誠實ばかりで世の中に立つて行かれるものではないから、此の誠實を基として知識を磨き、才能を練り、國家有用の人物たる様に修養を積まなければならぬ。而して人間が生活して行くには、人と人とが絶えず相接觸して進まなければならぬのであるから、難かしく言へば所謂五倫五常を守らなければならぬのであるが、分り易く申せば、人に接し事物に對するには、精神を籠めて諸事親切心を以てする様にせねばならぬ。尤も他人に接するに親切を以てすると言つても、自らそれには程度がある事は勿論であつて、程度を越えては却つて親切が親切にならぬ場合もあり、自身に迷惑を及ぼすことも尠くないのであるから、此點は十分心すべきである。

然らば人間が世に立つに就いて、忠誠であり、知識才能を備へ、人に接するに親切であれば、それで十分であるかと云ふに、もう一つ必要な事がある。それは卽ち忍耐である。孔子は『君子有㆓九思㆒』（君子に九思あり）と訓へられ、其中に『忿思㆑難』（忿は難を思ひ）と謂はれてゐるが、詰り『怒る心の生ずる時は患難を思うて忍耐せよ』といふ意味である。德川家康は論語に親しまれた人だけあつて、其の感化を受けたと見え、勝つことを知つて敗る事を知らぬは不幸であると云ひ、人の一生は重荷を負うて遠き途を旅するが如きものであると云ひ、忍耐の必要である事を說き、而して勘忍は無事長久の基であると言つてゐる。家康の如きはよく忍耐を實踐躬行して遂ひに德川三百年の基礎を定めた人だけあつて、其の教訓にも生命が籠つてゐる。

無私の心を心とす

ところが私はこの老年になるまで、いろいろな境遇を経て波瀾曲折に富んだ生涯を送ってきましたから、その間には勘忍のならぬような場面にもいくどか遭遇し、時に大いに相争ったこともありますが、どんな場合でも孔子のいわゆる「九思の教」を守るように心掛け、自分の盲動が道理に悖《もと》らぬように努めてきたつもりです。それに私は青年時代にはたいへん無謀な野心を起したこともありますが、フランス留学前後から心機一転して、大政治家となって権力を得ようという野心もなく、大実業家となって名を揚げようという功名心もなく、大富豪となって金力を揮《ふる》うという欲望もありませんでした。私の欲するところは、今の言葉で言えば産業立国にあって、すなわち商工業の発達によって国家を富まし、国力を発展させようということを唯一の目的として進んできたのですから、自ら欲するところが少ないだけ、不満足もまた少なかったのです。

元来、人間は裸で生まれてきたのですから、無私を常の心とすれば決して不足のあろうはずがありません。私は絶えずこの心境にあるように修養に努めました。ところで、世間にはある場合に直面して忍耐することができず、直ちに相争ったり報復手段を講じて人を傷つけ、自分をも誤るに至る者がいるのは、つまり自己を主として考えるからです。そのところに不満足を感じて節制を忘れ、勘忍すべき場合にも怒りを破裂させてしまう。いついかなる場合でも、自分の考えが道理に照らして正しいかどうかを考えるようにし、かつ時と場合とを考慮して自我に固執せぬようにすれば、自然に勘忍強くなるような習性を養い、ついには第二の天性となって、圭角《けいかく》のとれた円満な性格の持ち主となれることでしょう。腹の立つような場合でも、これを考えるという余裕を習慣づけることが私の修養の一つの方法であって、これがすこぶる効果があったように思います。

人間は己を棄てて我を徹さぬようにしなければなりません。これは万人の忘れてはならぬ心得であって、そのように心掛ければ、常に正しい道理の上に立って物事を判断することができますし、勘忍の習慣を身につけられるようになります。しかしながら、権力のある人の前に出てあまりに己を卑下し、是非曲直にかかわらず、何事でも御無理《ごむり》御尤《ごもっとも》で通すのは間違っています。それは忍耐でなくて卑屈なのです。人々はこの区別を明らかにして、決して混同してはならないのです。

【原文】

處が私は此の老年になるまで、種々なる境遇を經て波瀾曲折に富んだ生涯を送つて來たのであるから、其間には勘忍のならぬ様な場面にも幾度か遭遇し、時には大に相争つた事もあるが、何時の場合でも孔子の所謂『九思の教』を守る様に心掛け、自分の盲動が道理に悖らぬやうに努めて來た積りである。それに私は青年時代には大に無謀な野心を起した事もあるが、フランス留學前後から心機一轉して、大政治家となつて権力を得ようといふ野心もなく、大實業家となつて名を揚げようといふ功名心もなく、大富豪となつて金力を揮ふといふ欲望もなく、私の欲する處は、今の言葉でいへば産業立國にあつて、即ち商工業の發達によつて國家を富まし、國力を發展せしめようといふ事を唯一の目的として進んで來たのであるから、自ら欲する處が尠ないだけ、不満足も亦少なかつたのである。

元來人間は裸で生れて來たのであるから、無私を常の心とすれば決して不足のあらう筈がない。私は絶えず、此の心境に在るやうに修養に努めた。處で世間には或る場合に直面して忍耐する事が出來ず、直ちに相争つたり、報復手段を講じて人を傷け、自分をも誤るに到るものもあるは、つまり自己を主として考へるからである。其處に不満足を感じて節制を忘れ、勘忍すべき場合にも怒りを破裂させて仕舞ふ。何時の場合でも、自分の考へが道理に照らして正しいか怎うかを考へる様にし、且つ時と場合とを考慮して自我を固執せぬ様にすれば、自然に勘忍強くなる様な習性を養ひ、遂ひには第二の天性となつて、圭角のとれた圓滿な性格の持主たるに至るであらう。腹の立つやうな場合でも、之れを考へるといふ餘裕を習慣づけることが、私の修養の一つの方法であつて、之れが頗る効果があつた様に思ふ。

人間は己れを棄てゝ我を徹さぬ様にしなければならぬ。之れは萬人の忘れてはならぬ心得であつて、斯く心掛くれば常に正しい道理の上に立つて物事を判斷することが出來、勘忍の習慣を馴致する様になる。併しながら權力のある人の前に出て餘りに己れを卑下し、是非曲直に拘らず何事でも御無理御尤もで通すのは間違つてゐる。之れは忍耐でなくて卑屈である。人々は此の區別を明かにして、決して混同してはならぬ。

血気に逸って後悔す

私がちょうど二十四歳の時でありました。当時、私どもは非常に過激な考えを抱いており、討幕の義挙を企てて尊王の大義に殉ぜんとしていました。蟷螂《とうろう》（カマキリ）の斧を揮《ふる》うにも等しく、今にして思えば実に無謀極まる暴挙であったけれども、われわれ同志にとっては一命を擲《なげう》ってことに当たろうと企てたのですから、すこぶる真剣であったことは言うまでもありません。そうしているうちに、いよいよ、かねて打合せをしておいた旗揚げの期日も近づいてきまして、その手段や方法について協議をなした席上、同志の一人が時勢が適さないことを説いて極力この計画に反対し、私どもに断念させようと諫止《かんし》しました。文久三年十月二十三日のことです。

血気に逸る私はどうしてもこれに従うことができず、大いにこれと相争いましたが、相手はどうしても屈伏しない。それでついに勘忍袋の緒を切らし、刃の鯉口を切って詰め寄り、あくまでも反対するならばまず軍陣の血祭りに一刀の下に斬って棄てるぞといきまいたものです。自分では分かりませんが、怒り心頭に発したのですから、きっと眼は血走り、顔色を変じ、本当に斬りかねない権幕であったようです。実際、私は命を惜しむ卑怯な心からわれわれを諌止するのだろうと考えたのですから、強く止める人がなかったら、恐らく斬って棄てて自分も自刃して果てたに違いありません。また、相手が私の権幕に辟易して反対を翻《ひるがえ》し同志が暴挙を決行していたならば、その当時において一命を失ったでしょう。いずれにしても私は生死の運命の岐路に立っていたのです。しかし、その場は私の師匠でありかつ義兄に当たる人をはじめ、同志の面々の仲裁によってことなく収まりましたが、熟慮してみれば私の主張は血気に逸る書生論であり、道理よりも感情と面目論に囚われたものであって、相手の反対論が正しかったのです。

後日になって考えたのですが、私はあくまでも我意を徹そうとすれば、いずれにしても死の一途に帰したのであります。自分一個の感情を堪え切れず、前後の考えもなく激怒したのは恥ずべきことであったのに気づきました。むろん、暴挙の企ては中止に決し、私はその後に郷里を遁《のが》れて京都に上ったのですが、このことがあって以来、勘忍の必要であることを熟々と感じ、常に忍耐心を養うことを心掛けたのです。

【原文】

私が丁度二十四歳の時であつた。當時私共は非常に過激な考へを抱いて居り、討幕の義擧を企てて尊王の大義に殉ぜんとした。蟷螂の斧を揮ふにも等しく、今にして思へば實に無謀極まる暴擧であつたけれども、吾々同志にとつては一命を擲つて事に當らうと企てたのであるから、頗る眞劍であつたことは言ふまでもない。而して愈〻豫ねての打合せである旗揚げの期日も近づいて、其の手段や方法に就いて協議をなした席上、同志の一人が時勢の非なるを説いて極力此の計畫に反對し、私共をして斷念させる爲めに諫止した。文久三年十月二十三日の事である。

血氣に逸る私はどうしても之れに從ふ事が出來ず、大に之れと相爭つたが、相手はどうしても屈伏しない。それで遂ひに勘忍袋の緒を切らし、刄の鯉口を切つて詰め寄せ、飽くまでも反對するならば先づ軍陣の血祭りに一刀の下に斬つて棄てるぞと敦圉いたものである。自分では分らぬが、怒り心頭に發したのであるから、定めし眼は血走り、顏色を變じ、本當に斬りかねぬ權幕であつたらしい。實際私は命を惜む卑怯な心から吾々を諫止するのだらうと考へたのであるから、強つて止める人が無かつたら、恐らく斬つて棄てゝ自分も自刄して果てたに違ひない。又相手が私の權幕に辟易して反對を飜し同志が暴擧を決行して居つたならば、其の當時に於いて一命を失つたであらう。何れにしても私は生死の運命の岐路に立つてゐたのである。併し其場は私の師匠であり且つ義兄に當る人を始め、同志の面々の仲裁によつて事なく納まつたが、熟慮して見れば私の主張は血氣に逸る書生論であり、道理よりも感情と面目論に囚はれたものであつて、相手の反對論が正しかつた。

後日になつて考へたのであるが、私は飽くまでも我意を徹さうとすれば、何れにしても死の一途に歸したのである。自分一個の感情を堪へ切れず、前後の考へもなく激怒したのは恥づべきことであつたのに氣づいた。無論、暴擧の企ては中止に決し、私は其後郷里を遁れて京師に上つたのであるが、此事あつて以來、勘忍の必要である事を熟々と感じ、常に忍耐心を養ふ事に心掛けたのであつた。

私の心境は此所に在る

明治二十五年に私は二名の兇漢に襲われたことがあります。ちょうど十二月十一日の出来事で、伊達宗城侯の病気お見舞に行こうと思って、馬車を馳《はせ》て兜橋を渡ろうとすると、突然二名の兇漢が左右から躍り出てきて馬脚を斬り、馬の驚く隙に乗じて刀をもって窓硝子を突き破り、白刃が私の胸先まできたのですが、幸いに硝子の破片で左の掌を怪我したのみで事なきを得ました。ところがこの頃は東京市水道の鉄管問題（一〇八頁参照）で世論が喧囂《けんごう》を極めていた際でありましたから、私の反対の立場にある鋳鉄会社の遠山武行君が兇徒を使嗾《しそう》した（仕向けた）ものだろうという流言が行われました。私は遠山君とは以前から面識があり、遭難の数日前にも逢いましたが、その時は鋳鉄会社のことについて激論を闘わしたので、これが臆測の原因となってこの流言が行われるに至ったものと思われます。このままでは遠山君が信用を失墜し、実業界に立つことができなくなるだろうと私ははなはだ気の毒に思い、ただちに人を介して遠山君を招き、胸襟を開いて談笑しました。このことがあってから遠山君に対する流言はしだいに鎮静しました。

なお、私を襲った二名の兇漢に対しても、これを憎む心にはなれませんでした。できることならその罪を許してやりたいと思ったのですけれども、天下の法は枉《ま》げることができません。二人はついに獄に投ぜられました。その中の一人は気の毒にも獄中で死亡し、他の一人は減刑によって三十二年に出獄しましたが、放免後、世間で誰も相手にするものがなく、すこぶる窮していることを伝聞しましたので、なにかの商売の資本にでもと思って人を介して若干の金を贈りました。私がこのような心境に到達することのできたのは、常に己を空《むなし》うして勘忍強くなるよう修養を怠らなかったお蔭であります。

【原文】

明治二十五年に私は二名の兇漢に襲はれた事がある。丁度十二月十一日の出來事で、伊達宗城侯の病氣御見舞に行かうと思つて、馬車を馳つて兜橋を渡らうとすると、突然二名の兇漢が左右から躍り出で馬脚を斬り、馬の驚く隙に乘じて刀を以て窓硝子を突き破り、白刃が胸先きに及んだけれども、幸ひに硝子の破片で左の掌を怪我したのみで事なきを得た。處が此頃は東京市水道の鐵管問題で世論が喧囂《けんごう》を極めてゐた際であつたから、私の反對の立場にある鑄鐵會社の遠山武行君が兇徒を使嗾したものだらうと云ふ流言が行はれた。私は遠山君とは以前から面識があり、遭難の數日前にも逢つたが、其時は鑄鐵會社の事について激論を闘はしたので、之れが臆測の原因となつて此の流言が行はれるに到つたものらしい。私は此儘では遠山君が信用を失墜し、實業界に立つ事が出來なくなるだらうと甚だ氣の毒に思ひ、直ちに人を介して遠山君を招き胸襟を開いて談笑した。此事があつてから遠山君に對する流言は漸次鎭靜した。

尙ほ私を襲うた二名の兇漢に對しても、之れを憎む心にはなれなかつた。出來る事なら其罪を許してやり度いと思つたけれども、天下の法は枉げる事が出來ない。二人は遂ひに獄に投ぜられた。其中の一人は氣の毒にも獄中で死亡し、他の一人は減刑によつて三十二年に出獄したが、放免後、世間で誰も相手にするものがなく、頗る窮してゐる事を傳聞したので、何がな商賣の資本にもと思うて人を介して若干金を贈つた。私が斯かる心境に到達する事の出來たのは、常に已れを空うして勘忍強くなるやうに修養を怠らなかつたお蔭である。

克己心を修養した体験

克己復礼は人としての道

克己ということは、人間にとって最も大切なことです。論語の全巻を通じて最も力説され、その中心となっているのは仁ですが、その論語に「己に克ちて礼に復るを仁と為す」と説かれているほどです。孔子の説かれた礼というのは、非常に広い意味を含んでいるのであって、すなわち大にしては一国の政事法律より、小にしては個人の一挙手一投足に至るまで、その中には人間として履むべき道徳も含まれているし、精神の持ち方、日常の行為にまで及んでいます。それは「一日己に克ちて礼に復れば天下仁に帰す」と説かれていることに照らしても明らかです。

ところで、われわれが礼を修めて立派な人間たらんとするには、まず己に克って物我を去り、私意私慾を棄てるようにしなければなりませんが、これは各人の修養と努力によって成し得られるのです。孔子は「意毋《な》く、必毋く、固毋く、我毋し（自分勝手な心を持たず、無理を通さず、執着せず、我を張らない）」と言われ、なにごとをなすにも私心を去り、必ず徳義に基き、道理に適い、至公至平であらねばならぬことを訓えていますが、およそわれわれが物事をなすに当たっては、必ず理智と感情をこれに伴うものです。この両者の均衡がちょうどよく取れて、なにごとに対しても節度よろしきを得れば申し分がないのですが、日常の生活にしても、とかく「我」というものが出て、節度を失する場合が多いのです。というわけで、真実の意味における克己の人というものはすこぶる稀であるということになります。

朱子などの説によれば人間には喜、怒、哀、楽、愛、悪、欲の七情があると称されていますが、いかなる人でも、この七情の発動によって動かされるのが常です。たとえば物事が順調にいったと言って喜び、だれだれが自分を中傷したのは怪《け》しからぬと言って怒り、不幸に逢って悲しみ、また平和な心で社会及び人に接するのは楽であって、可愛いと思うのは愛の発動であり、嫌な奴だと思うのは悪、名利を求める心は欲なのです。このようにあらゆる機会において七情が発動するのですが、場合によってはそのいずれかの程度を越えやすいものです。これは凡人には実に免れ難い欠点ですから、いかなる場合に際しても、七情の発動がすべて道理に適い、よろしきを得るように常に修養を怠らず、克己してその弊を矯《た》めるようにしなければならないのです。孔子は七情の発動がよく理に適っておられた方ではありますが、かくのごとき大聖でさえ「七十にして心の欲する所に従って矩《のり》を踰《こ》えず」と言われたほどです。いわんや凡人たる者は棺を蔽《おお》うまでは不断に克己心の修養に努め、人間として正しい道を歩むように心掛けねばならないと信じます。

【原文】

克己といふことは、人間に取つて最も大切な事である。論語の全巻を通じて最も力說せられ、其の中心となつて居るのは仁であるが、其の論語に『己れに克ちて禮に復るを仁と爲す』と說かれてゐる程である。孔子の說かれた禮といふのは、非常に廣い意味を含んでゐるのであつて、卽ち大にしては一國の政事法律より、小にしては個人の一擧手一投足に亙り、其中には人間として履むべき道德も含まれて居るし、精神の持ち方、日常の行爲にまで及んで居る。それは『一日己れに克ちて禮に復れば天下仁に歸す』と說かれて居られるに徵しても明かである。

處で吾々が禮を修めて立派な人間たらんとするには、先づ己れに克つて物我を去り、私意私慾を棄てる樣にしなければならぬが、之れは各人の修養と努力に依つて成し得らるゝのである。孔子は『意毋く、必毋く、固毋く、我毋し』と謂はれ、何事をなすにも私心を去り、必ず德義に基き、道理に適ひ、至公至平であらねばならぬ事を訓へて居るが、凡て吾々が物事を爲すに當つては、必ず理智と感情を此に伴ふものである。此の兩者の權衡が丁度よく調和して、何事に對しても節度宜しきを得れば中分がないが、日常の生活にしても兎角『我』といふものが出て、節度を失する場合が多い。されば眞實の意味に於ける克己の人といふものは頗る稀である。

朱子などの說に依れば人間には喜、怒、哀、樂、愛、惡、慾の七情があると稱されて居るが、如何なる人でも、此の七情の發動によつて動かされるのが常である。例へば物事が順調に行つたと喜び誰某が自分を中傷したのは怪しからぬと怒り、不幸に逢つて悲しみ、又平和な心で社會及び人に接するのは樂であつて、可愛と思ふのは愛の發動であり、嫌な奴だと思ふのは惡、名利を求むる心は慾である。此樣に凡ゆる機會に於いて七情が發動するが、場合に依つては其の何れかの程度を越え易い。之れは凡人には實に免れ難い欠點であるから、如何なる場合に際しても、七情の發動が凡て道理に適ひ、宜しきを得るやうに常に修養を怠らず、克己して其弊を矯める様にしなければならぬのである。孔子は七情の發動がよく理に適うて居られた方であるが、斯くの如き大聖でさへ『七十にして心の欲する所に従つて矩を踰えず』と謂はれた程である。況んや凡人たる者は棺を蔽ふまでは不斷に克己心の修養に努め、人間として正しい道を歩む様に心掛けねばならぬと信ずる。

不断の修養と努力とが肝腎

人間がこの世で生活していくにあたっては、絶えず社会と接し人と交わらなければなりませんが、克己心の弱い人はややもすれば物我《ぶつが》が自分の心を支配していくようです。このように、物我が強ければその人は中正にいることはできませんから、いきおいその出所進退を誤りやすいものです。たとえば克己に乏しい人は、名利をもって誘われるとただちにこれに誘惑されやすく、道理の正しくないことにも動かされる場合が多い。近ごろ世間に伝えられる官吏の瀆職《とくしょく》（汚職）問題とか、実業家の醜聞なども、畢竟、克己心が弱い結果、利慾に惑わされたためにほかなりません。克己心の弱い人は、このように名利に惑わされやすいばかりでなく、ある相談に応じなければ、現在の地位を奪ってしまうぞと上役から脅かされるとか、あるいは正しいことを行えばかえって不遇に陥らなければならないというような場合になれば、是非善悪の差別を承知しておりながら、すぐ腰が砕けて不正不義に屈服する。つまり、克己心の弱い人は名利に誘惑されやすいばかりでなく、苦痛にも敗けてついには一身一家を謬《あやま》るような場合が多いのです。これに反して克己心の強い人は物慾に囚われないから、孔子（正しくは孟子）のいわゆる「威武も屈する能《あた》わず、富貴も淫する能わず」というような毅然たる態度を保つことができて、立派な人間でいられるのです。

孔子はまた「己の欲せざる所は人に施す勿れ」と訓えられていますが、この境地に到るにもひたすらに克己心の修養に待たなければなりません。であれば己に克とうとするには平素どういう心がけが必要であるかと言うと、簡単に言えば正義に基づいて修養鍛錬することにありますが、これには絶えず自分の心の中に巣くっている私利私慾と闘い、正義をもって利慾を征服し、物我をまったく駆逐するように努力しなければなりません。ところが、この物我はいくら摘み取っても、後から後からと芽を出すものであって、もし少しでも心に油断があればたちまちその間隙につけこんで根を張ろうとするものゆえ、そこで不断の努力と修養が必要なのです。そして、この己に克つということは社会の進歩の上にも国家の進歩の上にも、すべてその根柢をなすものですから、万人がことごとく守らねばならないことでありま す。もし己に克とうとする心がけすらない人であったならば、品性はしだいに堕落して邪道に陥り、人の人たる道を履みはずすに到るべく、したがって立派な人間として世に立つことができないのみならず、ついには世人の指弾を受けるに至るのです。

克己心の修養については私も多年心掛けてきましたけれども、なかなか「心の欲する所に従って距を踰えず」というような理想の心境に到達したとは言えません。しかしながら、人間としての本分を謬るようなことはないつもりであります。ところで、私はどういう風にして克己心を涵養するよう努めたかと言いますと、いまここにいちいち例を挙げてお話しすることは困難ですが、御参考までに体験の二、三を申し上げ、あわせて所感の一端を述べてみようと思います。

【原文】

人間が此世に生活して行くに就いては、絶えず社會と接し人と交はらなければならぬが、克己心の弱い人は動もすれば物我が自分の心を支配して行く。而して物我が強ければ其人は中正に居らぬから、勢ひ其の出所進退を誤り易い。例へば克己に乏しい人は、名利を以て誘はるれば直ちに之れに誘惑され易く、道理の正しくない事にも動かされる場合が多い。近頃世間に傳へらるゝ官吏の瀆職問題とか、實業家の醜聞なども、畢竟克己心が弱い結果、利慾に惑はされた爲めに外ならぬ。克己心の弱い人は、此樣に名利に惑はされ易いばかりでなく、或る相談に應じなければ、現在の地位を奪つて仕舞ふぞと上役から脅かされるとか、或は正しい事を行へば却つて不遇に陥らなければならぬといふ樣な場合になれば、是非善惡の差別を承知して居りながら、直ぐ腰が砕けて不正不義に屈服する。即ち克己心の弱い人は名利に誘惑され易い計りでなく、苦痛にも敗けて遂には一身一家を謬るやうな場合が多い。之れに反して克己心の強い人は物慾に囚はれないから、孔子の所謂『威武も屈する能はず、富貴も淫する能はず』といふ樣な毅然たる態度を持することが出來て、立派な人間たる事を得るのである。

孔子は又『己れの欲せざる所を人に施す勿れ』と訓へられて居るが、此の境地に到るにも遍に克己心の修養に待たなければならぬ。然れば己れに克たうとするには平素何ういふ心掛が必要であるかと云ふに、簡單に云へば正義に基いて修養鍛錬するにあるが、之れには絶えず自分の心の中に巣くつて居る私利私慾と闘ひ、正義を以て利慾を征服し、物我を全く驅逐する様に努力しなければならぬ。處が、此の物我は幾ら摘み取つても、後から後からと芽を出すものであつて、若し少しでも心に油斷があれば忽ち其の間隙に付けこんで根を張らうとするもの故、そこで不斷の努力と修養が必要なのである。而して此の己れに克つといふ事は、社會の進歩の上にも國家の進歩の上にも、凡て其の根柢をなすものであるから、萬人が悉く守らねばならぬ事である。若し己れに克たうとする心掛さへない人であつたならば、品性は漸次墮落して邪道に陥り、人の人たる道を履み外すに到る可く、從つて立派な人間として世に立つ事が出來ぬのみならず、遂には世人の指彈を受くるに到るのである。

克己心の修養に就いては私も多年心掛けて來たけれども、却々心の欲する所に從つて距を踰えずと云ふ様な理想の心境に到達したとは申されない。併しながら人間としての本分を謬る様な事はない積りである。處で、私はどういふ風にして克己心を涵養するに勗めたかと云ふに、今茲に一々例を擧げてお話する事は困難であるが、御參考までに體驗の二三を申上げ、併せて所感の一端を述べて見ようと思ふ。

克己の修養と私の根本観念

人には人たる本分があります。この本分を尽すように努めなければならぬというのが私のによって形式においては、おのおの異なるけれども、帰するところは人類の進歩向上を図り、幸福増進に資すべく世のため人のために尽すということでなければならぬと信じます。人間は食うために生きているのではなく、生きているので食うのです。ですから、生きている以上は、己の力を考え、時勢を察し、身分相応に人類に貢献するように努めるのが当然なのです。しかしながら世のため人のために尽そうとするには、まず己を修め、己を維持することが必要です。なぜかと言うに、社会人類のために尽すのは人としての本分であるけれども、自分が他の援助を受けるようでは本末を転倒するからです。

さて、私自身を顧みると、私は幕末時代に人となったので、自然と時勢の感化を受け、青年の頃には志士の仲間に加わって盛んに勤王論を主張し、果ては幕府を覆して封建制度を叩き壊そうとする倒行逆施《とうこうぎゃくし》（道理に逆らってことを行うこと）の計画を企てたことさえありましたが、諫止されて思い止り、その後、一時は節を屈して一橋家に仕え、さらに仏国に留学するに至りました。もっとも、勤王論者である私は、攘夷論者のように極端ではないけれども、当時はいまだ外国が嫌いでありました。しかし諸外国はすべての学問的研究、ことに科学的研究が非常に進歩していることが朧気ながら分かってきたので、これらの点についてはどうしても外国について研究しなければならぬと考えていた折から仏国留学の内命に接したので、渡りに船と喜んで渡仏したのです。その滞仏中に幕府は倒れて明治維新となりましたが、これはむしろ自然の成り行きであり、私なども予期していたところでしたから、あえて驚くことはありませんでした。

仏国留学中、私は親しく欧洲各国の文物制度を視察研究して大いに感ずるところがありました。しかし、政治家として国家社会に貢献しようとするには地位もなく、力も足らず、学問も十分でないゆえ、その任でないということを覚り、むしろ政治と経済との関係とか、官民の関係とかいう方面、つまり我が国の経済界の発達向上に力を尽す決心をして、帰朝後は止むを得ない事情で一時は官途に就いたのですけれども、明治初年以来、産業の発達、経済界の進歩、実業界の向上等に尽すことを私の本分として進んできたのです。その間に、あるいは地位権勢の好餌《こうじ》をもって誘われ、あるいは利をもって誘われるなど、さまざまな場面に遭遇しましたけれども、一度もこの念を動かされることなく、微力ながらも実業界の発達に専念努力して、いささか貢献するところがあったつもりです。その後、老軀《ろうく》劇務《げきむ》に堪えぬためこの思い出多い実業界を引退したので、現在では直接実業界に関係していませんけれども、生きている以上は身分相応のことをするのが人たるの本分であると信じていますので、及ばずながらも社会公共事業その他に余生を捧げている次第です。

【原文】

人には人たる本分がある。此の本分を盡す様に努めなければならぬといふのが私の根本観念である。然らば其の本分とは何であるかと云ふに、其の時代と境遇と立場とに依つて形式に於いては、各〻異なるけれども、歸する處は人類の進歩向上を圖り、幸福增進に資すべく世の爲め人の為めに盡すといふ事でなければならぬと信ずる。人間は食ふ爲めに生きて居るのではなく、生きて居るので食ふのである。而して生きて居る以上は、己れの力を考へ、時勢を察し、身分相應に人類に貢献する樣に努めるのが當然である。併しながら世の爲め人の爲めに盡さうとするには、先づ己れを修め己れを維持する事が必要である。何故かといふに、社會人類の爲めに盡すのは人としての本分であるけれども、自分が他の援助を受ける樣では本末を顛倒するからである。

さて私自身を顧みるに、私は幕末時代に人となつたので、自然時勢の感化を受け、青年の頃には志士の仲間に加はつて盛んに勤王論を主張し、果ては幕府を覆へして封建制度を叩き壞さうとする倒行逆施の計畫を企てた事さへあつたが、諫止されて思ひ止り、其後一時節を屈して一橋家に仕へ、更に佛國に留學するに到つた。尤も勤王論者である私は、攘夷論者の樣に極端ではないけれども、當時は未だ外國が嫌ひであつた。併し諸外國は凡ての學問的研究、殊に科學的研究が非常に進歩して居る事が朧氣ながら分つて來たので、此等の點に付いては怎うしても外國に就いて研究しなければならぬと考へて居た折柄、佛國留學の內命に接したので、渡りに船と喜んで渡佛したのである。其の滯佛中に幕府は倒れて明治維新となつたが、之れは寧ろ自然の成行であり、私なども豫期して居た處であつたから、敢て驚かなかつた。

佛國留學中、私は親しく歐洲各國の文物制度を視察研究して大に感ずる處があつた。それで政治家として國家社會に貢献せんとするには、地位もなく、力も足らず、學問も十分でない故、其任でないと云ふ事を覺り、寧ろ政治と經濟との關係とか、官民の關係とかいふ方面、即ち我國の經濟界の發達向上に力を盡す決心をなし、歸朝後は止むを得ざる事情で一時官途に就いたけれども、明治初年以來產業の發達、經濟界の進歩、實業界の向上等に盡すを以て私の本分として進んで來たのである。其間に或は地位權勢の好餌を以てせられ、或は利を以て誘はれるなど、種々なる場合に遭遇したけれども、一度も此の念を動かさるゝ事なく、微力ながらも實業界の發達に專念努力して、聊か貢献する處があつた積りである。而して老軀劇務に堪へぬ爲め、此の思出多い實業界を引退したので現在では直接實業界に關係して居らぬけれども、生きて居る以上は身分相應の事をするのが人たるの本分であると信ずるを以て、及ばずながらも社會公共事業其他に餘生を捧げて居る次第である。

私は飯炊きや惣菜拵えもした

私の履んできた経歴はだいたい以上のごとくでありますが、それではどういう風にして克己心を修養したかと言うと、まず第一に、私の処世訓としている論語を挙げなければなりません。論語は実践道徳の生きた教訓でありまして、私はこれを座右の宝典とし、この教えに基いて克己心を養うように努めてきました。孔子は人間の性は善であると言っていますが、その半面には物我が宿っていて、始終、頭を出そうとしているとも考えます。卑近な例を挙げると、日常の衣食住にしても、木綿物よりは絹物を欲し、まずい食物よりも美味を好み、裏長屋よりも門構の家に住みたいと思うのは人情ではありますが、この物我を押えて分相応を守る事は容易なことのようで、その実はなかなか難しいことです。食物がまずければ叱言を言いたくなり、他人が美しい衣服を纏《まと》っていれば自分も着たくなるのは世の常ですが、私はこういうような些細なことに気をつけ、決して不平不満の念を懐かぬように心掛けました。千里の道も一歩より始まるという喩えのあるように、物事はすべて順を追うようにし、はじめから大きいことを望んではなりません。克己心を養うにも、最初は手近かな些細なことから修養を積むようにするほうが効果があるようです。

私の生家は農業と藍の商売を家業としていました。父はいたって厳格な人であったため、私も少年時代には農業にも従事したし、藍の買入や製造もやったので、肉体的方面についてはよほどの難儀も苦痛としなかったのですが、己に克つということは、それが些細なことであってもよほどの努力を要しました。しかし、私はどんな場合でも論語の教訓を思い浮べ、世の中は自分一人の世の中でないということを考えて、物我を押えるようにしました。それがしだいに習慣づけられ、後には私の第二の天性と言うことができるようになったのです。

二十四歳の秋、私は郷里を辞して京都に赴きましたが、途中江戸に滞在したり、伊勢参宮をしたりしたので、二、三ヵ月京都に滞在している中に、用意の金を使い果たしてしまいました。故郷に事情を訴えてやれば送金して貰うことができたけれども、郷里を出る時、再び金銭上について父兄の世話にならぬと自分の心に堅く誓ったので、いくら苦しくとも生家の補助を仰ぐことをせず、親しい知己から三両五両と借り受けて、辛うじて凌いだのです。その翌春、一橋家に仕えることとなりましたが、微禄でも仕官する身となっては、今までの借銭も少しずつ返済しなければならないので、自炊生活をやって極端に生活費を切り詰め、自分で飯炊きもすれば惣菜拵らえもし、四ヵ月ばかりの間に借銭を完済したのです。これなどはむしろ当然と言えば当然のことではありますが、とにかく正しい道理に従い、やすきを棄てて難きに就いたのですから、まず己に克った一例と言うことができるでしょう。

【原文】

私の履んで來た經歷は大略以上の如くであるが、然らば何う云ふ風にして克己心を修養したかと言ふに、先づ第一に私の處世訓として居る論語を擧げなければならぬ。論語は實踐道德の活教訓であつて、私は之れを座右の寶典とし、此訓に基いて克己心を養ふに努めたのである。孔子は人間の性は善であると言うて居るが、其の半面には物我が宿つて居つて、始終頭を出さうとして居る。卑近な例を擧げると、日常の衣食住にしても、木綿物よりは絹物を欲し、不味い食物よりも美味を好み、裏長屋よりも門構の家に住み度いと思ふのは人情であるが、此の物我を押へて分相應を守る事は容易な事の樣で其實は仲々難かしい事なのである。食物が不味ければ叱言を言ひたくなり、他人が美しい衣服を纒うて居れば自分も着たくなるのは世の常であるが、私は斯うい ふ樣な些細な事に氣をつけ、決して不平不滿の念を懷かぬ樣に心掛けた。千里の道も一歩より始まるといふ喩へのある如く、物事は凡て順を追ふ樣にし、初めから大きい事を望んではならぬ。克己心を養ふにも最初は手近かな些細な事から修養を積む樣にする方が効果がある樣である。

私の生家は農業と藍の商賣を家業として居つたが、父は至つて嚴格な人であつた爲め、少年時代には農業にも從事したし、藍の買入や製造もやつたので、肉體的方面に就いては餘程の難儀も苦痛としなかつたが、己れに克つといふ事は、それが些細な事であつても餘程の努力を要した。併し私は何時の場合でも論語の教訓を思ひ浮べ、世の中は自分一人の世の中でないと言ふ事を考へて、物我を押へる樣にした。それが漸次習慣づけられ、後には私の第二の天性と言ふ事が出來るやうになつたのである。

二十四才の秋、私は郷里を辭して京都に赴いたが、途中江戸に滯在したり、伊勢參宮をしたりしたので、二三ケ月京都に滯在してゐる中に、用意の金を使ひ果して仕舞つた。故郷に事情を訴へてやれば送金して貰ふ事が出來たけれども、郷里を出る時再び金錢上に就いて父兄の世話にならぬと自分の心に堅く誓つたので、いくら苦しくとも生家の補助を仰ぐことをせず、親しい知己から三兩五兩と借り受けて辛うじて凌いだのである。其の翌春一橋家に仕へる事となつたが、微祿でも仕官する身となつては、追々と今迄の借錢も返濟しなければならぬので、自炊生活をやつて極端に生活費を切り詰め、自分で飯炊きもすれば惣菜拵らへもし、四ケ月計りの間に借錢を完濟したのである。之れなどは寧ろ當然と謂へば當然の事ではあるが、兎に角正しい道理に從ひ、易きを棄てゝ難きに就いたのであるから、先づ己れに克つた一例といふ事が出來やう。

危険身に瀕せるも動ぜず

それから世間には、金儲けと道徳とは全然別物のように考えている人が多いように見受けられますが、経済界の隆興発達を目指すにしても、また金儲けをするにしても、私は仁義道徳によらなければならぬと信じ、明治初年以来、道徳と経済の合一を主張し、かつこの考えの実行を旨として今日に及んでいます。私はこのような義利合一を主義としているにもかかわらず、実業界にあって活動している頃には、しばしば利をもって誘われたことがありました。いま一々これをあからさまに述べることは憚《はばか》りありますが、そういう場合においても私は常に正しい道理の上に立ってこれを斥《しりぞ》け、一度も自分の履むべき道を誤らなかったと言えます。これも平素修養してきた克己心の賜物であります。

明治二十五年頃のことであったと思います。東京市が水道を敷設するについて、内地製鉄管の使用を主張する者と、外国製鉄管の使用を主張する者との両論者がありましたが、私は多年の経験と実際問題から割り出して、品質においても価格においても、内地製はとうてい外国製に及ばないことを確信していましたので、外国製鉄管を使用することが利益であると主張しました。ところが内地製の鉄管使用を主張する論者の中に、鋳鉄会社を組織して水道鉄管の注文を引き受けようと計画する者があって、私にも賛助を求めてきましたが、私の主張はこれとはなはだ異っていましたから、これに賛同しませんでした。すると反対論者は「外国製鉄管の利を説く者は、外国人と結托して私利を得ようとする魂胆である」という風評を流布し、あるいは演説会を開いたりあるいは新聞にすこぶる不穏な言論を載せたりして、盛んに私を攻撃したものです。そうしているうちに、私は二名の兇漢に襲われ危機に瀕しましたが、「自ら省みて疚しからずば何をか憂え何をか懼れんや」という信念があるから持説を翻さなかったのです。その後、鋳鉄会社が成立し、鉄管の製造を引き受けましたが、果たして私の意見に違《たが》わず、製品は粗悪にして不揃いであり、ついには大疑獄事件を惹き起して世論沸騰するに至りました。この際、もし私が利欲に動かされるか、身辺の危険を惧《おそ》れたならば、彼らの計画に賛同しないまでも、あるいは持説をなげうったかもしれませんが、己に克ったため終始公正なる立場にいられたのです。

なお、私が明治初年以来多数の銀行会社の創立に関与したので、利権屋のように悪評するものもありましたが、私の信念は産業の開発実業の隆興にありましたので、少しもこれを意に介しませんでした。そして、国家としてどうしても必要であると信じた事業に対しては、たとえ不成績のため他の重役が逃げ出しても、私は損失を堪え忍んで最後まで踏み止まって努力し、多くは目的を達成しました。今いちいち枚挙するのは煩瑣なのでいたしませんが、畢竟、これも克己の賜物であると信じています。ですので、私の経験から申せば、克己心を養うにはまず日常の些事に心がけ、しだいにすべての場合に適用するように努めるのが、最も効果があると思います。

【原文】

それから世間には、金儲けと道徳とは全然別物の様に考へて居る人が多い様に見受けられるが、私は經濟界の隆興發達を期するにしても、又金儲けをするにしても、仁義道徳によらなければならぬと信じ、明治初年以來道德と經濟の合一を主張し、且つ之れが實行を旨として今日に及んでゐる。私は斯く義利合一を主義として居るにも拘らず、實業界にあつて活動して居る頃には、屢〻利を以て誘はれた事があつた。今一々之れを明から様に述べる事は憚りあるが、さう云ふ場合に於いても私は常に正しい道理の上に立つて斥け、一度も自分の履むべき道を誤らなかつた。之れも平素修養せる克己心の賜物である。

明治二十五年頃の事であつた。東京市が水道を敷設するに就いて、内地製鐵管の使用を主張するものと、外國製鐵管の使用を主張するものとの兩論者があつたが、私は多年の經驗と實際問題から割出して、品質に於いても價格に於いても、內地製は到底外國製に及ばざる事を確信して居つたので、外國製鐵管を使用する事が利益であると主張した。處が內地製の鐵管使用を主張する論者の中に、鑄鐵會社を組織して水道鐵管の註文を引受けようと計畫する者があつて、私にも贊助を求めたが、私の主張は之れと甚だ異つてゐたから、之れに贊同しなかつた。然るに反對論者は『外國製鐵管の利を說く者は、外國人と結托して私利を得ようとする魂膽である。』といふ風評を流布し、或は演說會を開いたり或は新聞を以て頗る不穩の言論をなし、盛んに私を攻擊したものである。而して私は二名の兇漢に襲はれ危險身に瀕したが、『自ら省みて疚しからずば何をか憂へ何をか懼れんや』といふ信念があるから持說を飜へさなかつた。其後鑄鐵會社が成立し鐵管の製造を引受けたが、果して私の意見にたがはず、製品は粗惡にして不揃であり、遂には大疑獄事件を惹起して世論沸騰するに到つた。此際若し私が利慾に動かさるゝか身邊の危險を惧れたならば、彼等の計畫に贊同しないまでも、或は持說を抛つたかも知れぬが、己れに克つた爲め終始公正なる立場に居る事を得たのである。

尙ほ私が明治初年以來多數の銀行會社の創立に關與したので、利權屋の如く惡評するものもあつたが、私の信念は產業の開發實業の隆興にあつたので、少しも之れを意に介しなかつた。而して國家としてどうしても必要であると信じた事業に對しては、假令不成績の爲め他の重役が逃げ出しても、私は損失を堪へ忍んで最後まで踏み止まつて努力し、多くは目的を達成した。今一々之れを枚擧するの煩に堪へぬが、畢竟之れも克己の賜物であると信じて居る。されば私の經驗から申せば、克己心を養ふには、先づ日常の些事に心掛け、漸次凡ての場合に適用する樣に努むるのが最も効果があると思ふ。

真の成功とは何か

人道を無視して成功は得られぬ

人を見る上で、単に成功とか失敗とかを標準にして計ることが誤りであることは申すまでもありません。成功と言ったり失敗と言ったりしますが、それはわずかに働きの副産物に過ぎないものであって、人間にはそれ以上貴いものがなければなりません。すなわち「人たるの務め」または「人道」、これです。われわれはこの人道を無視しては存在の意義をなさないのですから、人間生活の標準はどうしてもここに置かねばなりません。人間はまず何よりも人たる務めを先にし、道理を行って世を益し、その間に己をも立ててゆくということを理想としなければならないのです。

今日は道理の世の中であって、生活改善といい、文化生活といい、みな道理に適わないところを道理に適うように改造しようとしています。力をもって横に車を押すことはゆるされない世の中です。このような世界において意義ある生活をするには、いわゆる成功とか失敗とかはまったく問題外であって、仮に悪運に乗じて成功した者があっても、それは無価値有害な成功であり、人間としてむしろ憐《あわれ》むべき境遇にあるのです。また、善人のなかに運拙《つたな》くして失敗した者があったにしても、それをもってただちに悲観するには当たりません。ただ人たる人の務めを全うすることによって安んずることができるのです。このように観れば、金銀財宝のようなものは、言わば丹精した人の身に残る糟粕《そうはく》（カス）のようなものなのです。

【原文】

人を見る上に單に成功とか失敗とかを標準にして計る事の誤りであることは申迄もない。成功と云ひ失敗と云ふけれども夫れは僅かに働きの副産物に過ぎないものであつて、人間にはそれ以上貴いものがなければならぬ。即ち『人たるの務め』または『人道』これである。吾々は此の人道を無視しては存在の意義をなさないのであるから人間生活の標準はどうしても此處に置かねばならぬ。人間は先づ何よりも人たる務めを先にし、道理を行つて世を益し其間に己れをも立てゝ行くと云ふ事を理想としなければならぬのである。

今日は道理の世中であつて、生活改善と云ひ、文化生活と云ひ、皆道理に適はない所を道理に適ふ樣に改造しようとするのである。力を持つて横に車を押す事は容されぬ世の中である。斯る世界に意義ある生活を行ふには、所謂成功とか失敗とかは全く問題外であつて、假りに惡運に乗じて成功した者があつても、夫れは無價値有害な成功で、人間として寧ろ憐むべき境遇にあるものである。又善人の中にも運拙なくして失敗したものがあつたにしても、それを以て直ちに悲觀するには當らない。唯人たる人の務めを全うする事によつて安んずる事を得るのである。斯く觀じ来れば、彼の金銀財寶の如きは謂はば丹精した人の身に残る糟粕の様な物である。

傾聴すべき野人の言

ここに一つの挿話があります。それは私の少年時代に父から訓戒の例話としてたびたび聞かされたことでして、当時、私の実家の附近に極めて勤勉な爺さんが住んでいました。この爺さんは非常な働き者で朝は寅の刻（午前四時頃）に起き、夜は子《ね》の刻（午前零時頃）に臥す（寝る）というくらいに年中不断に家業に努力した結果、当然、相当の分限者となったけれども、その後も貧乏な時と同一な心持で金ができたからと言って奢侈に耽るようなことはなく、相変らず朝から晩までせっせと働きとおしたので、近所の人達は不思議に思いました。爺さんは何を楽しみにああして真黒になって働いてばかりいるのであろうか。たまには遊山をしたり、甘い物を食べたりしたところで減るほどの身代でもないのに、ただ稼いでばばかりいるのはどこまで慾の深い人か底が知れないと悪口を言う者もありました。そこである人がこの爺さんに向い、「貴方はもうだいぶ財産ができたのであるから、いい加減にして老後を遊んで暮したらどうですか」と聞いてみたところ、爺さんの言うには、「俺は勉強して自分のことを整斉していくほど面白いことはありませんから、俺は働くことを何より幸福に感じております。そこで働いていくうちに働きの糟ができる。これが世に言う金銀財宝でありますが、俺は必ずしもこの身に残る糟粕を求めるために働くのでもなければ、また、それを意にかけてもいません」と言ったそうです。

そこで私の父は、「これを一野人の言として聞き流してしまえばそれまでであるが、しかし、この戯言に等しい中にも一道の真理はあり、無限の教訓が含まれていると思う」と、しばしば私に誡《いまし》めの例として引用されたのですが、今日になってこれを考えてみるとなるほど思い当たる節々が多くあります。つまり、現代の人はただ成功とか失敗とかいうことを眼中に置いて、それよりもっと大切な天地間の道理を見ず、実質を生命とすることができずに糟粕に等しい金銀財宝のみを主としている傾向が多いのです。これらの人は、この無学な爺さんに対して恥ずべきではあるまいかと思います。

【原文】

茲に一つの挿話がある。それは私の少年時代に父が訓戒の例話として度々聞かされた事であつて當時私の實家の附近に極めて勤勉な爺さんが住んで居た。此爺さんは非常な働き者で朝は寅の刻に起き、夜は子の刻に臥すると云ふ位に年中不斷に家業に努力した結果、當然相當の分限者となつたけれども其後も貧乏な時と同一な心持で金が出來たからと云つて奢侈に耽るやうな事はなく、相變らず朝から晩までせつせと働き通したので、近所の人達は不思議に思つた。爺さんは何を樂しみにあゝして眞黑になつて働いてばかりゐるのであらうか。たまには遊山をしたり、甘い物を食べた所で減る程の身代でもないのに、唯稼いでばかり居るのは何處迄慾の深い人か底が知れないと惡口を云ふ者もあつた。そこで或人が此爺さんに向ひ、『貴方はもう大分財産が出來たのであるから、いゝ加減にして老後を遊んで暮したら何うですか、』と聞いて見たら、爺さんの云ふには、『俺は勉強して自分の事を整齊して行く程面白い事はありませんから、俺は働く事を何より幸福に感じて居ります。そこで働いて行くうちに働きの糟が出來る。之れが世に云ふ金銀財寶でありますが、俺は必ずしも此身に殘る糟粕を求める爲めに働くのでもなければ、又それを意にかけても居ません。』と云つたさうである。

そこで私の父は、『之れを一野人の言として聞き流してしまへばそれまでゝあるが、併し此の戯言に等しい中にも一道の眞理はあり、無限の教訓が含まれて居ると思ふ。』と屢〻私に誡めの例に引用されたのであるが、今日になつて之れを考へて見ると成程思ひあたる節々が多くある。即ち現代の人は唯成功とか失敗とか云ふ事を眼中に置いて、それよりもつと大切な天地間の道理を見ず、實質を生命とする事が出來ずに糟粕に等しい金銀財寶のみを主としてゐる傾向が多いのである。此等の人は此無學な爺さんに對して恥づ可きではあるまいか。

私と富

これまでもしばしば申しましたが、私などももし物質的な成功者たらんことを希望したならば、あるいは、ある程度までの富豪にはなれたかもしれません。しかしながら、このようなことは私の良心が許さないところであって、自ら考えて正しいと信じたことでなければ行うことをしなかったのです。かりそめの事業を始めるにも、それが世を益し人を利するということを標準として、自己の利害など考えるひまはなかったのです。したがって私は物質的に富むことはできなかったけれども、なんら心に疚《やま》しいことなく、今日なお世のため、人のために余生を捧げて立ち働いていることを心から愉快に感じ、幸福に思っています。あるいはまた、私が物質的に富もうとしたら失敗を招いていたかもしれず、また、たとえ成功しても今日得ているような愉快と幸福とを享有することはできなかったかもしれないと思うのです。

【原文】

是迄も屢〻申したが、私なども若し物質的の成功者たらんことを希望したならば、或は或る程度までの富豪にはなれたかも知れぬ。乍併、斯様な事は私の良心の許さない所であつて、自ら考へて正しいと信じたことでなければ行ふ事をしなかつたのである。苟めの事業を始めるにも、それが世を益し人を利すると云ふ事を標準として、自己の利害など考へる遑は無かつたのである。従つて私は物質的に富む事は出來なかつたけれども、何等心に疚しい事なく、今日猶ほ世の爲め、人の爲めに餘生を捧げて立ち働いて居る事を心から愉快に感じ、幸福に思つて居る。或は又私が物質的に富まうとしたら失敗を招いてゐたかも知れず、又縦令成功しても今日得てゐる様な愉快と幸福とを享有することは出來なかつたかも知れないと思ふのである。

智力と運命

広い世間には成功すべくして失敗した例はいくらでもあります。智者は自ら運命を開拓すると聞いていますが、実際、運命のみが人間を支配するものではないのであって、智慧がこれに伴ってはじめて運命を開拓することができるのです。どれほど善良なる君子人でも、智力乏しくしていざという機会を踏み外したならば、それこそ成功は覚束ないものです。たとえば豊臣秀吉と徳川家康とを比較対立して観るとよくこの事実を証明していると思います。かりに秀吉が八十歳の天寿を保って、家康が六十歳で死去したとしたならばどうだったでしょうか。天下は徳川に移らずかえって豊臣万歳であったかもしれません。ですが数奇な運命は徳川氏を助けて豊臣氏に禍《わざわい》しました。単に秀吉の死期が早かったのみならず、徳川氏には名将雲のごとく、智臣林のごとく集ったのに対し、豊臣氏には淀君のような嬖妾《へいしょう》が権威をほしいままにして、六尺《りくせき》の孤《こ》（父王と死別した幼い王子）を托すべき賢臣片桐且元は退けられ、かえって小人大野父子が寵用されるという有り様でありました。さらに石田三成の関東征伐の一挙は、豊臣氏自滅の機運を早めさせました。この場合、はたして豊臣氏が愚なのか、徳川氏が賢なのかは疑問ではありますが、徳川三百年の覇業が成ったのは、むしろ運命がそうさせたのであろうと私は判断します。しかし、この運命を捉えることがまた難しいのであって、常人は往々にしてやってきた運命を逸しやすいものですが、かの家康はその智力によって到来する運命を捕捉する賢明さがあったのです。

【原文】

廣い世間には成功すべくして失敗した例はいくらもある。智者は自ら運命を開拓すると聞いて居るが、實際運命のみが人間を支配するものではないのであつて、智慧が之れに伴うて初めて運命を開拓する事が出來るのである。如何程善良なる君子人でも、智力乏しくしていざと云ふ機會を踏み外したならば、それこそ成功は覺束ないのである。例へば豊臣秀吉と徳川家康とを比較對立して觀るとよく此の事實を證明して居ると思ふ。假りに秀吉が八十歳の天壽を保つて、家康が六十才で死去したとしたならば如何であらうか。天下は徳川に移らず却つて豊臣萬歳であつたかも知れぬ。然るに數奇な運命は徳川氏を助けて豊臣氏に禍した。單に秀吉の死期が早かつたのみならず、徳川氏には名將雲の如く智臣林の如く集つたに對し、豊臣氏には淀君の如き嬖妾が權威を恣にして、六尺の孤を托すべき賢臣片桐且元は退けられ、却つて小人大野父子が寵用されると云ふ有様であつた。加ふるに石田三成の關東征伐の一擧は、豊臣氏自滅の機運を早からしめた。此の場合果して豊臣氏愚なるか、徳川氏賢なるかは疑問であるが、私は徳川三百年の覇業を成さしめたのは、寧ろ運命の然からしめた所であらうと判斷するものである。併し此の運命を捉へる事が又難しいのであつて常人は往々にして際會せる運命を逸し易いのであるが、彼の家康の如きは其智力に依つて、到來せる運命を捕捉するに頗る賢であつたのである。

人事を尽して天命を俟て

要するに、人は誠実に努力して運命を待つ以上のことはできないのです。もし、それで失敗したら自身の智力の及ばぬためと断念し、また成功したら自分の才智が活用されたとして、結果の成否がどちらであっても天命であると受け入れるのがよいと思います。このように、破れてもあくまで勉強するならば、いつかは再び好機会は巡ってくるものです。人生の行路はさまざまであって、ほとんど一律に論ずることはできないものですから、時に善人が悪人に負けるように見えることもあるでしょうが、それは原則に適わぬ変態の現象であって、長い間には善悪の差別が判然として、悪は滅び善は栄えるのです。公平なる天は、必ず善なる人に幸福をひらかせずには置かないのです。

【原文】

要するに人は誠實に努力して運命を俟つに如くはない。若しそれで失敗したら自身の智力の及ばぬ爲めと斷念し、又成功したら自分の才智が活用されたとして、其の成敗の如何に拘らず天命に安んずるがよい。斯樣にして破れても飽まで勉强するならば、何時かは再び好機會は巡つて來るものである。人生の行路は樣々であつて殆んど一律に論ずる事は出來ないものであるから、時に善人が惡人に負ける樣に見える事もあらうが、それは原則に適わぬ變態の現象であつて、長い間には善惡の差別が判然として、惡は滅び善は榮えるのである。公平なる天は必ず善なる人に幸福を開拓せしめずには置かないのである。

予の人物鑑識法

初対面の印象による人物鑑識

人物を識別、もしくは鑑別するということはなかなか難しいものであります。それで古人も人物観察法についてはさまざまな意見を述べています。

佐藤一斎はこの人物観察法について、初対面の印象によってその人物のどんな性格であるかを判断するのが最も間違いのない、正確な人物観察法であるとして、その著述になった『言志録』の中には、「初見の時に相すれば人多く違わじ」という句さえあります。なるほど、一斎先生の言うように、はじめて会った時によくその人物を観察すれば、だいたい誤りはないものですが、たびたび会うようになってからする観察は、考えすぎてかえって過誤に陥りやすいものです。初対面の時に「この人はたいていこんな方であるな」と思った感じにはいろいろな理窟や情実が混ざらないので、いたって純粋な観察ができますし、もしその人が偽り飾っているとすれば、その偽り飾っているところが初見の時にはちゃんと自分の胸の鏡に映ってありありと見えることになります。しかし、しばしば会った上での観察は、ああでもないこうであろうなどと、他人の噂を聞いたり、理窟をつけたり、情実に囚われたりして考えすぎることになるので、かえって人物の観察を誤ってしまうものなのです。ですから、一斎先生の人物観察法も確かにひとつの良い方法と言えます。

【原文】

人物を識別若くは鑑別するといふことは却々難しいものである。それで古人も人物観察法に就いては種々の意見を述べてゐる。

佐藤一齋は此の人物観察法に就いて、初對面の印象によつて其の人物のどんな性格であるかを判斷するのが、最も間違ひのない、正確な人物観察法であるとなし、其の著述になつた言志錄の中には、『初見の時に相すれば人多く違はじ』といふ句さへある。成程、一齋先生の言はるゝ如く、初めて會つた時によく其の人物を観察すれば、多くは誤らぬものであるが、度々會ふやうになつてからする觀察は、考へ過ぎて却つて過誤に陥り易いものである。初對面の時に、『此人は大抵斯んな方であるな』と思うた感じには、いろ〳〵の理窟や情實が混ぜぬから、頗る純な觀察が出來るのであつて、若し其人が僞り飾つて居るとすれば、其の僞り飾つて居る所が初見の時には チヤンと自分の胸の鏡に映つて、アリ〳〵と見える事になる。然し屢〻會うた上の觀察は、ア、でも無い、カウであらうなどと、他人の噂を聞いたり、理窟をつけたり、情實に囚はれたりして考へすぎることになるから、却つて人物の觀察を誤るものである。されば一齋先生の人物觀察法も確かに一の良方法といふ事が出來る。

眸子による人物観察法

孟子には孟子特有の人物観察法があります。すなわち『孟子』の「離婁」章句に、「人に存するものは眸子《ぼうし》（ひとみ）より良きは莫《な》し、眸子は其の悪を掩うこと能わず、胸中正しければ則ち眸子瞭《あきら》かなり、胸中正しからざれば則ち眸子眊《くら》し」と説かれています。人物の如何について、その人相によって性質の正邪曲直を見分けるという方法は古くからあるところであって、一つの人物観察法と言えますが、孟子の人物観察法は、その人相中の一つであるところの、人の目によってその人がどのような人物であるかを鑑別するものです。心の正しからざる者は何となく眼に曇りがあるが、心の正しい者は眼が澄んでいて少しの淀みもないから、これによってその人がどのような人格であるかを判断せよというものです。この人物観察法もなかなか確かな方法であって、人の眼をよく観ておきさえすれば、その人の善悪正邪はたいてい知れるものです。

初見の時の印象によってその人物を鑑識する佐藤一斎先生の人物観察法も、人の眼によってその人の善悪正邪を識別する孟子の観察法も、ともにすこぶる簡易な、手っ取り早い方法であって、これによってもたいてい大過なく人物を正当に識別できますが、人を真に知ろうとするには、そのような観察法ではなお至らぬ点があります。私なども多年、各方面の種々なる階級の人々と会ってきましたが、多数の中には観察を間違ったこともありますが、だいたいにおいて初対面の時の観察は間違いはないようです。しかし、私自身の実際の経験からして、孟子や一斎先生の観察法は必ずしも正確とは言えません。そこで私は孔子の人物観察法を最も適当であると信じ、人物の鑑識はこれに拠るように心掛けています。

【原文】

孟子には孟子一家の人物觀察法がある。即ち孟子離婁章句に、『人に存するものは眸子より良きは莫し、眸子は其の惡を掩ふこと能はず、胸中正しければ即ち眸子瞭かなり、胸中正しからざれば即ち眸子眊し』と說かれてゐる。人物の如何は、其の人相によつて性質の正邪曲直を見分けるといふ法は、古くからある處であつて一つの人物觀察法といへるが、孟子の人物觀察法は、其の人相中の一つである處の人の目によつて其の人物の如何を鑑別するものであつて、心の正しからざるものは何となく眼に曇りがあるが、心の正しいものは眼が澄んで居つて少しの淀みも無いから、之れによつて其人の如何なる人格であるかを判斷せよといふにある。此の人物觀察法も却々確りした方法であつて、人の眼をよく觀て置きさへすれば、其人の善惡正邪は大抵知れるものである。

初見の時の印象によつて其の人物を鑑識する佐藤一齋先生の人物觀察法も、人の眼によつて其人の善惡正邪を識別する孟子の觀察法も、共に頗る簡易な、手つ取り早い方法であつて、是れによつても大抵大過なく人物を正當に識別し得らるゝものであるが、人を眞に知らうとするには斯かる觀察法ではなほ至らぬ點がある。私なども多年各方面の種々なる階級の人々と會つて來たが、多數の中には所謂觀察の間違つたものもあるが、大體に於いて初對面の時の觀察は間違ひはない。然し私自身の實際の經驗からして、孟子や一齋先生の觀察法は必ずしも正確とは言はれない。そこで私は孔子の人物觀察法を最も適當であると信じ、人物の鑑識は之れに據る樣に心掛けて居る。

視、観、察の三方面よりする人物観察法

孔子の人物観察法というのは、視、観、察の三つをもって識別しなければならぬという説です。すなわち『論語』「為政篇」の章句中に、「其の以てする所を視、其の由る所を観、其の安んずる所を察すれば人焉《いずく》んぞ廋《かく》さんや、人焉んぞ廋さんや」と説かれています。孔子のは一斎先生のは初見の時にその人を相し、孟子のは人の目によって観察するのですが、孔子のは一斎、孟子よりも丁寧かつ懇切な観察法であると言うべきでしょう。ここに言う「視」も「観」もともに「ミル」と読むのでしょうが、「視」は単に外形を肉眼によって見るだけのことであり、「観」は外形によりさらに立ち入ってその奥に進み、肉眼のみならず心眼を開いて見ることです。すなわち孔子の論語に説かれた人物観察法は、まず第一に、その人物の外部に顕われた行為の善悪正邪を相し、それよりその人の行為は何を動機にしているものであるかをよく観て、さらに一歩を進めて、その人の安心はいずれにあるか、その人は何に満足して暮しているかなどを知るようにすれば、必ずその人の真人物が明瞭になるものであって、いかにその人が隠そうとしても、とうてい隠せるものではないというものです。いかに

外部に顕われる行為だけが正しく見えても、その行為の動機であるところの精神が正しくなければ、その人は決して正しい人であるとは言えません。そういう人は時には悪いことをあえてすることがないとも限りません。また、外部に顕われた行為は正しく、動機となる精神もまた正しいからと言っても、飽食暖衣逸居することだけで満足してしまうような人は、ときに誘惑に陥って思わぬ悪事をはたらくこともあるものです。ゆえに、行為と、動機と、満足する点との三拍子が揃って正しくなければ、その人は徹頭徹尾、真に正しい人であるとは言いかねるのです。

【原文】

孔子の人物観察法は視、觀、察の三つを以て識別しなければならぬといふ説である。即ち論語爲政篇の章句中に、『其の爲す所を視、其の由る所を觀、其の安んずる所を察すれば人焉んぞ廋さんや、人焉んぞ廋さんや』と説かれて居る。一齋先生のは初見の時に其人を相し、孟子のは人の目によつて觀察するのであるが、孔子のは一齋、孟子よりも叮嚀且つ懇切なる觀察法であると言ふ可きである。玆に言ふ視も觀も共にミルと讀むか、視は單に外形を肉眼によつて見るだけの事で、觀は外形により更に立ち入つて其の奥に進み、肉眼のみならず心眼を開いて見る事である。即ち孔子の論語に説かれた人物觀察法は、先づ第一に其の人物の外部に顯はれた行爲の善惡正邪を相し、それより其人の行爲は、何を動機にして居るものであるかを能く觀、更に一歩を進めて、其人の安心は何れにあるか、其人は何に滿足して暮して居るかなどを知る事にすれば、必ず其人の眞人物が明瞭になるものであつて、如何に其人が隱さんとしても、到底隱し得らるゝものでないといふにある。如何に外部に顯はれる行爲だけが正しく見えても、其の行爲の動機である處の精神が正しくなければ、其人は決して正しい人であるとは謂へぬ。かういふ人は時には惡い事を敢てする事がないとも限らない。又外部に顯はれた行爲も正しく、之れが動機ともする精神も亦正しいからといつて、若し其の安んずる處が飽食暖衣逸居するに在りといふやうでは、時に誘惑に陷つて意外の惡事を爲すやうにもなるものである。故に行爲と、動機と、滿足する點との三拍子が揃つて正しくなければ、其人は徹頭徹尾、眞に正しい人であるとは言ひかねるものである。

絶対に間違いのない観察

こういう風な観察法は、偉い人に対してやや陰険な見方であるという誤解を招くかもしれませんが、これは決して陰険な、礼を失した観察ではありません。実に懇切、丁寧な見方であって、これによってその人がどんな人物であるかを間違いなく鑑別できるのです。この念の入った人物観察法によると、けっして過誤を来すようなことはありません。

私も今日までにはずいぶんいろいろの階級の人々と接触し、その数から言うとほとんど幾千人、幾万人と言ってよいか、数え切れないほどのたくさんの人々にお会いしていますが、その人物の観察において、初見の時の観察と違わぬ人もありますが、表面活発なソソッカシイような人であって、実際には念の入った綿密な仕事振りの人もありますし、温厚に見えていて存外ソソッカシイ人もあります。また恭謙のように見えてすこぶる我執の強い人もあります。初見の時の印象による観察には、こうした間違いが往々あるのです。その点になるとどうしても間違いのない人物観察法としては、孔子の遺訓のように、その安んずるところ（その人の安心、満足するところ）まで至らなければならないのです。

【原文】

かういふ風の観察法は、偉い人に對しては或は少しく陰險な見方であるといふ誤解を招くかも知れぬが、之れは決して陰險な、禮を失した觀察ではない。實に懇切、叮嚀な見方であつて、之れによつて其の人物の如何を間違ひなく鑑別し得るのである。此の念の入つた人物觀察法によると、決して過誤を來たす樣な事はないものである。

私も今日迄には隨分いろ〳〵の階級の人々と接觸し、其の數から言ふと殆んど幾千人、幾萬人といつてよいか、數へ切れない程の澤山の人々にお會ひして居るが、其の人物の觀察に於いて、初見の時の觀察と違はぬ人もあるが、表面活潑なソ、ツカシイ樣な人であつて、實際には念の入つた綿密な仕事振りの人もあり、温厚に見えてゐて存外ソ、ツカシイ人もあり、又恭謙のやうに見えて頗る我執の強い人もある。初見の時の印象による觀察には、かうした間違ひが往々ある。其點になるとどうしても間違ひのない人物觀察法としては、孔子の遺訓のやうに其の安んずる所まで行かなければならぬ。

器の人と器に遠い人と

孔子は、「君子は器ならず」と訓えられていますが、大久保利通公などは確かに器ならざる達識の人でありました。たいていの人はいかに識見が卓抜であると評判せられるほどであっても、その心事のだいたいは外間から窺《うかが》い知ることができるものでありますが、大久保公に至ってはどこが公の真相であるか、なにを胸底に蔵しておられるのか、私などにはとうてい知り得ることができず、底がどれくらいあるかまったく測ることのできぬ人でありました。私は公の日常を見るごとに、器ならずとは必ずや公のような人のことをいうのであると感歎の情を禁じ得なかったものです。

西郷隆盛氏もなかなか達識の偉い方で、器ならざる人に相違ないが、同じく器ならずでも大久保公とはよほど変ったところがありました。一言にして言えばすこぶる親切な、同情心の深い方で、いかにすれば他人の利益を計ることができようかと、他人のために計らうということばかりに骨を折っておられたように見受けられました。氏は平常は至って寡黙で、滅多に雑談をされることなぞのなかった方でありますが、外間から観たところでは、果たして賢い達識の人であるか、また鈍い愚かな人であるかちょっと解らなかったものです。この点が大西郷の大久保公と違っていたところで、他人に馬鹿にされても、馬鹿にされたと気がつかず、そのかわり他人から賞《ほ》められたからと言って、もとより嬉しいとも悦《よろこ》ばしいとも思わず、賞められたのにさえ気がつかずにおられるように見えたもので、器ならざると同時に、また将に将たる君子（『史記』より。将軍を率いる資質ある者）の趣きがあったものです。

木戸孝允公は同じく維新三傑の中でも大久保公とも異なり、大西郷とも違ったところがありました。木戸公は大久保公や大西郷よりも文学の趣味が深く、かつ考えたり行ったりすることがすべて組織的でありました。しかし、器ならざる点においては、大久保、西郷の二傑と異るところはなく、凡庸の器ではないことを示すに足る大きな趣きのあった方でした。

勝海舟も達識の方であって、凡庸の器でなかったには違いありませんが、大久保、西郷、木戸の三傑に比すれば、いずれかと言うとよほど器に近いところがあって、器ならずとまではいかなかったように思われます。その他、伊藤公にしろ、山縣公にしろ、井上侯にしろ、松方侯にしろ、大隈侯にしろ、あのようにまでなられた方々のことゆえ、いずれも凡人と違う優れたところのある人々であるには違いありませんが、維新三傑のように器ならざる方々であるかどうか、今これを申上げることは遠慮したいと思います。

【原文】

孔子は、『君子は器ならず』と訓へられて居るが、大久保利通公の如きは確かに器ならざる達識の人であつた。大抵の人は如何に識見が卓抜であると評判せらるゝ程であつても、其の心事の大體は外間から窺ひ知る事が出來るものであるが、大久保公に至つては何處が公の眞相であるか、何を胸底に藏して居らるゝのか、私などには到底知り得る事が出來ず、底がどれ位あるか全く測ることの出來ぬ人であつた。私は公の日常を見る毎に、器ならずとは必ずや公の如き人を謂ふのであると感歎の情を禁じ得なかつたものである。

西郷隆盛氏も却々達識の偉い方で、器ならざる人に相違ないが、同じく器ならずでも大久保公とは餘程變つた處があつた。一言にして謂へば頗る親切な、同情心の深い方で、如何にせば他人の利益を計る事が出來ようかと、他人の爲めに計らうといふ事ばかりに骨を折つて居られたやうに見受けられた。氏は平常は至つて寡默で、滅多に雜談をさるゝ事なぞの無かつた方であるが、外間から觀た所では、果して賢い達識の人であるか、將た鈍い愚かな人であるか一寸解らなかつたものである。此點が大西郷の大久保公と違つてゐた處で、他人に馬鹿にされても、馬鹿にされたと氣が付かず、其の代り他人から賞められたからとて、素より嬉しいとも悅ばしいとも思はず、賞められたのにさへ氣が付かずに居られるやうに見えたもので、器ならざると同時に、又將に將たる君子の趣きがあつたものである。

木戸孝允公は同じく維新三傑の中でも大久保公とも異ひ、大西郷とも違つた所のあつたもので、同公は大久保公や大西郷よりも文學の趣味が深く、且つ考へたり行つたりすることが凡て組織的であつた。然し器ならざる點に於いては、大久保、西郷の二傑と異る處なく、凡庸の器に非ざるを示すに足る大きな趣きのあつたものである。

勝海舟も達識の方であつて、凡庸の器でなかつたには相違ないが、大久保、西郷、木戸の三傑に比すれば、何れかといふと餘程器に近い所があつて、器ならずとまでは行かなかつた樣に思はれる。其他伊藤公にしろ、山縣公にしろ、井上侯にしろ、松方侯にしろ、大隈侯にしろあゝまでに成られた方々の事故、何れも凡人と違ふ優れた所のある人々であるには相違ないが、維新三傑の如く器ならざる方々であるかどうか、今之れを申上げる事は遠慮する。

其の安んずる所を察すれば其《そ》の人物の全貌を知る

なお私の実際の経験から、こういうことがあったとか、誰に対してどういう失敗があったとかいう実例も乏しくはありませんが、実在の人物に対し批評がましい愚見を述べるのは憚るべきことでしょうから遠慮します。要するに、私としてはずいぶん念にも念を入れて十分その人を観察し得たつもりでありながら、後に至りその人に思わぬ行動があるのを知って、自らの不明を愧《は》ずることがしばしばありました。人を鑑識するということは実に難中の難で、けっして容易なものではありません。なかんずく、その人の安んずるところを察するのが最も困難であります。困難ではありますが、人の真相を知ろうとすれば、何よりも最も注意してその人の安んずるところを察するのに力を致さねばなりません。その安んずるところを知りさえすれば、九分九厘までは、その人の全部を知り得られることになるのです。

ある人々の意見では、孔子の説かれている遺訓に基づく人物観察法、つまり、人の為すところを視、その由るところを観、その安んずるところを察しようとすると、会う人会う人に対して探偵のような人の接し方になり、細かいことばかりになってしまい、たいへん面白くないことになります。それよりもむしろ、佐藤一斎先生の言われるように、初見の時に得た印象でその人を相し、それでもし観察が違っていたことが後になってわかっても、その時はそれで致しかたのないものと諦め、冷たい疑心をもって人を見るようなことをせず、すべての人に虚心坦懐で接するのが、いちばんの分別である、そのように言われることもあるようですが、確かにそれも一理あります。

虚心坦懐に客に接することはぜひ必要であります。私は門戸開放主義で、支障のない限りは誰にでも御面会し、自分の考えだけは憚るところなく申し上げるようにしていますが、さて人物を鑑識するという点になると、多年の間には前にも述べたごとく私自身が不明を愧ずるようなことが往々ありましたから、この実際の苦い経験から人物鑑識については細心の注意を要すること、特にその安んずるところを察するようにすべきであると信じております。

【原文】

尙ほ私の實際の經驗から、かういふ事があつたとか、誰に對してどういふ失敗があつたとかいふ實例も乏しくないが、實在の人物に對し批評がましい愚見を述べるのは憚るべき事であらうから遠慮するが、要するに私としては隨分念にも念を入れて十分其人を觀察し得た積りでありながら、後に至り其人に意外の行動があるのを知つて、自らの不明を愧づる事が屢〻ある。人を鑑識するといふ事は實に難中の難で、決して容易なものではない。就中其人の安んずる處を察するのが最も困難である。困難ではあるが、人の眞相を知らうとすれば、何よりも最も注意して其人の安んずる所を察するのに力を致さねばならぬ。其の安んずる所を知りさへすれば、九分九厘までは、其人の全部を知り得られる事になる。

或る人々は人物觀察法に就いて孔子の說かれてある遺訓に基き、其の爲す所を視、その由る所を觀、その安んずる所を察するには、遇ふほどの人に對し、勢ひ探偵吏が人に接する時のやうに、細かくばかりなつてしまひ、甚だ面白くない。それよりも寧ろ佐藤一齋先生の言はるゝ如く、初見の時に得た印象で其の人を相し、それで若し觀察が違つてゐたことが後に至つて知れても、其時はそれで致方の無いものと諦め、冷たい疑心を懷いて人を見る様な事をせず、總ての人に接するに虛心坦懷を以てするのが、何よりの上分別であるとの意見を持つて居らるゝやうであるが、それも確かに一理のある事である。

虛心坦懷に客に接する事は是非必要である。私は門戶開放主義で、支障のない限りは誰にでも御面會し、自分の考へだけは憚る處なく申上げる様にして居るが、扨人物を鑑識するといふ點になると、多年の間には前にも述べた如く私自身が不明を愧づる様な事が往々あつたのであるから、此の實際の苦い經驗から人物鑑識については細心の注意を要する事、特に其の安んずる所を察する様にすべきであると信ずるのである。

常識の発達と其《そ》の修養

常識という言葉は、人々が口癖のように言いますが、その常識とはいわゆる聖賢の道とか、道徳の極とかというような重い意味ではなく、不断に用いる事々物々にあるべき事柄のことです。けれども、果たしてこれが、たとえばえらく強いということであるとか、あるいはえらく賢いということであるとか、あるいはえらく高尚のことであるとか、こうした何かしらの意味である場合なら別ですが、厳密な意味における常識ということであるなら、これははっきりと定義しにくいものなのです。しかし、よく言われることで私が理解するところによりますと、心理学が論じる智とか情とか意とか、すなわち智情意の三つがほどよくその節に当たるということが常識というものであって、これに外れたのが常識に欠けるのだと解釈したらよろしいかと思います。

人間の世に処するについて何事をなすにもなくてはならぬものが知識であります。すなわち智情意の三つの中、智はあるいは才識と言い、智慧と言い、すべて物を知りかつその是非善悪を弁別するのが智の働きなのです。けれども、智ばかりがよく発達していても、それで人間は完全と言うわけではなく、人には必ず情の発動があります。喜、怒、哀、楽、愛、悪、慾、これを七情と支那人は言います。その七情を適切に働かせることは、すなわち、世の中に向き合い、事にあたるための節度がきちんと守られていることなのです。もしすべてのことに七情が働かない状態であれば、これはもう人間ではなくなります。またその七情があまりに過度に働いてしまったなら、かならず人を傷つけ、己をあやまることになります。また、智情意のうちの意、すなわち意志ですが、意は心の発するところのものと解釈してよろしかろうと思います。支那人の意とか心とか志とかいう区別をここで判然と解釈する暇《いとま》はありませんが、しかし、心は静まっているもの、意は発するもの、心の発動する場合を意と解釈してよいでしょう。このように、智情意この三つがちょうど具合よく均衡を保って、働きかたがいつも節度を守っていてよろしきを得るというのがすなわち常識だと解釈すれば、これは正鵠を射ているのではないかと私は思います。だから私の解釈のように考えれば、大英雄大豪傑に必ずこの常識があるとは言えません。凡庸の人にも必ず常識というものは十分あり得るので、たとえ大英雄でももし不均衡な人であったら、ある点には大いに発達しているところもあるでしょうけれども、真正なる常識の完備した人とは言えないに相違ありません。具体的な人物を挙げれば、ヨーロッパではナポレオン、日本では太閤秀吉のような人は、智はいかにも発達しているに相違ありません。しかし、ある点には欠けているところもあります。これらの人は智情意の均衡よろしきを得て、それをみな兼備しているとは言えないだろうと思います。もとよりその人に常識がないとは言えないでありましょうが、常識が円満であり常識に富んでいるとは言えぬかもしれないと考えます。

　このように解釈すると、常識というものはわれわれ凡庸のものでも常にこれを修養して、必ず過《あやま》たぬようにできるのだと考えます。つまり、常識の修養というのは、ごく手短かに考えれば、孔子の教える仁、義、礼、智、信、孝、悌、忠、愛のことであり、人に対しては老者はこれを養い、朋友はこれを信じ、幼者はこれを助ける、親には孝、君には忠、言には訥《とつ》にして行には敏なれ、日常から右のような注意を欠かさぬようにして、いやしくも智と情と意との均衡を失わぬように勉めることが肝要なのです。必ず人には情意が発動する場合がありますが、その場合に度を越さないようにする、これが常識に欠けないようにする工夫というこことなのです。このように考えて、不断にこの常識を修養していくと、ただ恐らくは非凡の人になることはできなくなるのかもしれません。非凡という字は読んで字のごとく普通でないという意味のことでありますから、あるいは途方もない愚かな人も非凡に相違ありません。あるいは優れた人も非凡であります。しかし、常識に富むという方向への工夫を十分に修めていけば、つまりここで言うように、智情意の均衡を失わぬように心を用い、知識の運びかたでもあまり情意に過ぎないように、情意が発動するときも知識と相並び馳せるようにと心を用いていけば、人物は平凡なものになります。平凡になってはきますが、過ちの少なく世の中の役に立つことができる人物になるのです。

【原文】

常識と云ふ言葉は人々が口癖のやうに言ふが、其の常識とは所謂聖賢の道とか、道徳の極とかといふやうな重い意味ではなく、不断に用ふる事々物々にあるべき事柄である。けれども果して是れが、例へばえらい強いといふことであるとか、或はえらい賢いといふことであるとか、或はえらい高尚のことであるとか、何等の意味であるか、嚴密な意味に於ける常識と云ふことに就いては、はつきりと定義を下すことは出來兼ねるのであるが、併し人の言ひ且つ己れの理解する處に依ると、先づ心理學から論ずる智とか情とか意とか、即ち智情意の三つが程よく其の節に當るといふことが常識に當るのであつて、是れに外れたのが常識に缺けたのだと解釋したら宜しいかと思ふ。

人間の世に處するに就いて何事を爲すにも無くてはならぬものが知識である。即ち智情意の三つの中、智は或は才識といひ、智慧といひ、總て物を知り且つ其の是非善惡を辨別するのが智の働きである。けれども智ばかりが頗る發達して居ても、それで人間は完全なものではなく、人には必ず情の發動がある。喜、怒、哀、樂、愛、惡、慾之れを七情と支那人は云ふ。其の七情の發して其の宜しきを得るは即ち人の世に處し事に當る節度の極く完全なものである。若し總ての事に七情なきものであつたら、是れはもう人間ではなくなる。又其の七情が餘り過度に發して行つたならば、必ず人を傷け己れを過る。又此の意、即ち意志である。意は心の發する處のものと解釋して宜からうと思ふ。支那人の意とか心とか志とかいふ區別を此處で判然と解釋する遑はないが、併し心は靜まつて居るもの、意は發するもの、心の發動する場合を意と解釋して宜しからうと思ふ。而して智情意此の三つが丁度工合宜く權衡を保つて、發し方がいつも節度に當り、宜しきを得るといふのが卽ち常識だと、斯う解釋したら私は正鵠を得はしまいかと思ふのである。故に私の解釋の如くすると、大英雄大豪傑に必ず此の常識があるとばかりは云へぬ。凡庸の人にも必ず常識といふものは十分あり得るので、縱令大英雄でも若し不權衡な人であつたら、或點には大いに發達して居る處もあるであらうけれども、眞正なる常識の完備した人とは言へぬに相違ない。人を例して云へば歐羅巴ではナポレオン、日本では太閤秀吉を見たやうな人は、智は如何にも發達して居るに相違ない、併し或點には缺けて居る所もある。是等の人は智情意の權衡宜しきを得て、それを皆兼備して居るといふことは言へぬであらうと思ふ。固より其人に常識が無いとは言へぬであらうが、常識が圓滿であり常識に富んで居るとは言へぬかも知れぬと考へる。

斯様に解釋すると、常識といふものは吾々凡庸のものでも常に之れを修養して、必ず過たぬやうに出來得ると考へる。即ち常識の修養は極く手短かに考へたならば、孔子の敎ゆる仁、義、禮、智、信、孝、悌、忠、愛で、人に對しては老者は之れを養ひ、朋友は之れを信じ、幼者は之れを助ける、親には孝、君には忠、言には訥にして行には敏なれ。日常右のやうな注意を缺かぬやうにして、苟も智と情と意との權衡を失はぬやうに勉むる事が肝要である。必ず人には發動の塲合があつて、其の發動の塲合に此の程合を越さぬやうにするのが、是れが常識に缺けぬといふ工風である。斯く考へて不斷に此の常識を修養して行くといふと、唯恐らくは非凡の人になるといふ事は出來ぬかも知れぬ。非凡といふ字は讀んで字の如く普通でないといふ意味のことであるから、或は途方もない愚かの人も非凡に相違ない。或は優れた人も非凡である。が常識に富むといふ方の工風を十分に修めて行けば、即ち今申す智情意の權衡を失はぬやうに心を用ゐ、知識の運び方でも餘り情意に過ぎないやうに、情意の發動でも知識と相並び馳せるやうにと心を用ゐて行けば、必ず物が平凡になる。平凡になつては來るが、其の人たるや過ち少く、世に處して其の力だけに必ず用に立つことが出來る。

口舌は福禍の門

諺に「口は禍の門なり」ということがあります。軽卒に口を開けば思わぬ禍を招くから気をつけて口を利かなくてはならぬとの戒めでありますが、これだけではまだ言葉が足りないと私は思っています。口舌《こうぜつ》は禍の門になるだけではなく、口を開いたがために福を招くこともあるのです。ですから、単に口舌は禍の門だというだけで福の門だと思わないのは片手落ちであると考えますから、私はこれを改めて「口舌は福禍の門」と因《よっ》て生ずる所の門」としました。しかしながら、口舌の使いかた次第で禍と福との差を生ずるものですから、一言一句といえども妄《みだり》にしてはならぬという点に注意を払って貰いたいものです。

かの司馬温公が処世のことを説いたものの中に、「妄語《もうご》せざるより始まる」というのがあります。これは私が「片言隻語《へんげんせきご》必ずこれを妄《みだり》にすべからず」と言うのに当たるもので、言語はいかに多くとも妄語（嘘）さえなければ決して害あるものではありません。言語はもともと人と人との間に意志を通じさせる必要によって生まれたものですから、これがなかったら人は生きていけません。けれどもそれだけ有用なものであると同時に、また一面においては大いに禍の因《もと》ともなるものでありますから、平素よくこの間の区別に注意し、有用な言語は十分に吐いてよいですが、妄語はどこまでも慎まねばならないことであります。

私は平生多弁のほうで、いろいろなことに口を出し、あるいは演説なぞもところ嫌わずに頼まれればやるので、知らず識らず言いすぎることもあって、人からしばしば揚げ足を取られたり笑われたりすることがあります。しかし、いかに揚げ足を取られようが笑われようが、私はいちど口にして言う以上は、必ず心にもないことは言わぬという主義です。したがって自分自身では妄語したとは思っていません。あるいは世人には妄語と聞える場合がないでもないでしょうが、少なくとも自分は確信のあるところを口にしたつもりでいます。口舌は禍の門であるでしょうが、ただ禍の門であるということを恐れて、いっさい口を閉じたらその結果はどうでしょう。有要の場合に有要な言を吐くには、できるだけ意志の通ずるように言語を用いなければ、せっかくのこともかえって有耶無耶《うやむや》の中に葬らねばならぬことになります。それでは禍のほうは防げるとしても福のほうはいかにして招くべきでしょうか。口舌の利用によって福も来るものではないでしょうか。もとより多弁は感心しませんが、無言もまた珍重すべきではありません。話すことができない者はこの世の中においていかなる仕事ができ得るか、ということです。

私のような者には多弁のために禍もありますが、そのために福もまた来るのです。たとえば沈黙していては解らぬのであるけれども、ちょっと口を開いたために人を困難から救ってやることができたとか、あるいはよくしゃべることが好きだから、なにかのことにあの人を頼んで口を利いて貰ったらよろしかろうと頼まれて事物の調停をしてやったとか、あるいは口舌のあるためにあれこれの仕事を見出すことができたとかいうように、すべて口舌がなかったら、それらの福は来るものでないと思います。そのようにして見れば、これらはまことに口舌より得る利益であります。口は禍の門であるとともに福の門でもあります。芭蕉翁の句に「ものいえば唇寒し秋の風」というのがあります。これも要するに口は禍の門ということを文学化したものでしょうけれども、こういう具合に禍のほうばかり見てはあまりに消極的になりすぎて、極端に解釈すればものを言うことができないことになります。それではあまりに範囲が狭すぎるのです。

口舌は実に禍の起こる門でありますが、また福祉の因って生ずるところの門でもあります。ですから、福祉が来るためには多弁もけっして悪いとは言い切れませんが、禍の起こるところに向かっては言語を慎まねばなりません。片言隻語といえどもけっして妄りに発せず禍福の分かれるところを考えなければならないということは、何人にとっても忘れてはならない心得であろうと思います。

【原文】

諺に『口は禍の門なり』といふことがある。輕卒に口を開けば思はぬ禍を招くから氣を付けて口を利かなくてはならぬとの戒めであるが、私は未だこれだけでは物足らぬと思ふ。口舌は獨り禍の門たるのみならず、口を開いたが爲めに福を招くこともある。故に單に口舌は禍の門だというて、福の門だといふことを思はぬは片手落ちであると考へるから、予は之れを改めて『口舌は福禍の因て生ずる所の門』とした。併し乍らこれを妄りにすることの如何に因つて、禍と福との差を生ずるものだから、一言一句と雖も妄にしてはならぬといふ點に注意を拂うて貰ひ度い。

彼の司馬溫公が處世のことを說いたものゝ中に、『妄語せざるより始まる』というてある。これ即ち予が『片言隻語必ず之れを妄にすべからず』といふのに當るもので、言語は如何に多くとも妄語さへなくば決して害あるものではない。言語はもと人と人との間に意志を通ぜんが爲めの必要に依つて起つたものであるから、一時もこれが無かつたら人生の用事は辨じない。けれどもそれだけ有用なものであると同時に、又一面に於いては大いに禍の因ともなるものであるから、平素よく此間の區別に注意し、有用なる言語は十分に吐くがよいが、妄語は何處迄も愼まねばならぬ事である。

私は平生多辯の方で、能く種々の場合に口を出し、或は演說なぞも處嫌はずに賴まれゝばやるので、知らず識らず言ひ過ぎることなぞあつて、人から屢〻揚足を取られたり笑はれたりすることがある。併し如何に揚足を取られやうが笑はれやうが、私は一度口にして言ふ以上は、必ず心にもないことは言はぬといふ主義である。從つて自分自身では妄語したとは思つて居らない。或は世人には妄語と聞える場合が無いでもなからうが、少くとも自分は確信のある所を口にした積りで居る。口舌は禍の門であるだらうが、只禍の門であるといふことを恐れて、一切口を閉ぢたら其の結果は如何であらう。有要の場合に有要な言を吐くには、出來るだけ意志の通ずる樣に言語を用ゐなければ、折角のことも却つて有耶無耶の中に葬らねばならぬ事になる。それでは禍の方は防げるとしても福の方は如何にして招くべきか。口舌の利用に因つて福も來るものではないか。固より多辯は感心せぬが、無言も亦珍重すべきではない。啞は此の世の中に於いて如何なる用を辨じ得るか。

私の如き、多辯の爲めに禍もあるが、是れに由つてまた福も來るのである。例へば沈默して居ては解らぬのであるけれども、一寸口を開いた爲めに人の困難な場合を救うてやることが出來たとか、或は能く喋べることが好きだから、何かのことにあの人を頼んで口を利いて貰つたら宜しからうと頼まれて事物の調停をしてやつたとか、或は口舌のある爲めに種々の仕事を見出すことが出來たとかいふ樣に、總て口舌がなかつたら、それ等の福は來るものでないと思ふ。して見ればこれ等は誠に口舌より得る利益である。口は禍の門であると共に福の門である。芭蕉翁の句に『ものいへば唇寒し秋の風』といふのがある。これも要するに口は禍の門といふことを文學化したものであらうけれども、斯ういふ具合に禍の方ばかり見ては餘りに消極的になり過ぎて、極端に解釋すればものを言ふことが出來ないことになる。それでは餘りに範圍が狹過ぎるのである。

口舌は實に禍の起る門であるが、又福祉の因つて生ずる所の門でもある。故に福祉の來る爲めには多辯敢へて惡いとは謂はれぬが、禍の起る所に向つては言語を愼まねばならぬ。片言隻語と雖も決して之れを妄にせず、禍福の分るゝ所を考へてするといふことは、何人に取つても忘れてはならぬ心得であらうと思ふ。

順逆両境の覚悟

総じて人生の行路ほど千態万状のものはないでしょう。物心ついてより身を終えるまで、長くて七、八十年、短いと四、五十年としてみても、人生夢のごとしと言いますが、よく考えてみるとその航路は実に遼遠だと申してよかろうかと思います。もとより同じ人生でも、その行程に変化が多ければ、なんとなく長いように感ぜられますが、これに反してあまり変化がなければ、たとえ七十年の長年月も極めて短いような感じがするでしょう。すなわち人の一生は歳月そのもののみならず、その人の行路における変化の多少によって左右されることが少なくないと思います。およそ、人生の行程なるものは遭遇する事柄や、時勢というものに支配されるのはやむを得ませんが、変化の多いことだけが必ずしもよいとは言えないのです。たとえ変化がなくとも、その境遇が順調で、幸福多きものであるならば、それほどよいことはありません。また変化は多くとも、失敗蹉跌におもむくほうの変化であるならば、決して喜ぶべきものではないのであります。このように、変化というものは人為をもって増減させることはできません。各人の吉凶禍福はただ天の時、地の利のみならず、人為の上からも思いのままに変えられるものではありません。かりに変化の少ないのが人生行路の容易さであると見なすとしても、たとえばその家が富み栄えているとか、また親戚に富める者があるとかいうことは幸福には違いないけれど、その子弟がこれがために安逸になり淫靡に陥るとしたならば、その結果はかえって不幸と申さねばなりません。このように考えれば、人生は富みかつ寿《ひさし》いのがよいとも言えないし、また短くかつ貧しいのが不幸とも言えません。短い人生において大事業をなした者もあれば、長い一生を有しながら、見るべき仕事をなさぬ者もある。同じくは人生は寿くして変化の少ないことを希望すべきであり、さらに進んではその人の事業に対する生命の長くかつ堅固なことはいっそう希望すべきです。

　この世に処するに当たって、得意の時と失意の時とがあることは何人も免れられないのであって、どちらの状況にも応じられる覚悟をもつことが最も大切です。いわんやまだ心胆も練れておらず感情に走りやすい青年やあるいは修養の薄い人にあっては、失意の状況になると意気阻喪し、物事を放棄しがちなものです。失意の結果、怠慢に陥り、あるいは自暴自棄になり、ますます失意の心境に沈み込んでしまって、ひどいときには犯罪を行うまで堕落し、あたら一生を誤るようなことは、失意の人が往々にして陥ってしまいがちな径路です。そもそも、失意とか得意とかいうことはその人の行いの結果であることが多いのですが、自然の運命によることもまたないとは言えません。私は運不運ということは誰にもいくらかはあると思います。たとえば同じ汽車汽船に乗ったときに予期しない災禍を受けてしまうことがあるように、あるいは地震や落雷などによって思わぬ禍を被るように、人為をもってしては避けることができないことはあるものです。ですから、賢者だからこの禍を免れ、小人だからこれを受けるということはないのです。これらは実に各人の運不運にあると申さねばなりません。かの藤田東湖のような人物はこの一例であります。東湖は天保嘉永の頃より尊王攘夷の首唱者として当時の水戸藩のみならず天下の気風を鼓舞作興《こぶさっこう》した偉人でありましたが、ただ単に政治家として一世に卓越しただけでなく、文学者としても非凡な人であり、家庭の人としても親に仕えて至孝、子に対して至愛、また君に対して忠、友に対しては信というように、実にあらゆる方面において立派な人でありました。彼の詩文は気韻（気品）が極めて高く、当時における造意者であって、英雄豪傑というばかりでなく慈愛の情の厚い人でありましたが、この偉人も安政大地震の時に母を救い出そうとして命を危険にさらし、母は助かったけれども不幸なことに自分自身は惨死してしまったのです。もしこの人が生存していたならば、水戸藩党争の惨禍はあれほどまでにならなかったであろうと思われます。東湖の変死は、小にしては一藩の政治上に、大にしては天下の治乱上に多大なる損失であったと言ってよいでしょうが、このようなことは不運より来たった惨禍と言わねばなりません。

このように、運不運は人為をもって左右することはできないのです。世の中にはさほど立派でない人の子に傑出した人物が出たり、これに反してすぐれた人の子に時として不肖の子ができることがあります。善い子を持った親は実に幸福で、悪い子を持った親は不幸でありますが、我が子が善いことを願わない人がいるでしょうか。もしかするとその親の家庭、または教育の良否が原因となることもあるでしょうけれど、やはりいわゆる運不運に属するものと言ってよいかもしれません。このように人生に変化あり、運不運があるものとすれば、人の処世の旅路に当たって得意と失意のあることは免れられないものなのだと思います。この得意とか失意といったことも、それぞれの処世の適否、家庭の善悪によって生ずるのですが、また、その際の社会の情勢に影響されることもあります。狭く言えば運であって、広く論ずれば天命とも言ってもよいと思います。しかし、先に述べたとおりいかなる人にも必ず来るべきものだとするならば、いずれの場合になっても狼狽しないように修養をしておくことが必要なのです。古人はいかにして失意と得意とに処したかと言うと、孔子などは得意も得意と思わず、失意も失意と考えず、換言すればいわゆる人生の失意と得意とを超越しておられたようです。けだし安心立命の楽地に入った人々は失意とか得意とかいったようなことのために自己の中心を動かすものではないのです。このようなことは凡庸の人々にはとうてい望まれることではありません。学問もあり知識もある人でも一度失意の境に沈めば、恐懼《きょうく》し、憤怨《ふんえん》し、嘆息して、どうかすれば堕落破滅の溝壑《こうがく》（みぞ、谷間）に陥るようになり、また得意の時には、自慢し、倨傲《きょごう》（傲慢）になって一時の愉快の情に駆られて遠謀深慮を欠き、一を達せば二を望み、三を得れば四を欲すというようになって、ついにゆきづまってしまうことになります。これはよほど注意して修養しなければならぬことだと思います。古人の句に「成名毎在窮苦日敗事多因得意時（名を成すはつねに窮苦の日に在り、敗るる事の多くは得意の時に因る）」というのがあります。ちょっと見ると何の意味もないようですが、有道の人の世間を警醒《けいせい》した簡単な好句であります。総じて失意の時には心も引締ります。つまり油断が無くなるからことも成功しやすく、得意の時には驕暴《きょうぼう》の心から失敗しやすいのは自然の理であります。そのように理解すれば、失意あればこそ自己の名を為すことができるのであって、得意はかえって失敗のもとだと思えば失意は必ずしも悲しむべきことではなく、むしろ喜んで大いに努力すべき好時機なのです。この意味から、私は自ら好んで失意を求めよとまで言いたいのです。かの熊沢蕃山の「うき事のなおこの上に積れかし、限りある身の力ためさん」という歌のように、事を為すには当初からこのように覚悟してかかるのも、また安心の一手段であると思います。またこの心にて失意に打ち克つと思えば何でもないことであります。失意の場合に処する古人の教えもたくさんあるでしょうが、要するに覚悟さえ確かであるならば失意は必ずしも憂うべきではないということです。ゆえに得意と失意、順境と逆境とに処して平生の心を失わないように心掛けることは、人間処世の最も大切なる点なのです。

【原文】

總じて人生の行路程千態萬狀のものはあるまい、物心ついてより身を終るまで、長きは七八十年短きも四五十年として見て、人生夢の如しといふが、よく考へて見るとその航路や實に遼遠なりと申してよからう。固より同じ人生でも、其行程に變化が多ければ、何となく長い樣に感ぜらるゝが、之に反してあまり變化がなければ、たとひ七十年の長年月も極めて短い樣な感じがするであらう。即ち人の一生は歳月そのものゝみならず、其人の行路に於ける變化の多少によつて左右されることが少くないと思ふ。凡そ、人生の行程なるものは遭遇する事柄や、時勢といふものに支配せられるのは已むを得ぬのであるが、變化の多きのみが必ずしもよいとは云はれぬ、假令變化なくとも、其境遇が順調で、幸福多きものあるならば、それ程よい事はなく、又變化は多くとも、失敗蹉跌に赴く方の變化であるならば、決して喜ぶべきものではないのである。而して此の變化といふものは人爲を以て增減することは出來ない。各人の吉凶禍福は啻に天の時、地の利のみならず、人爲の上からも思ひの儘に變られるものでない。假りに變化の少ないのが比較的行路易を感ずるとしても、例へば其家が富み榮えてゐるとか、又親籍に富める者があるとかいふことは幸福には違ひないけれど、その子弟が之が爲めに安逸になり淫靡に陥るとしたならば、その結果は却つて不幸と申さねばならぬ。此の如く考へ來たれば、人生は富み且つ壽いのがよいとも云へねば、又短く且つ貧しきが不幸とも云へぬ。短い人生に於いて大事業をなした者もあれば、長い一生を有しながら、何等見るべき仕事をなさぬ者もある。同じくは人生は壽くして變化の少なきを希望すべきであり、更に進んでは其人の事業に對する生命の長く且つ堅固なるは一層希望すべきである。

此の世に處するに當つて、得意の時と失意の時とあることは何人も免れ得ぬ所であつて、之れに處する覺悟が最も大切である。況んや未だ心膽も練れず、感情に走り易い青年時代或は修養の薄い人の常として、失意の境に臨めば兎角意氣阻喪し事を放棄する樣になる。失意の結果怠慢に陥り、或は自暴自棄して、益〻失意の境に沈淪し、甚だしきは犯罪とまで墮落し、あたら一生を誤るのは實に是れ失意の人の往々にして陥り易き徑路である。抑〻失意とか得意とかいふことは其人の行爲より出づるものが多いけれども、自然の運命による事も又無いとはいへぬ、私は運不運といふことは各人にいくらかはあると思ふ。例へば同じ汽車汽船に乘るとしても、時に豫期せざる災禍を受くる事のあるが如き、或は地震とか落雷とかいふものによつて意外の禍を被るが如き、人爲を以てしてはとても之を避くる事は出來ぬ、即ち賢者だからこの禍を免れ、小人だから之を受けるといふことはない、此等は實に各人の運不運にあると申さねばならぬ。彼の藤田東湖の如きはこの一例である。東湖は實に當時水戸藩のみならず、尊王攘夷の首唱者として、天保嘉永の頃より天下の氣風を皷舞作興した偉人であつて、啻に、政治家として一世に卓越したのみならず、文學者としても非凡な人であり、家庭の人としても、親に仕へて至孝、子に對して至愛、君に對して忠、友に對しては信といふ風に、實にあらゆる方面に於いて立派な人であつた。其詩文の如きも氣韻が極めて高く、當時に於ける造意者であつて、英雄豪傑といふ許りでなく慈愛の情の厚い人であつたが、此偉人も安政大地震の時に母を救ひ出さんとして萬死の危きに投じ、母は助かつたけれども不幸其身は慘死したのである。若し此人にして生存して居たならば、水戸藩黨爭の慘禍はあれ程迄にならなかつたであらうと思はれる。東湖の變死は、小にしては一藩の政治上に、大にしては天下の治亂上に多大なる損失であつたと申してよいが、斯くの如きは不運より來たつた慘禍と申さねばならぬ。

かく運不運は人爲を以て左右することは出來ぬ、世の中には左程立派でない人の子に傑出した人物が出で、之に反してすぐれた人の子に、まゝ不肖の子が出來る事がある。善い子を持つた親は實に幸福で、惡い子を持つた親は不幸であつて、何人か我子の善きを願はざるものがあらうか。是れ或は其親の家庭、又は教育の良否が原因したのでもあらうけれども、やはり所謂運不運に屬するものと申してよいかも知れぬ。斯く人生に變化あり、運不運があるものとすれば人の處世の旅路に當つて得意と失意のあることは免れ得ない所であると思ふ。此の得意とか失意とか申すことも各自の處世の適否、家庭の善惡によつて生ずるけれども、亦其際の社會の勢に制せられることもある、狹く云へば運であつて、廣く論ずれば天命とも申してもよいと思ふ。併し前に申した如く、如何なる人にも必ず來るべきものとすれば常に此場合に當つて狼狽しない樣に修養をして置くことが必要である。古人は如何にして失意と得意とに處したかと云ふに、孔子の如きは、得意も得意と思はず、失意も失意と考へず、換言すれば所謂人生の失意と得意とを超越してゐられた樣である。蓋し安心立命の樂地に入つた人々には失意とか得意とか申す者の爲めに自己の中心を動かすものではない、如此は凡庸の人々には到底望まれることではない。學問もあり知識もある人でも一度失意の境に沈めば、恐懼し、憤怨し、嘆息して動もすれば墮落破滅の溝壑に陷る樣になり、又得意の時には、自慢し、倨傲となり一時の愉快の情に驅られて遠謀深慮を缺き、一を達せば二を望み、三を得れば四を欲すといふやうになつて、終ひにゆきづまることになる。之れは餘程注意して修養しなければならぬ事と思ふ。古人の句に『成名在窮苦日敗事多因得意時』というてある、一寸見ると何の意味もない樣であるが、有道の人の世間を警醒した簡單の好句である。總じて失意の時には心も引締る。卽ち油斷が無くなるから事も成功し易く、得意の時には驕暴の心から事を破り易いのは理の明なる所である。斯く觀ずれば失意あればこそ自己の名を爲すを得るので、得意は却つて事を破る基だと思へば失意は必ずしも悲しむべきにあらず、寧ろ嬉んで大いに努力すべき好時機である。此意味から私は自ら好んで失意を求めよとまで申したいのである。彼の熊澤蕃山の『うき事の尙この上に積れかし、限りある身の力ためさん』といふ歌の樣に事を爲すの當初から斯く覺悟してかゝるのも、亦安心の一手段であると思ふ。又此の心にて失意に打ち克つと思へば何でもない事である。失意の場合に處する古人の敎へも澤山あらうけれども、要する〔に〕覺悟さへ確かであるならば失意は必ずしも憂ふべきではない。故に得意と失意、順境と逆境とに處して平生の心を失はざる樣に心掛ける事は人間處世の最も大切なる點である。（實業家處世訓）

人間処世の道

一

われわれがこの世に処して毎日、活動しつつあるのは自己のためでしょうか？　それとも他人のためでしょうか？　あるいは自分たちだけの栄達をしようとするためでしょうか？　これについて古の聖賢は孝経にこういうことを言っています。「立身行道、揚名於後世、以顕父母、孝之終也（身を立て、道を行い、名を後世に揚げ、以て父母を顕わすは、孝の終わりなり）」つまり、立身出世はただその家の幸福のみならず、余恵は延々と九族（先祖・子孫の各四代を含めた九代の親族）にまで及ぶのです。人たるものが一身の栄達を望むのは、まさに人間が自然に備えた性情であって、毫《ごう》も（少しも）恥ずべきことではありません。けれども単にそれだけのために努力して、処世の為すべきことはこれで終わりと思う者があるなら、それはひどく誤っています。けだし共同生存ということは、人類が自然にもちあわせた性情です。その性情の自然に従い、公共の福利を謀って忠なるこそ、真に人間処世の本分と言うべきものです。人に男女の別はあるけれども、互いに孤立して生存を全うすることはできません。同類相集って自然と家ができ、部落ができ、これが郡となり、国となってついに一つの組織体を形づくるに至るのは、人類自然の性情の発動に基くところの共存体の膨脹にほかならないのです。そして、その集団がいよいよ大きくなれば、言い換えると、その関係がますます密接となり、複雑となったとき、「同胞相親しみ、相助けて戻らん」というようになってはじめてその組織は健実に発達を遂げられ、富国とも強国ともなり得るのです。このような理由から、もしもその領土がいかに広く、住民がいかに多くても、同胞が相親しみ相助けることがなければ、その国は決して富国となり強国となることはできないでしょう。そのことは、古今の歴史に当たってみれば明らかなところです。ためしに英国を見るならばどうでしょう。英国はインドに比べればその何分の一の国民を有するというに過ぎない小国ですが、その何倍も有するインドを征服しました。その国民の相親しみ相助けるか否かは、国家存亡の道の分かれ目なのです。今日、英国が世界に冠たる富強となっているのは、国民が相親しみ相助け合った結果にほかならないのです。ですから、もしも同胞相親しみ相助くるの性情が乏しいか、あるいは相和し相助くる中にも公共のため、国家のためという観念が欠けていたならば、いかにその国民が知識に富み、力量において勝っているとしても、その国の健実な発達は期待することができません。孔子の言葉に「吾道一以貫之（吾が道は一を以て之を貫く）」とあります。曾子がこれを解釈して「夫子之道忠恕而已矣（夫子の道は忠恕《ちゅうじょ》のみ）」と言っていますが、この忠恕の本義もまた同胞相親しみ、相助くるということにほかなりません。ここにおいて、われわれのうちで、世に処して身を立てんと思うものは、「一身を以て公に奉ずる」という精神をその主義本領としなければならないと信じます。

しかしながら、さらに一歩を進めて言えば、単に「義勇公に奉ずる」の精神、すなわち誠意誠心のみではその行為の効果を完全なものにすることはできないのです。これがとりもなおさず学問経験の必要なゆえんであって、学問に依って道理を知って後、さらにその事物の是非善悪を識別する能力を具備しなければなりません。しかしまた、いかに是非善悪を識別する明知を備えたからと言って、誠意誠心に欠けるところがあったならば、その行為は共同互助の効果を収めることはできないのです。というわけで、よく学びよく道理を知り、その後に、これを行うときに「一身を以て公に奉ずる」という誠意誠心の志で行動したならば、けだし、間違いがないに等しいと言えるでしょう。これを要約すれば、われわれのすべての行為の動力は、高尚なる誠意と最善の知識とに求めなければならないのです。古くから真知に欠ける誠意誠心は完全な効果を収めることはできぬと言われていますが、この言は大いに翫味《がんみ》すべきものだと私は思います。

【原文】

吾人が此世に處して日夕活動しつゝあるは自己の爲めであるか、將た他人の爲めであるか、抑も亦吾人が一身に榮達を謀るが爲めであらうか、之れに就いて古の聖賢は孝經に斯う云ふ事を云うて居る。『立レ身行レ道、揚二名於後世一以顯二父母一、孝之終也』乃ち立身出世は啻に其の家の幸福のみならず、其の餘惠延いて九族に迄及ぶのである。人たるものが一身の榮達を望むのは、正に是れ人間自然の性情であつて、毫も耻づべきことではない。けれども單に夫れだけの務めにて、處世の能事了ると思ふ者あらば、そは非常に誤つて居る。蓋し共同生存と云ふことは、人類自然の性情である。其性情の自然に從ひ、公共の福利を謀つて忠なるこそ、眞に人間處世の本分と云ふべきものである。人に男女の別はあるけれども、互に孤立して生存を全うし得ることは出來ない、同類相集つて自ら家を成し、部落を成し、之れが郡となり、國となつて遂に一つの組織體を形づくるに至るのは、乃ち人類自然の性情の發動に基く處の共存體の膨脹に外ならぬのである。而して其集團が愈〻大なれば即ち其關係益〻密接となり、複雜となり、而して同胞相親しみ、相助けて戻らんと云ふに至つて、初めて健實に其組織の發達を遂げ得て、富國ともなり强國ともなり得る所以である。かゝるが故に、若しも其領土は如何に廣く、住民は如何に多くても、同胞が相親しみ相助くることがなければ、其國は決して富國となり强國となる事の出來ないことは、古今の歷史に徵して明かなる處である、試に英國を見るならば如何であらう。英國は印度に比べたならば、其の何分の一の國民を有すると云ふに過ぎぬ小國であるが、其幾倍を有する處の印度を征服した。實に其の國民の相親しみ相助くると否とは、即ち國家存亡の岐るゝ所以にして、今日英國の富强の世界に冠たるは、全く國民の相親しみ相助くるの結果に外ならぬのである。然るに若しも同胞相親しみ相助くるの性情が乏しいか、否な相和し相助くる中にも公共の爲め、國家の爲めと云ふ處の觀念を缺いたならば、如何に其國民が知識に富み、力量に於いて勝つて居るとしても、其國の健實なる發達は得て期することは出來ぬ。孔子の言葉に『吾道一以貫之』と、曾子之れを釋いて『夫子之道忠恕而已矣』と云つて居るが、此の忠恕の本義も亦同胞相親しみ、相助くるの義に外ならぬ。是に於いて吾人の世に處して身を立てんと思ふものは、即ち一身を以て公に奉ずるを以て、其主義本領とせなければならぬと信ずる。

併しながら更に一歩を進めて云へば、單に義勇公に奉ずるの精神、即ち誠意誠心のみでは其の行爲の効果を全うすることは出來ない。是れ即ち學問經驗の必要なる所以で有つて、學問に依つて道理を知つて後、更に其の事物の是非善悪を識別するの能力を具備せねばならぬ。併し又如何に是非善悪を識別するの明知を備へたからとて、誠意誠心に缺くる處があつたならば、又其の行爲は共同互助の効果を收むることは出來ない。であるから克く學び克く道理を知り、而して之れを行ふには一身以て公に奉ずるの誠意誠心を以てしたならば、蓋し愆ちなきに幾しと云へるであらう。之れを約言すれば、吾人が總ての行爲の動力は高尙なる誠意と、最善の知識とに須たなければならぬのである。古語に眞知を缺ける誠意誠心は、完全の効果を收むることは出來ぬと云つて居るが、私は此の言を以て大いに翫味すべきことであると思ふ。

二

孔子の曰われた言葉に「君子務本、本立而道生、孝悌也其為仁之本歟（君子は本を務む、本立ちて道生ず、孝悌なる者は、それ仁の本たるか）」というものがあります。その意味は、仁の本は孝悌に在るだろうというところにあって、知を末として仁を本としたのではないかもしれません。ですが後の学者は、知はややもすると狡猾に走りやすく、才はややもすると軽薄に流れやすいというように捉え、誠意誠心を養うにはまず孝悌忠信の道を教えねばならないという点をあまりに強調しすぎた結果、あたかも孝悌と知識とは両立し難いもののように誤解され、知識を主とすれば誠意を欠き、誠意を主とすれば知識を欠く恐れがあるというようになってしまいました。そしてついには、たとえ多少知識には欠乏を来すことはあっても、誠意誠心を主としなければならぬと解釈して、これを実際に行った結果、ついに知見狭き誠意の士を尊崇するような傾向を生ずるようになったのは、儒教のために私は大いに惜《おし》むのであります。いかに掬《きく》す（汲み取る）べき誠意誠心があっても、いかにその志が善美であっても、終始方針を誤り所作に迷うようでは、その事が成就しないのは言うまでもありません。ついには世人から疎んじられるようになり、終世貧困を免れることができず、しかも、世間の智慮深く富み栄える人を見ては、「不義の富貴は浮雲のごとし、我において何かあらん（別のところでは「不義にして富み且つ貴きは、我に於いて浮雲の如し」）」などと空《そら》嘯《うそぶ》いて「道を楽しむ」かの心がけは高潔ではあるようですが、そのような気風が世間一般の風潮となってしまっては、とうてい国富を増進することはできません。そうなってしまっては、儒教の弊害も極まれりと言わねばなりません。また、私がしばしば言うように、儒教の仁と富についてのことも同じようなもので、「仁を行えば富むことはできない、富まんとすれば仁なることができぬ」のように説いたのは、孝悌と知識は両立することのできないもののように捉える観念に胚胎した謬想（間違った考え）であって、これは決して真正なる孔子の教育でないことは明らかであります。無分別な孝悌は実践しても益はなく、かえって身を誤り人を誤ることが多いのです。

また、衣食足りて礼節を知るというように、富んで仁なる者が多いことは事実です。孝悌と知識、仁と富とはいかなる時代においても、互に並び馳せ、決して相戻るものではないのです。いまのような物質的進歩の著しい時勢において、このような弊害の多い風潮が増長してしまっては、決して国富を増進することができません。私は儒教の趣味をいくらかは解すると同時に、このような弊があることを遺憾に思っております。

【原文】

孔子の曰はれた言葉に『君子務レ本、本立而道生、孝悌也其爲レ仁之本歟』と、蓋し孔子の意は仁の本は孝悌に在らんかと云ふにあつて、知を末として仁を本としたのでは無いかも知れぬ。然るに後の學者が知は動もすると狡猾に走り易く、才は動もすると輕薄に流れ易い、其處で誠意誠心を養ふには、先づ孝悌忠信の道を教へねばならぬと、餘りに之れに重きを措いた結果、恰も孝悌と知識とは兩立し難いものゝやうに誤解し、知識を主とすれば誠意を缺き、誠意を主とすれば知識を缺くと云ふの虞があるやうになつた。遂には縱令多少知識には缺乏を來すことは有つても、誠意誠心を主とせなければならぬと解釋して、之れを實際に行つた結果、遂ひに知見狹き誠意の士を尊崇するの傾向を生ずるやうになつたのは、儒教の爲めに私は大いに惜むのである。如何に誠意誠心の掬すべきものがあつても、如何に其志は善美であつても、終始方針を誤り所作に迷ふやうでは、其の事の成就せざるは勿論、遂ひに世人の疎んずる所となり、終世貧困を免ることと出來ずして、而かも世の智慮深く、富み榮える人を見ては不義の富貴は浮雲の如し、我に於いて何かあらんと云ふやうに空嘯いて、道を樂む其心事は高潔なるに似て居るけれども、斯くの如き氣風が一世の風習を成すに於いては、到底國富を増進することは出來ない。此處に至つては儒教の弊害も極まれりと云はねばならぬ。又私の屢〻云ふ如く儒教の仁と富に於けるも亦斯んなもので、仁を行へば富む事は出來ない、富まんとすれば仁なる事が出來ぬかの如くに説いたのは、蓋し孝悌と知識と兩立することの出來ないもの〻やうに考へたる觀念に胚胎した處の謬想であつて、此れは決して眞正なる孔子の教育でないことは明かである。無分別なる孝悌は行うて益なく、却つて身を誤り人を誤ることが多い。

又衣食足りて禮節を知る如く、富んで仁なる者の多いのは事實である。孝悌と知識、仁と富とは如何なる時代に於いても、互に竝び馳せ決して相戻るものでは無い。現時の如き物質的進歩の著しい時勢に於いて、斯かる弊風の増長することは決して國富を増進する所以でない。予は聊か儒教の趣味を解すると同時に、此の弊あるを遺憾に思ふのである。(實業訓)

弊を見て功を没する勿《なか》れ

およそ世の中の事物はすべて進んでいくにしたがって弊害が生じます。その弊害を見てただちにその物の進んできた功績も否定したくなるのが人情です。この弊害はなるべく注意して免れるようにしたいものです。少し支那めかしい文句になりますが、これを文字に書くと「その弊を見てその功を没する勿れ」とも言わねばならないかと思います。試みに例を挙げて見ますと、人間の万事は限りなくこう言えると思います。

【原文】

凡そ世の中の事物は總べて進んで行くに隨つて弊害が生ずる、其の弊害を見て直ちに其の物の進んで來た功績を沒するやうになるのが人情である、此の弊害は成るべく注意して免れるやうにしたい。少し支那めかしい文句になるが、之れを文字に書くと『其の弊を見て其の功を沒する勿れ』とも謂はねばならぬかと思ふ。試みに例を擧げて見ると人間萬事限りなく言ひ得る。

維新改革の弊

まず第一に挙げてみたいのは、維新の改革であります。長い間の武家政治、その武家政治の間に主従の関係を生じ、国に大名というもののあるほか、一種のすこぶる強い情合のあったのを一朝にして打破したのが維新です。それと同時に旧い事物をみな打ち砕いてしまいました。千年も経過したために日本のほとんど第二の性質のごときものになっていたものを打ち砕くという勢いでありましたから、玉石ともに一掃したと言ってもよいのです。そのようなことでもなければ、大政復古は成し遂げられなかったということはわかります。たしかに、これは功であります。けれども、その功に対して生じた弊がないかというと、あるいは旧い事物の保存すべきものを打ち壊し、尊ぶべきを卑しみ、あるいは極端な場合は師弟親子の関係までも取り失うというように趨《はし》った有り様も見えます。果たしてもしそのようなことであったならば、これは大なる弊害であります。その弊害の原因を討《たず》ねたならば、革命の勢から一瀉千里に旧物を打破したという強い効力が、この弊害を生じたと考えねばなりません。ですから、もしその最終の弊害から見たならば、御維新もあるいは害ではなかったかと思われてしまうのです。これがつまり「弊を見て功を没する」ということになるのです。

【原文】

先づ第一に擧げて見たいのは維新の改革である。長い間の武家政治、其の武家政治の間に主従の關係を生じ、國に大名といふものゝある外、一種の頗る強い情合のありしを一朝にして打破したのである。それと同時に舊事物を皆打碎いてしまつた。千年も經過した日本の殆んど第二の性質の如きものを打ち砕くと云ふ勢ひであつたから、玉石共に一掃したといつてもよい。右様な有様でなければ大政復古は成し遂げられぬであつたらう、蓋し是れは功である。けれども其の功に對して生じた弊が無いかと云ふと或は舊事物の保存すべきものを打ち壞し、尊ぶべきを卑み、或は師弟親子の關係迄も甚だしきは取失ふと云ふやうに趨つた有様も見える。若し果して左様であつたならば、是れは大なる弊害である。其の弊害の原因を討ねたならば、革命の勢から一瀉千里に舊物を打破したと言ふ強い効力が、此の弊害を生じたと考へねばならぬ。故に若し其の最終の弊害から言ふならば御維新も或ひは害ではなかつたかと思はれる、之れが即ち弊を見て功を沒すると云ふ事になるのである。

自治制度の弊

次に挙げたい一例は、かの自治制度であります。明治二十二年に地方自治制度が布かれましたが、それまでの有り様はいわゆる官尊民卑でした。地方の政治はみな官の指図するところ、干渉するところ、すなわち秦の始皇帝の黔首《けんしゅ》（古代中国の一般民衆）を愚にするという有り様で、民は馬鹿なもので、すべて主治者の指図でなければ善い政治はできぬというしきたりでありました。またひとつには宗教制度を厳密にして人民は毎戸に檀那寺があって、私の宗門は何々でございますという調べを毎年一度受けなければ、一人として国家に立っていられないという有り様であったのです。あるいはまた旱魃とか風災とか洪水とかいうような、農業上大いに害あることがあると、農具その他の物を官から貸し与えて維持を図るというような制度でありました。それを打ち破って、人民はみな自治し得るものとなりました。ただし国家に必要な制度は政府の指し定めたところに従わなければならぬけれども、その他は多く自ら治めることができるようになりました。一地方に相当なる団体を立て、それに対する組織を定め、その組織に従って自ら経営するものであるというので、その論理その趣意ははなはだ美しい、誠に喜ばしいものでした。しかし、その実際の状況をいま見ると、人民の知識の未だ進まぬとか、すべての実物の実験が乏しいということになり、その結果、むしろ議論が多いとか費用が増すのでよくないということになってしまいます。ある場合には生活の程度が進んだと喜ぶかと思うと、生ずる物が少なくて費やす物が多くなり、一方から見ると国の貧民はこれより生じはしないかと憂えられる点もあります。このように算えると、この自治制度もあるいはその弊をもってその功を没せねばならぬという非難の声も生ずるように思われるのです。

【原文】

又今一例は彼の自治制度である。明治二十二年に地方自治制度を布かれたが、それまでの有様は所謂官尊民卑で、地方の政治は皆官の指圖する所、干渉する所、即ち秦の始皇帝の黔首を愚にすると云ふ有様で、民は馬鹿なもので、總て主治者の指圖でなければ善い政治は出來ぬと云ふ仕來りであつた。又一には宗教制度を嚴密にして人民は毎戸に檀那寺があつて、私の宗門は何々でございますと云ふ事を毎年一度調べを受けねば、一人として國家に立つて居られぬと云ふ有様であつた。或は又旱魃とか風災とか洪水とか云ふやうな、農業上大いに害ある場合があると、農具其他の物を官から貸し與へて維持を圖るといふやうな制度であつた。其れを打破つて、人民は皆自治し得るものとなつた。但し國家に必要な制度は政府の指し定めた處に従はなければならぬけれども、其他は多く自ら治める、一地方に相當なる團體を立て、夫れに對する組織を定め、其の組織に従つて自ら經營するものであると云ふので、其の論理其の趣意は甚だ美しい、誠に喜ばしい。併し其の實況を今日に見ると、人民の知識の未だ進まぬとか、總ての實物の實驗が乏しいとか云ふ有様から、其の結果は寧ろ議論が多いとか費用が増すとか云ふことになる。或る場合には生活の程度が進んだと喜ぶかと思ふと、生ずる物が少うして費す物が多く、一方から見ると國の貧民は是れより生じはせぬかと憂へられる點もある。斯く算へると、此の自治制度も或は其の弊を以て其の功を沒せねばならぬと云ふ非難の聲も生ずるやうに思はれるのである。

弱音の弊

また教育の点から観察すると、昔の教育というのはごく荒っぽいものでありました。また、はなはだ行き届かぬものでもあったのです。かく言う我々は、実は親から費用を給されて教育を受ける身というのではなく、その教育はほんど自教育でした。自教育というと熟字を成さないかもしれませんが、そのとおりでありました。しかるに、今日では小学にも尋常高等があり、尋常中学があり高等学校があり、大学があり、他の方面には商業教育、実業教育、また近頃は女子に対する教育も各種の設備が整っていて、ほとんど至らざるところなく、これもたいへん喜ばしいわけで、このことだけでも国の進歩を証明できるわけですが、さて、一方から考えて見ますと、この教育が果たしてこの国に十分適応するものであるか、また、実際のところ日本の富かつ力を増すに足りるものであるかと言うと、これも疑いなきにしもあらず。なかには、教育に対する考えを誤って、むしろ教育さえなければ、というような人物をときどき見ることもあります。ですから、教育の弊も、ある場合にはその功を没することがないとも言いきれません。

【原文】　又教育の點から觀察すると、昔の教育といふものは極く荒つぽいものであつた、又甚だ行き届かぬものであつた。斯く云ふ我々は、實は親からして費用を給されて教育を受けぬ身であつた、其の教育は殆んど自教育である。自教育と云ふ熟字を成さぬかもしれぬが其の通りであつた。然るに今日では小學にも尋常高等があり、尋常中學があり高等學校があり、大學があり、他の方面には商業教育、實業教育、又近頃は女子に對する教育も各種の設備が整うて殆んど至らざる所なく、是れも甚だ喜ばしい譯で、以て國の進歩を徵するに足るが、偖て一方から考へて見ると、此の教育が果して此國に十分適應するものであるか、又事實日本の富且つ力を増すに滿足であるかと云ふと、是れも疑ひなきにしもあらず、其内には教育を誤つて寧ろ教育なくもがなといふ樣な人物を往々見ることもある。然らば則ち教育の弊も、或る場合には其功を沒することが無いとも言はれぬ。

経済界の弊

また経済上の点について一例を挙げるならば、かの合本法があります。これも維新以後の出来事で、かく言う私はこの合本法についてはまず創業者の位置にあり、多少は貢献していると言えるかもしれません。私の考えは次のようなものでした。日本の事物をして大いに進ませるには、是非とも物質的進歩を図るよりほかはない。ただ知識とか議論とかいうほうにのみ進ませるということでは駄目である。それでは、物質的進歩を計る場合、第一に物質を進歩させるのは何であるかと言うと、知識も必要であろうが、資本も必要である、金がはなはだ肝腎である。その金は一個人の力でもできるが、一個人の力ははなはだ小なるものである。ことに、その当時の日本の商売会社というものは、その力がはなはだ細かった、この細いものが個々別々に仕事をしていた日には、いささかも海外諸国と肩を並べることができないのみならず、内地においてもどうにもならない。かくなるうえは、何らかの方法によって資本を集めるしかない、すなわち会社組織が必要であると言うので、こうして会社制度というものが生まれ出ると同時に、大いに発達してきたのです。銀行会社の資本を近時の計算に換算して見ると、すでに十数億円に上っているでしょう。これを明治の初年、三、四の国立銀行がわずかに数百万円で創設された当時を顧みれば、三十余年の間にこのように進歩してきたということは、その功、実に大なりと言うべきでしょう。ですが、これにもまた弊害があります。ひどいときには合本法は国を誤るとまで評論する人がいます。我々はなるべくその弊をもって功を没したくはないけれども、ある場合には、もしこの合本ということがなかったならば、このような煩わしい、耻《はず》かしいことは聞かないだろうとも思うことが、ときどき耳朶《じだ》に達するのですが、このように考えてみると合本法もまた、弊をもって功を没したくないように思われます。

【原文】

又經濟上の點に就いて一例を擧げるならば、彼の合本法である。是れも維新以後の出來事で、斯く云ふ私抔は此の合本法に就いては先づ創業者の位置に居り、多少與つて力ありと云ひ得らるゝかも知らぬが、日本の事物をして大いに進ませるには、是非共物質的進歩を圖るより外はない、唯だ知識とか議論とか云ふ方にのみ進ませると云ふことは駄目である。而して物質的進歩を計るには、第一には其の物質を進歩させるのは何であるかと云ふと、知識も必要であらうが、資本も必要である、金が甚だ肝腎である。其金は一個人の力で出來るが、一個人の力は甚だ小なるものである。殊に其の當時の日本の商賣會社と云ふものは、其力が甚だ細かつた、此の細いものが個々別々に仕事をして居た日には、迚も海外諸國と肩を列べることが出來ぬのみならず、内地すら如何ともすることが出來ない。然る上は相當なる方法に依つて資本を合せる、即ち會社組織が甚だ必要であると云ふので、是に於いて會社制度といふものが生れ出ると同時に、大いに發達して來たのである。銀行會社の資本を近時の計算に徴して見ると、既に十數億圓に上つて居るだらう。之れを明治の初年三四の國立銀行が僅かに數百萬圓で創設された當時に顧みたならば、三十餘年の間に斯樣に進步して來たと云ふ事は、其の功實に大なりと謂ふべしである。然るに是れにも亦弊害がある。甚だしきは合本法は國を誤るとまで評論する人がある。我々は成るべく其の弊を以て功を沒したくはないけれども、或る場合には若し此の合本と云ふ事がなかつたならば、斯かる煩はしい、斯かる耻かしい事は聞かぬであらうとも思ふ事が往々耳朶に達するので、斯く考へて見ると合本法も亦弊を以て功を沒したくないやうに思はれる。

中の一字以て天下を治すべし

これらのようなことは、けだしみな中庸を得ぬことから起こったことであって、つまるところこれを行う人の知識に欠けたところがあるとか、実験に乏しいから起こるというようにに考えなければなりません。これに対し、弊をもって功を没するという場合は、多くはこの世の中を悲観的に観察し、かつ警醒的にものを言う人に多く生ずる議論なのです。大勢の人が社会の各般の事物を観察するとき、支那人のいわゆる象を見て種々の解釈をなすというような、世の進む有り様の善いことだけ、すなわち功だけを見る人は楽天主義を唱えています。反対に、その弊を生ずる、その弊害だけを見る人は悲観主義を唱えています。悲観主義というのは果たして楽天主義と相対する言葉になるかどうか解らないですけれども、弊害を見て警醒的にものを言う人は、どうしても根本に立ち入ってあるいはその効能までも没するという順序にさかのぼるのです。これはけだし世間に警戒を促す必要上、止むを得ぬことであろうと思います。たとえば木の枝が傾いているのを矯めようとする場合に、中正にするだけではとても矯められない。右に傾くものならば強く左に矯めねばならない。このことをもって、警醒的にことを為すものは、悪くすると弊をもって功を没するところまでいってしまいます。想うに、これらの弊害の生ずるのは、その功をよく観察し尽さないで、その弊をよく調査しきらないからです。つまり、中庸を誤って解釈したものと言わなければなりません。

こう考えると、中庸ということが世の中の事物にとってたいへん肝要になってきます。けだし支那の学者の唱えた中庸という学問、しかもずっと昔の孔子の唱えた中庸というものに至っては、この二つの文字にほとんど世界万国をも治められるような大なる意味を含んでいるようにさえ思うのです。中庸のいちばん初めの章程子の言に「不偏之謂中、不易之謂庸（偏らざるを之、中と謂い、易《かわ》らざるを之、庸と謂う）」また本文に「致中和天地促焉万物育焉（中和を致して天地を促す。これ万物を育す）」とあって、中庸というものはほんど総てのことを網羅しているように見えます。また中庸であることの難しさを述べて、「天下国家可均也、爵禄可辞也白刃可踏也中庸不可能也（天下国家をも均しくすべきなり、爵禄をも辞すべきなり、白刃をも踏むべきなり、中庸は能くすべからざるなり）」という言葉もあったように覚えていますが、中庸というものを互になるべく心掛けておいて、弊をもって功を没し、功に誇って弊を生ずということを防ぐようにしたいと私は懇望して止まないのです。このような経書を講釈しているのに翻《ひるがえ》って卑俗なことを言うようですが、みなさんがごく手短かに理解し得る言葉をもって局を結ぼうと思います。それは何かというと、世間で言う、ちょっと可笑《おか》しく聞えるかもしれませんが、「ぶるな」というのは取りも直さず、役人ぶるな、銀行頭取ぶるな、「らしく」というのはちょうどその反対で、役人らしくせよ、女らしくせよというのであります。「ぶるな」「らしく」は至って簡単な言葉でありますが、私はこの間に中庸を含んでいると思います。もし我々が真に「らしく」して、その「らしく」が徹頭徹尾よろしきを得て、ことに当たっては十分な機智もあり、また堅固に守るところもあったならば、「らしく」の三字で天下国家が治まり、いわゆる「爵禄可辞也白刃可踏也」といい得るかもしれません。ゆえに中庸を解釈するためにごく手短かに「ぶるな」「らしく」ということを言ったのです。弊が功を没するということは、ことに今日ははなはだしいようであります。しかし、その功やまたははなはだ弊を生じやすい、ゆえに弊をもって功を没するは、つまりわれわれの心掛けが悪いためだからだと言わなければなりません。それを防ごうというのは難しいことではありますが、この中庸の道を守り、「ぶるな」「らしく」の心掛けを忘れさえしなければ、なんら憂えるところはないだろうと思うのです。

【原文】

斯くの如きは蓋し皆中庸を得ぬから起つた事であつて、詰まる所之れを行ふ人の知識に缺くる所があるとか、實驗に乏しいから起る事とかを考へねばならぬ。而して弊を以て功を没すると云ふ場合は、多くは此の世の中を悲觀的に觀察し、且つ警醒的に物を云ふ人に多く生ずる議論である。大勢の人が社會の各般の事物を觀察すると、支那人の所謂象を見て種々の解釋を爲すが如く、世の進む有樣の善い事だけ、即ち功だけを見る人は樂天主義を唱へ、又其の弊を生ずる。其の弊害だけを見る人は悲觀主義を唱へる。悲觀主義といふのは果して樂天主義と相對する言葉になるかどうか解らぬけれども、弊害を見て警醒的に物を言ふ人は、どうしても根本に立ち入つて或ひは其の効能までも沒すると云ふ順序に行趨る、是れは蓋し世間を警戒する必要上止むを得ぬのであらう。例へば木の枝の傾いて居るのを矯めやうとする場合に、中正にては迚も矯め得られない。右に傾くものならば強く左に矯めねばならぬ。是れを以て、警醒的に事を爲すものは、惡るくすると弊を以て功を沒することに行趨るのである。想ふに是等の弊害の生ずるのは、其功をよく觀察し盡さず、其弊を能く調査し了らぬからである。故に是れ均しく中庸を誤まつて居るものと謂はなければならぬ。是に於いて乎、中庸と云ふことが世の中の事物に甚だ肝要に成つて來る。蓋し支那の學者の唱へた中庸と云ふ學問、而もズツと昔の孔子の唱へた中庸と云ふものに至つては、此の二つの文字に殆んど世界萬國をも治め得べき大なる意味を含んで居るやうに思ふ。中庸の一番初めの章程子の言に『不レ偏レ之謂レ中、不レ易レ之謂レ庸』又本文に『致中和天地促焉萬物育焉』とあつて、中庸といふものは殆んど總ての事を網羅して居るやうに見える。又中庸の難い事を述べて、『天下國家可レ均也、爵祿可レ辭也白刃可レ踏也中庸不レ可レ能也』といふ言葉もあつた樣に覺えて居るが、成るべく中庸と云ふものは互に心掛けて置いて弊を以て功を沒し、功に誇つて弊を生ずと云ふ事を防ぐ樣にしたいと私は懇望して止まぬのである。斯かる經書を講釋する際に、翻つて卑俗な事を言ふやうになるが、私は諸君の極く手短かに理解し得る言葉を以て局を結ばうと思ふ。其れは何かと云ふと世の中に『ぶるな』、『らしく』と云ふ極く單純な言葉がある。一寸可笑しく聞えるかも知れないが、『ぶるな』と云ふのは取りも直さず、役人ぶるな、銀行頭取ぶるな、『らしく』と云ふのは丁度其の反對で、役人らしくせよ、女らしくせよと云ふのである。『ぶるな』、『らしく』は至つて簡單な言葉であるが、私は此の間に中庸を含んで居ると思ふ。若し我々が眞に『らしく』して、其の『らしく』が徹頭徹尾宜しきを得て、事に當りては十分なる機智もあり、又堅固に守る所もあつたならば、『らしく』の三字で天下國家が治まり、所謂『爵祿可レ辭也白刄可レ踏也』と云ひ得るかも知れない。故に中庸を解釋する爲めに極く手短かに『ぶるな』、『らしく』と云ふ事を云うたのである。弊が功を沒すると云ふ事は殊に今日が甚だしいやうである。併し其功や亦甚だ弊を生じ易い、故に弊を以て功を沒するは詰まり吾人の心掛けの惡い爲めと謂はなければならぬ。それを防がうと云ふのは六かしい事ではあるが、此の中庸の道を守り、『ぶるな』、『らしく』の心掛けを忘れさへしなければ、何等憂ふる處はなからうと思ふ。

道理論

道理の意義

道理という言葉はよく通俗の談話中にも用いられるところで、「そんな道理はない」とか、「かくかくの道理ではないか」などと、極めて卑近の意味に応用されていますが、しかし文字の上から考察すればなかなか高尚遠大な意義を含有する言葉です。

「道」という文字は四書の中にも多く見えますが、もっぱら宋朝学者に重んぜられたもので、「道は天下に充塞するものである、道に依らなければ人世一日も立つことはできぬものである」などとは、当時の人のよく口にしたところでありました。元来「道」とはすなわち道路の意で、人間が必ず踏まねばならぬものでありましたから、これをただちに道徳上に応用して、その形より推論して、人の心に行うところ、守るところの一切の正しいことの上にこの文字を用いて、人の心の行くべき径路を「道」と名づけたものであろうと思われます。

また「理」という文字も、かの閩洛派《びんらく》（程伊川《ていいせん》、朱子らの学派。宋学のこと。洛閩《らくびん》の学）がすこぶる尊重したところのものの一つで、「理天地を生ず、未だ天地あらざる前、先ずこの理あり」などとして、天地の在る以前より理はあった、人間は理より生まれたと言っています。程伊川の『四箴』中「動箴」に、「理に順《したが》えば則ち裕、欲に従えば惟《こ》れ危し云々」の一句がありますが、これらも「理」とはいかなる意味であるかを窺《うかが》い知るに足るものでしょう。要するに「理」には「筋」という解釈が適当で、日常談話に用いられる「真理」などいう言葉より推して考えると、すべて筋立てることの意味だとみて差し支えないと思います。というわけで、この「道」及び「理」の二文字を合して「道理」という言葉が成立したものであろうと推測できます。

今この言葉を約言すれば、「道理とは人間の踏み行うべき筋目」という意味になります。ゆえに人間は万事万般の行いをこの道理に当てはめ、これに適応するや否やを判断して決定するのが最も緊要のことであると言えます。のみならず、しかもまたそれが処世上における唯一の方法であろうとも思います。それでは、誰もがこの「道理」を的確に見定め得られるだけの見識をもち、またそれを適当に履行《りこう》すれば過誤なきを得るに至るだろうかということになりますと、これは絶対に満足とは言い切れませんが、自ら「道理」に適ったやり方をしたと信じる行為において、もし万一その結果が不十分であっても、それはどうしても為し難いものでありますから、そうした時は天を怨まず人をとがめず、まず自ら安心してよいことであろうと思います。とにかく「道理」とは人の行くべき道、従うべき掟であることは、けだし疑うべき余地がないのです。

【原文】

道理といふ言葉はよく通俗の談話中にも用ゐらるゝ所で、『そんな道理はない』とか、『斯く〱の道理ではないか』なぞと極めて卑近の意味に應用されて居るが、併し文字の上から考察すれば却々高尚遠大の意義を含有する所の言葉である。

『道』といふ文字は四書の中にも多く見えるが、專ら宋朝學者に重んぜられたもので、『道は天下に充塞するものである、道に依らなければ人世一日も立つことは出來ぬものである』などとは、當時の人のよく口にした所であつた。元來『道』とは則ち道路の意で、人間の必ず踏まねばならぬものであるから、これを直ちに道德上に應用し來たり、其の形より推論して、人の心に行ふ所、守る所の正しき一切のことの上に此の文字を用ゐて、人の心の行くべき經路を『道』と名づけたものであらう。又『理』といふ文字も、彼の閩洛派が頗る尊重した所のものゝ一つで、『理天地を生ず、未だ天地あらざる前、先づこの理あり』抔いうて、天地の在る以前より理はあつたもの、人間は理より生れたるものゝ如くに言つてある。程伊川の『四箴』中『動箴』に、『理に順へば則ち裕、欲に從へば惟れ危し云々』の一句があるが、是等も『理』とは如何なる意味であるかを窺知するに足るものであらう。要するに『理』には『筋』といふ解釋が適當で、日常談話に用ゐらるゝ『眞理』など云ふ言葉より推すも、凡て筋立てることの意に觀て差支へないことゝ思ふ。而して此の『道』及び『理』の二文字を合して『道理』といふ言葉が成立したものであらう。

今此の言葉を約言すれば、『道理とは人間の踏み行ふべき筋目』といふ意味になる。故に人間は萬事萬般の行ひを此の道理に當嵌め、これに適應するや否やを判斷し決定するが最も緊要の事であるのみならず、而も亦それが處世上に於ける唯一の方法であらうと思ふ。然らば何人も此の『道理』を的確に見定め得らるゝだけの見識を持ち、又それを適當に履行すればそれで過誤なきを得るに至るであらうかといふに、これは絶對に滿足とは言ひ切れぬが、自ら『道理』に適つた遣方をしたと信ずるの行爲に於いて、若し萬一其の結果が不十分であつても、それは如何とも爲し難きものであるから、斯かる時は天を怨まず人を尤めず、先づ自ら安心してよいことであらう。兎に角『道理』とは人の行くべき道、從ふべき掟であることたるは、蓋し疑ふ可き餘地がないのである。

道理の本体を識別せよ

それでは、実際における道理の発現、もしくは活動はいかなるものでしょうか。これはなかなか面倒な問題です。たとえば、事に処し、人と接する時、相手がわがままを言ったり行ったりした場合、これに反抗して自らが信ずるところを押し通すことが道理なのでしょうか。あるいは利をもって説かれた際、これに加わってともに事を行ってよいか、それとも利益は失われようとも他人の誘拐《いしゅう》（悪い誘い）には乗らないようにすべきでしょうか。このように、日常身辺に蝟集する事物に対して、いちいち間違いのない鑑別をすることは、おそらく想像以上に困難なことでしょう。しかも、これらの問題が勃発することを予知することができて、これに対する処置について考慮をめぐらすだけの時間があればまだしもですが、事件は多く予測なきところに起こるもので、造次顚沛《そうじてんぱい》、つまりとっさの場合やいまにも危ないというときにも、それがあるからはなはだ困るのです。もし君のため一命を捨て、親のために身を殺すというような人間一生に係る大問題で、その中に誰が観てもただちに首肯し得るほどの道理が含有しており、しかも平生滅多にないことならまだよいのですが、人間界のことは小事が積んで大事となり、一日が積んで百年を生むのが社会の常で、小事と思ったことも後日、思いがけない大事となって再現するような例はままありますから、なかなか油断することはできません。ですから、道理の識別を過たぬようにすることは容易ならぬ仕事であると言わざるを得ません。そうであれば、人はこの間にある道理を、精密の観察と注意とをもってよく見分け、そのことの軽重公私を公平に分別し、重きに就き、尊きに従って誤らぬようにしなくてはなりません。果たしてこれを誤らずにできる人ならば誰でも、世に出て一人前となり何事においても滞りなくこなすことができるでしょう。それだけでなく、その人の行うことがいちいち道理に沿ったものであれば、他から見ても道理の権化とも言われることでしょう。論語に「君子は食を終うるまで仁に違うなし」とあるのも、畢竟、君子は人の事に当たっては休みなく注意を払うということを言ったもので、一挙手一投足も道理に外れないのがすなわち君子の行いであると言えます。

さて、その的確なる識別はそもそも何に依ればよいのでしょうか。これにはさまざまな工夫もあるでしょうが、何よりもまず平素の心掛を善良にし、博《ひろ》く学んで事の是非を知り、七情の発動に対して一方に偏《かたよ》らぬように努めることがいちばん大切であろうと思います。なかんずく、智を磨くことは最も肝要であります。もしも知識が不足で十分に事の是非を弁別することができなければ、あるいは感情に走り、あるいは意地に支配されてしまう恐れがあり、その結果、道理が晦《くら》ませられてしまうことになります。ひどい一例を挙げれば、感情が非常に興奮した場合などに、自分が真理だ、道理に適ったことだとして言ったこと行ったことが、後日、心が平静になってから振り返ってみると、意外に道理を踏み外してしまっていて、真理が非理であったと感じられることなどもよくあることです。また、他人に対して、その人の言うことが不道理だと意地を張って怒ったことであっても、実は先方に道理があって自分のほうが誤っていることもあります。このように、感情は悪くすると事物を曲視させることがないとも限りません。これを適度にするには智を磨くよりほか方法がありません。智を磨いて、森羅万象正しい識別が与えられるようになるならば、感情にも意志にも曲げられるようなことがなくなり、道理のあるところはどこまでも道理として貫くことができるのです。ですから、「道理」が完全でありたいとすれば、今日の心理学者が言う「智情意」の三者が均衡を得る時にはじめて、それができるのです。

ここで注意するべきは、智を磨くということについての一事です。感情や意志の力を制するには智の力を借りるのがよいとは言え、智の力が勝りすぎると、かえってそれが妨げとなるようなことがあります。智ばかりになると、なにごとも理論一方となり複雑極まりない人生の一切を理論だけで解釈しようとしますから、物事に角が立って、滞りがちとなってしまいます。とくに智はとかく悪いほうへも用いられやすいもので、ややもすれば邪智、奸智、猾智などとなる場合があります。これらは智の勝ちすぎるところから生じる弊と言わねばなりません。ですから、智には常に、孔子の言われる「忠恕」とか「篤敬」とかいう意味のものを加味していく必要があります。そうすればおそらく、道理の本体を捕捉することにおいて大過なかろうと思われます。

【原文】

然らば實際に於ける道理の發現、若しくは活動は如何なるものであらうか。これは却々面倒な問題である。例へば事に處し人と接する時、先方の相手が吾儘を云うたり行うたりした場合、これに反抗して自ら信ずる所を押し通すことが道理であらうか。或ひは利を以て說かれた際、これに加はつて共に事を行うてよいか、それとも利益は失はうとも他人の誘拐には從ふべからざるものであらうかと、日常身邊に蝟集する事物に對し、一々これが誤らざる鑑別をする事は、恐らく想像以上困難な事であらう。而もこれ等の問題の勃發することを豫知することが出來て、これに對する處置に就いて考慮を回らすだけの時間があればまだしもであるが、事件は多く豫測せざるところに起るもので、造次顚沛の間にもそれがあるから甚だ困る。若し君の爲め一命を捨て、親の爲めに身を殺すといふ樣な人間一生に係る大問題で、その中に誰が觀ても直ちに首肯し得る程の道理が含有して居り、しかも平生滅多にないことならまだよいが、人間界のことは小事が積んで大事となり、一日が積んで百年を生むが社會の常で、小事と思つたことも後日案外の大事となつて再現する樣な例はまゝあるから、中々に油斷は出來ない。故に道理の識別を過たぬ樣にすることは容易ならぬ仕事である。されば人は此間に存する道理を、精密の觀察と注意とを以て能く見分け、其事の輕重公私を公平に分別し、重きに就き、尊きに從うて誤らぬ樣にしなくてはならぬ。果してこれを過たぬだけにすることが出來るならば、何人も世に立つて澁滯する所がなくなるであらう。のみならず其人の行ふ所の道理が一々節に當れば、其人は他から見ても道理の權化とも謂へるのである。論語に『君子は食を終ふるまで仁に違ふなし』とあるも、畢竟君子人の事に當つて拂ふ所の注意に小止みなきことを云つたもので、一擧手一投足も道理に外れぬが即ち君子の行ひである。

偖、其の的確なる識別は抑〻何に依つてやればよいか。これには種々様々の工夫もあるであらうが、何よりも先づ平素の心掛を善良にし、博く學んで事の是非を知り、七情の發動に對して一方に偏せぬやうに努めることが一番大切であらうと思ふ。就中智を磨くことは最も肝要である。若しも知識が不足で十分に事の是非を辨別することが出來なければ、或ひは感情に走り或ひは意地に制せられるといふ恐れがあるから、由て以て道理が晦ませられる事になる。甚だしき一例を擧ぐれば、非常に感情に興奮した場合などに、自分は眞理だ、道理に適つたことだと爲して言つたこと、行つたことが、後日心の靜平なるに及んでこれを省みると、存外に道理を踏み外し、眞理が非理であつたと感ずることなどもよくあることである。又人に對して其の言ふ所が不道理だと意地張りになつて怒つたことでも、却て先方に道理があつて自分の方が誤つて居ることもある。斯くの如く感情は惡くすると事物を曲視することが無いとも限らぬから、これを適度にするには智を磨くより外方法がない。智を磨いて、森羅萬象正しい識別が與へられる様になるならば、感情も意志もそれが爲めに曲げられる様なことなく、道理のある所は何處までも道理として貫くことが出來る。故に『道理』の完全なるを期するは、今日の心理學者の所謂『智情意』の三者が均衡を得る時に於いて、初めて出來得るのである。

茲に注意すべきは、智を磨くといふに就いての一事である。感情や意志の力を制するには智の力を借りるがよいとはいへ、智の力に勝たれ過ぎると、又却つてそれが妨げとなるやうなことが出來る。智ばかりになると何事も理論の一方となり、複雑極り無き人生の一切を解釋しようとするから、物事に角が立つて爲めに澁滯勝ちとなる。殊に智は兎角惡い方へも用ゐられ易いもので、動もすれば邪智、奸智、猾智などとなる場合もある。是等は智の勝ち過ぎる所から生ずる弊と云はねばなるまい。故に智には常に孔子の所謂『忠恕』とか『篤敬』とかいふ意味のものを加味して行くならば、恐らく道理の本体を捕捉することに於いて大過なからうと思ふ。

安心立命を得よ

要するに、道理を知り道理を行うには、やはり安心立命を得ることが肝要なのです。ただし、安心立命と一言に凝縮される言葉ではありますが、さて、その境地に入ることは容易ではありません。その方法としては、キリスト教の訓えるように、仏教の説けるように、ないし儒教の導くように、人間の平生の行状を端正にしていくことで、いつかは安心立命を得るに到るでしょう。そうなれば心に迷いもなく、真に道理を知って行う人となることができると思います。私はこの道理を踏み過たぬために、その標準を孔子の教義にとっています。私が日常生活においていくつもの複雑な事件や問題に逢着するとき、ただちにそれが道理に適応する処置や方法を考えます。その際、私の心が誤らないようにしてくれるのは孔子の教えです。このことについて夫子はかくかくと教えている、この場合における夫子の態度はかくかくであったと、いちいち孔子の教えに照合してその事物を処理し、それが自然と道理となると信じているのです。それが果たして道理として完全なものであるかどうかはわかりません。ですが、少なくとも自分一人だけはそれをもって最上最善の行いであるとみなしています。というわけで、これがまた少なからず道理を知る上に効果あるものですから、世間の人々もこの私の工夫に同意されることを希望します。その標準とするところのものは、必ずしも儒教でなければならぬと言うのではありません。キリスト教でも仏教でも、人その人の好むところにまかせるのがよいと思います。道理の鑑別にそれらの標準を立てておくことは、誰にとっても等しく必要とするところであろうと思います。

【原文】

要するに道理を知り、道理を行ふには矢張安心立命を得ることが肝要である。但し安心立命と一言にして盡される言葉ではあるが、さて、其の境地に入ることは容易でない。其の方法としてはクリスト教の訓ふる如く、佛教の說ける如く、乃至儒教の導く所の如く、人間の平生の行狀を端正にしてゆくならば、何時かは安心立命を得るに到るであらう。果して左樣なれば心に迷もなく、眞に道理を知りて之れを行ふの人たることが出來やうと思ふ。私は此の道理を踏み過たぬ爲めには、其の標準を孔子の教義に取つて居る。私が日常生活に於いて幾多複雜なる事件や問題に逢着する場合、直ちに之れが道理に適應する處置や方法を考へる。其際私の心をして誤らしめぬものは孔子の教へで、此事に就いて夫子は斯く〳〵と教へてある。此場合に於ける夫子の態度は斯く〳〵であつたと、一々孔子の教に照合して其の事物を處理し、夫れを又自ら道理であると信じて居る。併し乍らそれが果して道理として完全なものであるかどうかは解らぬが、少くとも自分一人だけはそれを以て最上最善の行ひであると爲して居る。而してこれがまた少なからず道理を知る上に効果あるものであるから、世人も私が此の工夫に同意されんことを希望する。其の標準とする所のものが必ずしも儒教でなければならぬと言ふのではない。クリスト教でも佛教でも、人その人の好む所に任ずるがよいが、道理の鑑別にそれ等の標準を立てゝ置くことは、蓋し何人も等しく必要とする所であらうと思ふ。

大国民は斯《こ》う有り度《た》い

大国民たるの襟度

我が国本は数度の国難に遭遇しましたが、すべて満足なる大捷（大勝利）を得て、今や駸々《しんしん》として進む（馬が駆けるように速く進む）という時期に向かっています。地図をひらいてみれば蕞爾《さいじ》たる（非常に小さい）一小国のような有り様ですが、いわゆる海の西からも東からも始終注目される国柄になりました。ひとことで言えば、われわれは大国民となったのであります。したがって大国民たるわれわれはその大国民たる襟度（度量）を備えなくてはなりません。すでに一般にこの点に関しては相当な考えがありましょうが、自分としての一般に対する希望を述べることも、決して無用の弁でもないと思います。

一体、世は駸々として進んでいきますけれども、しかしその進む間においてすべての事柄に多少の障礙《しょうがい》を惹起するということは、浮世では避けられないことです。政治界にあっても、経済界にあっても、進みつつある有り様の中にさまざまな嫌うべき事柄を生ずるということは、現に目前にも多々あるようです。しかしそのような事柄は常によろしきを選んで、その悪いことを矯正していくというように努めなければ、大国民たる襟度を保つことはできないと思います。忌わしいことであるけれど、ちらちらと新聞紙などの報道するところに依ると、政治界でも経済界でもはなはだ好ましからぬことが聞えてくるのです。議会にはははだ陋醜《ろうしゅう》（卑しく醜いこと）が多いとか、商売人は権利株を売ってそれで満足し、事業そのものには一向に注意を向けないとか、現にそういうことは東京の中央、すなわちわれわれの眼の前に数々あればこそ、そういう言葉が世間にも生じ、新聞にも書かれるのです。ですが、もはや世は澆季（末世、乱れた世）になって、志ある者はただ嘆息するよりほかないというような末世であるのでしょうか。私は決してこのような悲観は持ちません。ただ、進みつつある場合にも、なおかつそういうことがあるゆえ、お互いに注意しなければならないと考えるのです。

【原文】

我が國本は數度の國難に遭遇したが、總べて滿足なる大捷を得て、今や駸々として進むと云ふ時期に向つて居る。地圖を披いて見れば蕞爾たる一小國の如き有樣であるが、所謂海の西からも東からも始終注目される國柄になり、吾々は大國民となつたのである。從つて大國民たる吾々は其の大國民たる襟度を備へなくてはならぬ。既に一般に此點に關しては相當な考へがあらうが、自分としての一般に對する希望を逑べる事も、決して無用の辯でもないと思ふ。

一体、世は駸々として進んで行くけれども、併し其の進む間に於いて凡ての事柄に多少の障礙を惹起すると云ふことは、所謂浮世の免れぬ處であつて、政治界にあつても、經濟界にあつても、進みつゝある有様の中に種々なる嫌ふべき事柄を生ずると云ふことは、現に目前にも多々あるやうである。併し左様な事柄は常に宜しきを選んで、其の悪いことを矯正して行くと云ふことに努めなければ、即ち大國民たる襟度を保つことが出來ぬ譯であると思ふ。忌はしい事であるけれど、ちらちらと新聞紙などの報道する所に依ると、政治界でも經濟界でも甚だ好ましからぬことが聞えるのである。議會には甚だ陋醜が多いとか、商賣人は權利株を賣つてそれで滿足して事業其者には一向注意をせぬとか、現にさう云ふことは東京の中央、即ち吾々の眼の前に數々あればこそ、さういふ言葉が世間にも生じ、新聞にも書かれる。然らば最早世は澆季になつて、志ある者は只嘆息するより外ないと云ふ様な末世であるか。私は決して斯かる悲觀は持たぬ。唯だ如何に進みつゝある場合にも、尚且つさう云ふことがある故、お互に注意せなければならぬと考へるのである。

人格の向上を心掛けよ

まず、その必要なる注意の二、三点を述べて見れば、第一に政治家であっても、学者であっても、あるいは実業家であっても、いずれにしろ人格を高めるということに注意しなくてはならないということです。これが今日、大国民の襟度として最も必要なことでありまして、その思想を勉めて高尚に致したいと思います。およそ物事は、一方に希望することがあると、その利に付いて弊害を生ずることがあります。たとえば起業熱が盛んになって事業を起したいという人が多く生ずると、その起された事業に就いて利益を得たいという心より、ついには、権利株の売買というような弊害を生じます。このように利に弊が伴うものでありますから、その利弊をまったく切り分けて、単に利のみを行うということはできないものです。人の世に処するにおいてもそうであって、前に申したとおり、人格を高めたい、思想を高尚にしたいと心掛けると、ただちにその弊はえらく気位を高くして少しも愛嬌がないということになります。見識ばかりが大層になり、人に対すると鼻であしらって、後ろにお辞儀をするというようになります。そういう有り様で世に処したならば、あるいは傲慢とも言われ、不遜とも誹《そし》られて、決して人から十分の尊敬を受けることはできないのです。ですから、私はその思想は勉めて篤敬《とっけい》たる（慎み深い）ものでなくてはならないと思います。一方に偏するということを慎むには、是非、気性を高尚にすると同時に言行をなるべく卑近にして、己の志を高めるために人に対して倨傲、驕慢というような誹《そしり》を受けぬようにしなければならないと思うのです。

【原文】

先づ其の必要なる注意の二三點を述べて見れば、第一に政治家たれ、學者たれ、或ひは實業家たれ其の何れに依らず人格を高めると云ふ事に注意しなくてはならぬ。是れが今日大國民の襟度として最も必要な事で、其の思想を勉めて高尚に致したいと思ふ。凡そ物事は一方に希望することがあると、其の利に付いて弊害を生ずる、例へば起業熱が盛んになつて事業を起したいといふ人が多く生ずると、其の起された事業に就いて利益を得たいと云ふ心より、終に権利株の賣買と云ふ様な弊害を生ずる。斯様に利に弊が伴ふものであるから、其の利弊を全く切分けて、單に利のみを行ふと云ふことは出來ぬものである。人の世に處するに於いても尙然りであつて、前に申した通り、人格を高めたい、思想を高尙にしたいと心掛けると、直ちに其の弊はゑらい氣位を高くして少しも愛嬌がない。見識ばかりが大層になり、人に對すると鼻であしらつて、後ろにお辞儀をすると云ふやうになる。さう云ふ有様で世に處したならば、或ひは傲慢とも云はれ、不遜とも誹られて、決して人から十分の尊敬を受けることは出來ぬのである。故に私は其の思想は勉めて篤敬たることを要すると思ふ。一方に偏すると云ふことを愼むには、是非氣性を高尙にすると同時に言行を成るべく卑近にして、己の志を高める爲めに人に對して倨傲、驕慢といふやうな誹を來さぬやうにせなければなるまいと思ふ。

愉快に活潑であれ

次に、人としてはなるべく愉快に、活発にその身を世に処していきたいと思います。ことに青年もしくは壮年のうちなどは、勢いそうなるべきものであります。ではありますが、この愉快に活発にという問題について注意しなければならないことは、ことによると軽躁矯激というほうに行き趨り、軽はずみに、また無理な考えをするということになりかねません。冷静な頭脳がなくなってくるのです。もっとも、多数から評論するのであるから、私だけが始終頭脳は冷静であるということもあるでしょう。しかしすべて、日本人の気性として、とかく矯激の言行に行き趨るほうが多いと思います。すなわち模倣性が強いので、些細なことでも、何か一事が生ずるとすぐ模倣していく。これは特に青年に注意を要することで、なかでも人の才能と道徳についてはこれが言えると思います。智慧の働きを進めていくとどうしても徳操を損じてくるし、また徳義にあまり拘泥しすぎると智能が鈍くなるということがあります。これが、押しなべての通弊と言わなければならぬように考えるのです。ゆえに、この才徳はなるべく兼備されることが必要なのです。さもなくば智能を啓発すると徳器が成就しないで不徳器が成就して、ただ智慧にまかせて勝手に行い、己の利益に係わることについては道徳とか徳義をさし措いて顧みぬという弊害が生じやすいように思われます。前にも述べたように、人はその思想を高尚にしていくときには、必ず道徳を履み誤ることはないのですが、しかし、ただ徳義さえ失わねばよいという一点張りでいくと、その事柄に対処するための智慧を働かせなくなります。その事柄を識別する学問がなければ、すべての事物に対して是非善悪を分別してよろしきを制することはできないはずなのです。ゆえに、才能の進むとともに道徳の観念が進んでいき、道徳の観念のみに偏せずして知識を奨励する、すなわち智徳兼備になってこそ、善人であることができるのです。

要するに、人たるものの世に処するには、職業なり身分なりにかかわらず、事物に当たるには忠誠これに当たり、智能これを処し、強力これを満たす、このようにしてはじめて大国民たることができ、また善人たることができると言えるのです。

【原文】

次ぎに人としては成るべく愉快に、活潑に其の身を世に處して行きたいと思ふ。殊に青年若しくは壯年のうちなどは、勢ひさうなるべきものである。さりながら此の愉快に活潑にといふ問題に就いて注意せねばならぬ事は、事に依ると輕躁矯激といふ方に行き趨り、輕はづみに又無理な考へをする、冷靜な頭腦がなくなつて來る。尤も多數から評論するのであるから、僕は始終頭腦は冷靜であると云ふものもあらうが、併し凡て日本人の氣性として、兎角矯激の言行に行趨る方が多いと思ふ。即ち模倣性が強いので些細なことでも、何か一事が生ずると直ぐ模倣して行く。是れは特に青年に注意を要する事であると思ふ。特に注意を要する事は人の才能と道德である。智慧の働きを進めて行くと、どうしても德操を損じて來、又德義に餘り拘泥して行くと智能が鈍くなると云ふことが、押しなべての通弊と云はなければならぬやうに考へるのである。故に此の才德は力めて兼備たることを要するのである。さもなくば智能を啓發すると、德器が成就しないで不德器が成就して、只智慧に任せて勝手に行ひ、己の利益に係はることには、道德とか德義をさし措いて顧みぬと云ふ弊害が生じ易いやうに思はれる。前にも述べた如く、人は其の思想を高尙にして行くときには、必ず道德を履み誤ることはないが、併し唯德義さへ失はねば宜いと云ふ一天張りで、其の事柄に處する智慧を圖らず、其の事柄を識別する學問がなければ、凡ての事物に對して是非善惡を分別して、宜しきを制することは出來ぬ筈である。故に才能の進むと共に道德の觀念が進んで行き、道德の觀念のみに偏せずして知識を奬勵する、即ち智德兼備で果して善人たることを得るのである。

要するに人たるものゝ世に處するには、職業なり身分なりに拘らず、事物に當るには忠誠之れに當り、智能之れを處し、强力之れを滿たす。斯くの如くして初めて大國民たる事を得、又善人たることを得るのであると云へる。

日本経済連盟に対する所感

一

日本経済連盟は名においてまことにけっこうです。私はまったく局外者でありますから、経済連盟の内容や活動ぶりについては詳しいことは知りませんが、聞くところによると非常に大きな抱負をもって生まれたもののようです。

大連盟の目的とするところは、日本の経済力を集中団結し、各方面の意見を総合統一するに足るべき一実業集団の出現にあるということです。近来、国家の重大なる利害休戚《きゅうせき》（喜びと悲しみ）は、大半が経済問題にあるのですから、これらの問題に対し常に進んで代表的意見を取りまとめ、一面においてはその結論を一般経済界に覚らせる一方、他面においては政府に産業政策上の拠るところを知らせるというので、その趣意もまたけっこうであると思います。さらに当面の問題に対しては、物価政策や、輸出促進問題のようなこと、あるいは工業の整理といい、あるいは税制の改革といい、その他産業に関する法規の改正、労働問題の解決等、我が経済界における重要案件に関し、進んで適切な意見を定め、その対策を講じ、かつ政府に国策を決定させるという、その抱負も至極けっこうであると思います。ただし、名においてはけっこうであり、趣意抱負もともに適切ではありますが、最も肝要なことはいかに運用するかです。換言すれば、その本当の働きがどうかによって、その価値が定まるのです。

実業団の大連盟の企てはまことにけっこうですが、本当の働きは果たしてどうでしょうか。経済連盟が成立してからまだ間もないためか、私は寡聞にしてその社会的活動を耳にしません。しかし日銀には井上総裁、三井の団琢磨、富士紡の和田豊治、東商会頭の藤山雷太、東株の郷誠之助をはじめ、財界の有力な人々が中心となっているようですから必ずや相当の運用ができるだろうと思いますが、単に顔触れを見ただけではただちにその是非を断ずることはできません。経済連盟は必要な企てでありますが、理想は樹《た》てても実行が伴わなければ、有名無実の譏《そし》りを免れないでしょう。講釈は誰にもできますが、いざ実際問題となるととかくうまくいかないことがありがちです。従来、幾多のけっこうな企てが往々にして失敗に帰しているのは、多くは名と実が伴わないためなのです。そうであれば、せっかく大抱負をもって生まれた経済連盟が有名無実に終ってしまわないよう、是非とも十分効果があるようにしたいものです。

経済連盟はその劈頭《へきとう》において四個の具体案を決議しました。すなわち、軍備縮小及び行財政の整理による剰余は、その大部分を減税やその他国民の負担を軽減する目的のために充当すること、国民一般は自発して勤倹の機運を高め物価の自然的調節がされるよう努めること、財政に関する調査機関を常設する、国際商業会議所加入などですが、いずれも適切な決議であることに間違いはありません。しかし、決議をしただけでは効果はありません。一、二の二項のようなものは具体的活動によってはじめてその意義が価値づけられるのです。この辺については連盟会ではどのような方針を採られるのでしょうか。単に講釈ばかりでは効果は覚束ないゆえ、是非実行を期していただきたいと思います。

【原文】

日本經濟聯盟は名に於いて誠に結構である。私は全く局外者であるから經濟聯盟の內容や活動振りに就いては詳しい事は知らぬが、聞く處によると非常に大きな抱負を以て生れたものであるらしい。

大聯盟の目的とする處は日本の經濟力を集中團結し、各方面の意見を綜合統一するに足るべき一實業集團の出現にある。併し近來國家の重大なる利害休戚は、大半經濟問題に存するのであるから、是等の問題に對し常に進んで代表的意見を樹て、一面に於いては一般經濟界をして其の歸嚮する處を覺らしめ、他面に於いては政府をして產業政策上の據る所を知らしむると云ふので、其の趣意も亦結構である。更に當面の問題に對しては物價政策の如き、輸出促進問題の如き、或ひは工業の整理と謂ひ、或ひは稅制の釐革と謂ひ、其他產業に關する法規の改正、勞働問題の解決等我が經濟界に於ける重要案件に關し、進んで適切なる意見を定め其の對策を講じ且つ政府をして國策上に決する所あらしめるといふ、其の抱負も至極結構であると思ふ。但し名に於いては結構であり、趣意抱負も共に適切であるが、最も肝要な事は運用の如何にある、換言すれば其の本當の働き如何に依つて其の價値が定まるのである。經濟聯盟の企ては誠に結構であるが、本當の働きは果してどうであらうか。

實業團の大聯盟が成立してから未だ間もない爲めか、私は寡聞にして其の社會的活動を耳にしない。併し日銀には井上總裁三井の團琢磨富士紡の和田豐治東商會頭の藤山雷太東株の郷誠之助を始め、財界の有力な人々が中心となつて居る樣であるから、必ずや相當の運用が出來るだらうと思ふが、單に顔觸れを見た丈けでは直ちに其の是非を斷ずる事は出來ない。經濟聯盟は必要な企てゞあるが、理想は樹てゝも實行が伴はなければ有名無實の譏りを免れまい。講釋は誰にも出來るがいざ實際問題となると、兎角不運びだといふ事があり易い。從來幾多の結構な企てが往々にして失敗に歸して居るのは、多くは名實相伴はぬためである。されば折角大抱負を以て生れた經濟聯盟をして有名無實に終らしめず、是非十分効果あるやうにしたいものである。

經濟聯盟は其の劈頭に於いて四個の具體案を決議した。即ち軍備縮小及び行政財政の整理による剩餘は、大部分之れを減税其他國民の負擔を輕減すべき目的に向つて充當すること、國民一般自發して勤儉の風を振起し、物價の自然的調節に努むること、財政に關する調査機關常設、國際商業會議所加入の件等であるが、何れも適切な決議には相違ない。併し決議をしたばかりでは効果がない。一、二の二項の如きは具體的活動に依つて初めて其の意義が價値づけられるのである。此邊については聯盟會ではどういふ方針を採られるのか。單に講釋ばかりでは効果は覺束ない故是非實行を期せられたいと思ふ。

二

経済連盟を真に価値あるものにするには、第一に真剣味が必要です。砕いて言えば、国家の大方針を定めるのですから、私心をまったく去って真に国家社会を基調として進まなければなりません。ところが、世間には経済連盟を疑う者があると聞いています。いかなる点を危ぶむのか知りませんが、従来の経験によると、とかく情実や利害関係に禍され、目的や理想のために真剣味を欠く嫌いの者が少なくなかったのです。そのために本来の使命を果たすことができなかったことがたくさんあるので、世間でも恐らくこの点を危惧しているのでしょう。連盟会は有力な人々が中心となっているので、その運用を誤るようなことはあるまいと思いますが、言うまでもなく日本の産業界は今日、世界的になっており、自国の立場のみを考慮して事を処することは許されません。すべてが国際的協調を必要とするのですから、連盟の理事者は常にこの点を念頭に置いて、日本の立場を誤らせるようなことがないように方針を樹てるべきであります。

工業の整理といい、輸出の促進といい、あるいは税制の改廃、産業法規の改正といい、ことごとく重大案件でありますが、言うにやすく行うには難いものです。いかに立派な題目を標榜しても実行が伴わなければ机上の空論に終わってしまい、確固とした意見を定めることもひととおりの困難ではありません。ですから、慎重に諸般の事柄を精査することが必要であることはもちろんでありますが、実行可能性があり、かつ急須を要するものに対してはドシドシ実行するように努力すべきであります。

前にも述べたとおり、日本は世界的になりつつあるのですから、そのように大体の方針を樹てねばなりませんが、まず製鉄業などは大合同をすると同時に、この業界にたいして政府に積極的に保護援助させるようにする必要があります。また、紡績業などは比較的合同整理が行われていますが、いっそう徹底的に合同する必要があります。銀行なども現在の何分の一かの数になるよう合同させることが肝要であり、その他ここにいちいちは挙げませんが、各種の事業をできるだけ合同させるようにしたいと思います。実業家の大連盟である以上、真剣に国利民福を考えるならば、このようなことは比較的実行が容易であるはずです。ポイントは一会社一個人のことを考えずに国家国民を基調とするところにあります。連盟の諸氏は、この点に充分の考慮を払ってもらいたいものです。

なお、産業政策を樹立するに当たって、世界的な立場から有無《うむ》疏通《そつう》を計る必要がありますが、国家の存立上どうしても必要な品目があります。一例を挙げると、鉄材などがそれですが、このような種類のものに対しては、経営上の損失を忍んでも必ず達成するよう決心しなければなりません。これは経済連盟の使命でなくてはならないと信じます。その他、理化学が学問的にも実際的にも遅れていること、工業原料に乏しいことなどをはじめ、日本の産業界の前途には幾多の問題が横たわっています。この点に十分注意を払い、大連盟が実効を挙げることを祈って止みません。

【原文】

経濟聯盟をして眞に價値あらしむるには、第一に眞劍味が必要である。碎いて言へば國家の大方針を定むるのであるから、全然私心を去つて眞に國家社會を基調として進まなければならぬ。處が世間には經濟聯盟を疑ふものがあると聞いて居る。如何なる點を危ぶむのか知らぬが、從來の經驗によると兎角情實や利害關係に禍ひされ、目的や理想の爲めに眞劍味を缺く嫌ひのものが尠くなかつた。其の爲めに本來の使命を果たす事が出來なかつた事實が澤山あるので、世間でも恐らく此の點を危惧して居るのであらう。聯盟會には有力な人々が中心となつて居る故、其の運用を誤まるやうな事はあるまいが、言ふ迄もなく日本の產業界は今日世界的になつて居り、自國の立場のみを考慮して事を處する事を許さない。凡てが國際的協調を必要とするのであるから、聯盟の理事者は常に此處の點を念頭に置いて、日本の立場を誤らしめざるやうに方針を樹つべきである。

工業の整理と謂ひ、輸出の促進と謂ひ、或ひは稅制の改廢、產業法規の改正と謂ひ悉く重大案件であるが、言ふに易く行ふには難い。如何に立派な題目を標榜しても實行が伴はなければ机上の空論に終つて了ひ、加ふるに確乎たる意見を定むる事も一通りの困難ではない。されば愼重に諸般の事柄を精査するの必要である事は勿論であるが、實行の可能性があり、且急須を要するものに對してはドシ〳〵實行する樣に努力すべきである。

前にも述ぶる如く日本は世界的に成りつゝあるのであるから、大體方針を之れによつて樹てねばならぬが、先づ製鐵業の如きは大合同をなし、一面政府をして斯業に對して積極的に保護援助をなさしめる樣にする必要がある。又紡績業の如きは比較的合同整理が行はれて居るけれども、一層徹底的に合同するを必要とすべく、銀行の如きも現在の何分の一かに合同せしむる事が肝要であり、其他茲に一々擧げぬが各種の事業をして出來るだけ合同せしむるやうにしたい。實業家の大聯盟である以上、眞劍に國利民福を念として立つならば、斯くの如きは比較的實行が容易である。要は一會社一個人の事を考へずに國家國民を基調とするにある。聯盟の諸氏は此の點に充分の考慮を拂はれ度い。

尙ほ產業政策を樹立するに當つて、世界的の立場から有無疏通を計るを必要とするが、どうしても國家の存立上止むを得ざる必要品がある。一例を擧げると鐵材の如きそれであるが、斯くの如き種類のものに對しては經營上の損失を忍んでも、發達を期するやうにしなければならぬ。而も是れ經濟聯盟の使命であらねばならぬと信ずる。其他理化學が學問的にも實際的にも遲れて居る事、工業原料に乏しいこと抔を始め日本の產業界の前途には幾多の問題が橫たはつてゐる。此點に十分注意を拂ひ大聯盟の實在の効果を擧げることを祈つて止まぬ。

対支政策の根本義

誤れる従来の対支外交

私は政治家ではありませんから外交問題に対する知識も経験も有しておりません。しかしながら、日本の国はどうしても完全に世界の仲間入りをするのを心掛けなければならないというのは、私が常に主張しているところです。完全に世界の仲間入りをして、大勢の進む良い仕組に順応していかなければなりません。もっとも、大勢に順応しろと言っても、それは間違った大勢に順応しろという意味ではありません。道理の正しい大勢に順応するということが日本の国を進めていく要件だと思うのです。実務の問題には触れませんが、総論については心配していることがあります。全体の外交はさておき、支那とアメリカに関する外交については、私はいわゆる国民外交の意味で始終微力を致しておりますが、この見地から対支外交について卑見を述べようと思います。

支那と我が国とは非常に古くから交際をしている間柄でありますが、我が国の支那に対する外交は、どうも従来からその方針を大いに誤っていたと私は言いたい。早い話が支那に対する意見が始終、別々になっており、同一の内閣の下においても霞ヶ関の外交と三宅坂（軍部）の外交とがあり、その他にもまた別種の外交があったかもしれません。このように別々な外交は始終、支那の疑惑を増大させて、誤解を生じさせるということがしばしばあったようなのです。ことに軍人の外交がすこぶる周密であって、なかなかに要領を得た点が多かったと思います。ところが、その主義は多く世界的でなかったから、支那および世間の疑惑を受けるようなことになり、他の外国からの邪推疑惑を大きくさせることもあったように思います。忌わしき日貨排斥がしばしば行われたことについては、その原因は種々にあるでしょうけれども、対支外交がその原因の主たるものの一つであったと言っても決して過言ではないだろうと思います。

【原文】

私は政治家でないから外交問題に對する知識も經驗も有つて居らぬ。併しながら日本の國はどうしても、完全に世界の仲間入りをすると云ふ事を心掛けなければならぬと云ふ事は私の常に主張して居る所で、完全に世界の仲間入りをして大勢の進む所の良い仕組に順應して行かなければならぬ。尤も唯大勢に順應しろと云つても、間違つた大勢に順應しろといふ意味ではなく、道理正しい大勢に順應するといふ事が日本の國を進めて行く要件だと思ふ。そして假令實務の問題には觸れて居らなくても、さういふ大體論に就いては心配して居るので、全體の外交とは云はぬが支那とアメリカに關する外交に就いては、所謂國民外交の意味で始終微力を致して居る次第であるから、此の見地から對支外交に就いて卑見を述べやうと思ふ。

支那と我國とは非常に古くから交際をして居る間柄であるが、私は我國の支那に對する外交はどうも從來其の方針を大に誤つて居つたと云ひ度い。早い話が支那に對する意見が始終區々になつて居つて、同一の内閣の下に於いても霞ケ關の外交と三宅坂の外交とがあり、其他にも尙ほ一種の外交があつたかも知れぬ。斯樣に區々な外交は始終彼をして疑惑を增させ、誤解を生ぜしむるといふ事が屢ゝあつた樣である。殊に軍人の外交が頗る周密であつて、なか〳〵に要領を得た點が多かつた。而して其の主義は多く世界的でなかつたから、支那及び世間の疑惑を受けるやうな事になり、他の外國からの邪推疑惑を更に大ならしめたものがあつた樣に思ふ。忌はしき日貨排斥が屢ゝ行はれたに就いては、其の原因は種々あるだらうけれども、對支外交が其の原因の重なるものゝ一つであつたと云うても、決して過言ではなからうと思ふ。

支那の内乱は困ったもの

私は支那固有の仁義道徳の精神は非常に尊いもので、このうえもなく良い精神的基礎だと思っています。ですが、支那においては良き教えや良い政治が行われた場合もありますが、どちらかと言うと変化の多い国であって、昔から今日に至るまでおりおりに兵乱が起きて、最も強い者が王者の位を占めてきたので、支那の現状を見るとまったく本山に傷をつけられたような感があります。もっとも、これはわれわれ漢学を好む者の趣味から言ったことで、渋沢の一家言かもしれませんが、このように道義の厚い精神を有している国が、どうしてこのように壊乱したか、鳥の雌雄を弁ぜぬがごとき（善悪や是非の判断がつきにくいような）今日の状態は実に情けないと思います。

最近、支那から著名の人が二、三来たので、私も会見していろいろと話を交えましたが、それらの人の言うところによると、今日の政変を収めるには二つの方法があるということでありました。その方法というのは、「一つは武力をもって各省を圧迫して完全な統一を図ることで、つまり秦の始皇帝が六国を滅ぼしたように武力統一をすること。またもう一つは、各省に自治をさせて連邦統治をすることである」という説でありました。私は南方派の人々とも会見しましたが、南方派の人々は連邦自治が良いと言っていました。私は支那問題については深く研究しているわけではないから、果たして武力統一が良いか、連省自治が良いかということは、いまにわかに断言することはできませんが、どちらかと言うとあのような広大な国であるし、民族言語も異なっているのであるから、武力をもって統一するよりもむしろ連邦の自治によって今日のアメリカのように連邦政府を組織するほうが良くはないかと思います。ことに見渡したところ、武力によって統一するだけの力をもつ中央政府は確立していないし、そのような傑出した偉大な人物もいないように思います。いずれにしても、今日のように内乱が打ち続いては、支那国民の迷惑はもちろん、世界の平和に禍するものでありますから、一日も速かに解決して平和になることを望んでいます。

【原文】

私は支那固有の仁義道徳の精神は非常に尊いもので、此上もなく良い精神的基礎だと思つて居る。然るに支那に於いては良き敎へや良い政治が行はれた場合もあるが、どちらかといふと變化の多い國であつて、昔から今日に至るまで折々兵亂を釀し、最も強い者が王者の位を占めて來たので、支那の現狀を見ると全く本山に傷をつけられた樣な感がある。尤も之れは吾々漢學を好むものゝ趣味から言つたことで、澁澤の一家言かも知れないが、彼の樣に道義の厚い精神を有してゐる國が、どうして斯く壞亂したか、烏の雌雄を辨ぜぬが如き今日の狀態は實に情けないと思ふ。最近支那から著名の人が二三來たので、私も會見して種々と話を交へたが、それ等の人の謂ふ處によると、今日の政變を治めるには二つの方法があるといふ事であつた。其の方法と謂ふのは、『一は武力を以て各省を壓迫して全くの統一を圖ることで、卽ち秦の始皇が六國を滅した如く武力統一をするのである。又一は各省をして自治せしめ、聯邦統治をすることである。』といふ說であつた。私は南方派の人々とも會見したが、南方派の人々は聯省自治が良いと謂つて居つた。私は支那問題に就いては深く研究して居る譯ではないから、果して武力統一が良いか、聯省自治が良いかといふことは、今遽かに斷言することは出來ないが、どちらかと謂ふとあの樣な廣大な國であるし、民族言語も異つて居るのであるから、武力を以て統一するよりも寧ろ聯邦の自治によつて今日のアメリカの如く聯邦政府を組織する方が良くはないかと思ふ。殊に見渡したところ、武力を以て統一するだけの力を有する中央政府も確立して居らぬし、其樣な傑出した偉大の人物も居らぬ樣に思ふ。何れにしても今日の如く內亂が打ち續いては、支那國民の迷惑は勿論、世界の平和に禍ひするものであるから、一日も速かに解決して平和になる事を望んでゐる。

理解と敬愛主義に基け

私は先年、支那に赴いた際、同国の官民の人々に親しく接近をして待遇を受けました。その結果詳しい内情を知ったとはあえて申しませんが、幾分かその内情を知ることができたのです。その旅行中、私はしばしば同行者と討論しました。それは旅行前に考えていたことで、実際に行ってみてもそう思ったのでありますが、日支間の交際は、どうもいわゆる恩威のみによる交わりばかりで、敬愛の情が乏しいことです。乏しいと言うよりむしろ無いと言ってもよいくらいであることを、実際に知ることができました。およそ人と人との交わりは、敬するということと愛するということ、すなわちこうした敬愛の情なくして交誼《こうぎ》を保てるはずがありません。身分の尊卑、貧富、あるいは力の強弱、人の智愚等はみな同じというわけにはいかず、いわゆる天の配剤とも言うべきもので、各々に差違があることは免れないものですが、おたがいの間には必ず敬愛の心がなければなりません。力とか恩とかいうほかに人情というものが行われてはじめて和《やわ》らかな交際ができていくものなのです。この相互間に情愛があるということが、すなわち交誼の進んでいくごく緊要な原因なのです。それなのに、日支間においては、ある場合には与え、ある場合には威《おど》すという有り様で、つまり恩と威のみで情というものの交わりが非常に乏しいようです。乏しいというよりはほとんど絶無と言いたい。このような状態であってはけっして交誼をまっとうさせられないということを、政治上はともかくとして、せめて実業家の人々に知ってもらいたいと思って、関係の人々に切実に忠告したことがありました。ですが、時期すでに遅く、またその関係範囲がはなはだ狭かったためか、一向に効果がありませんでした。こういう有り様では将来の交誼がどうなってしまうだろうかと気遣っていた際、大正三年から四年にかけて種々政治上の面倒な問題が起こりました。その後、引き続いてほとんど情愛による外交が一つもできなくなり、理窟一辺倒であったり、形式的なだけであったりするものになってしまっているのは、まことに私の遺憾千万とするところです。

元来、支那に対する外交は、根本から間違っていると言わなければなりません。かく申すといかにも日本ばかりが悪いように聞えるけれども、私は支那の仕方についても決して賞讃するものではありません。第一、国内が絶えず紛糾していて、あたかも我が国の戦国時代のような状態を呈し、統一されておらぬのが欠点であります。それのみでなく支那は実にわがままな国でありますから、彼らの言のみを聴くことはできません。公正の見地より是とするところはあくまでも主張して押し通すようにしなければならないため、ある場合には抗議も必要であろうし、断然たる態度に出なければならない場合もあるでしょう。しかし前に述べた、人情を以て接触するということはなおさら必要であります。従来の交際上においてはどうも我が国にも欠点があるということは否定することができないと信じます。自然と自国のことを謗《そし》ることになるので、外交的立場から言ったならばあるいは迷惑に感じられることかもしれませんが、私は事実を遠慮なく申すのを主義としている人間でありますから、この際、自分の所見を忌憚なく申す次第であります。私のような研究の乏しい知識の少ない者が、外交上のことを論じるのははなはだ穏当でないかもしれませんが、これまでのやりかたを見ると、支那および外国の感じを悪くして、しかも我が国にとってはそれほどの益のないことがずいぶんあったように思われます。そのようなことは大いに注意すべきであります。また実業界の人々にも、もう少し心して支那に対して貰いたいと思います。支那の同業の人々があえて日本の実業家を信頼せぬとは言わないけれども、そう忌み嫌うような情を持たせぬようにする方法があるのではないでしょうか。これらはただ政治上の働きばかりでなく、実業界の人々のこころ配りによって日本に来る留学生に対しもう少し温情を以て接待してやるということもできるでしょうし、あるいはあちらに対してそういうような仕組をもって、いくらかこれを助けこれを慰めるという方法も講じ得られるでしょう。いわゆる国と国との外交のみでなく、国民と国民とが真情を以て交わるという国民外交の実を挙げるように努めなければならないと信じます。

【原文】

私は先年支那に赴いた際、同國の官民の人々に親しく接近もし待遇も受けた。而して敢て詳しい内情を知つたとは申さぬが、幾分か其の内情を知る事を得たが、其の旅行中私は屢〻同行者と討論した。それは旅行前に考へて居つた事で實際に行つて見てもさう思つたのであるが、日支間の交際がどうも所謂恩威のみを以て交つて居り、敬愛の情が乏しいことである。乏しいといふよりは寧ろ無いと云うてもよい位なことを實際に知る事を得た點である。凡そ人と人との交りは敬すると云ふ事と愛すると云ふ事、即ち此の敬愛の情なくして交誼を保つと云ふ事は出來得べき筈がない。或は身分の尊卑、貧富、或は力の强弱、人の智愚等は同一に行くものでなく、所謂天の配劑ともいふ可きもので、各々差違のあることは免れぬ所であるが、其間に必ず敬愛の心がなければならぬ。力とか恩とかいふ以外に人情といふものが行はれて、始めて和らかな交際が出來て行くものである。此の相互間に情愛があるといふ事が、即ち交誼の進んで行く極く緊要な原因なのである。然るに日支間に於ては或る場合には與へ、或る場合には威すといふ有樣で、即ち恩と威のみで情と云ふものゝ交りが甚だ乏しい。乏しいといふよりは殆んど絶無と云ひたい。斯くの如きは決して交誼を完うする所以でないと云ふことを、政治上は兎に角、せめて實業家の人々に知つて貰ひたいと思つて、關係の人々に切實に忠告した事があつたが、時期既に遲く、又其の關係範圍が甚だ狹かつた爲めか一向に効果がなかつた。斯ういふ有樣では將來の交誼が怎うならうかと氣遣つて居つた際、大正三年から四年にかけて種々政治上の面倒な問題が起つた。其後引續いて殆んど情愛を以てした外交が一つも出來なくなり、理窟一片であるとか、或は形式に止まるものゝみであるのは、私の誠に遺憾千萬とする處である。

元來支那に對する外交は、根本から間違つて居ると言はなければならぬ。斯く申すと如何にも日本ばかりが惡いやうに聞えるけれども、私は支那の仕方についても決して賞讃するものではない。第一、國內が絕えず紛糾して居つて、恰かも我國の戰國時代の樣な狀態を呈し、統一されて居らぬのが缺點であるが、それのみでなく支那は實に我儘の國であるから、彼の言のみを聽く事は出來ない。公正の見地より是とする所は飽くまでも主張して押し通す樣にしなければならぬ故、或る場合には抗議も必要であらうし、斷然たる態度に出なければならぬ場合もあらう。併し前に述べた人情を以て接觸するといふ事は猶更必要である。從來の交際上に於ては怎うも我國にも缺點があるといふ事は否定する事が出來ないと信ずる。自から自國の事を誇る樣に當るので、外交的立場から言つたならば或は迷惑に感ずる事かも知れぬが、私は事實を遠慮なく申すのを主義として居る人間であるから、此際自分の所見を忌憚なく申す次第である。私のやうな研究の乏しい知識の少ない者が、外交上の事を論ずるのは甚だ穩當でないかも知れぬが、是れまでの遣り方を見ると、支那及び外國の感じを惡くして、而かも我國にとつては夫れ程の益のない事が隨分あつた樣に思はれる。斯かる事は大に注意すべきである。又實業界の人々にも、もう少し心して支那に對して貰ひたいと思ふ。支那の同業の人々が敢て日本の實業家を信頼せぬとは言はぬけれども、さう忌み嫌ふ樣な情を持たせぬやうにする方法があるであらう。是等は啻に政治上の働きばかりでなく、實業界の人々の心配によつて或は日本に來る留學生に對しもう少し溫情を以て接待してやるといふ事も出來るであらうし、或は彼方に對してさういふ樣な仕組を以て、幾らか之れを助け之れを慰めるといふ方法も講じ得られるであらう。所謂國と國との外交のみでなく、國民と國民とが眞情を以て交はるといふ國民外交の實を擧げる樣に勗めなければならぬと信ずる。

味わいのある孔孟の教訓

要するに今申したとおり、お互いに情愛をもって交際するということはこれから大いに進めていきたいと私は考えています。そして、政治上の問題についても、利己的立場から主張するようなことは避け、譲るべきものはお互いに譲り合って国交の円満を図るべきです。国の親善なる平和を図ろうと思うならば、国際上の道徳に待たなければなりません。今日の世界の有り様を見ると、どうも国際上の道徳を論ぜずに、ただただ利害のみを論ずるようでありますが、そのようなことでは決して外交がうまくいくことがないと思います。国際上においては、あちらはどうなってもこちらさえ都合よければよいという考えでいては双方の意見が合致せず、必ず衝突が生まれてしまいます。ですから、世界の平和を望むならば、国際上の道徳を是非求めなければなりません。国際上の道徳が求められなければ、個人の道徳が進まなければなりません。個人の道徳が進み国際上の道徳が盛んになれば、世界の平和は期せずして求められるのです。支那の外交についても是非そこまでいかなければならないと思います。

それでもなお、我が国ばかりが誠意をもって対しても、先方が支那一流の勝手な真似をしては、我が国がばかを見るではないかと論ずる人があるかもしれませんが、私は彼を咎めずに我から進んでいくがよいと主張する者であります。孔子の教えに「己の欲せざる所は人に施す勿れ」と言い、また孟子の教えに「行いて得ざるあれば却って己に求めよ」ということがありますが、この孔孟の教訓に基づいて支那に対したならば、日支の外交は必ず円満を期することができるだろうと固く信じるものであります。

【原文】

要するに今申す通り、お互ひに情愛を以て交際するといふ事は是れから大に進めて行きたいと私は考へて居る。而して政治上の問題についても、利己的立場より主張する様な事は避け、譲る可きものはお互ひに譲り合つて國交の圓滿を圖る可きである。國の親善なる平和を圖らうと思ふならば、國際上の道德に待たなければならぬ。今日の世界の有様を見ると、怎うも國際上の道德を論ぜずに唯々利害のみを論ずるやうであるが、斯くの如きは決して外交の全きを得るものでないと思ふ。國際上に於いては彼方はどうなつても、此方さへ都合よければ宜いといふ考えで居るから、双方の意見が合致せず必ず其間に衝突が出來る。故に世界の平和を望むならば、國際上の道德を是非求めなければならぬ。國際上の道德を求めなくば、個人の道德が進まなければならない。個人の道德が進み國際上の道德が盛んになれば、世界の平和は期せずして求められる。支那の外交に就いても是非其處まで行かなければならぬと思ふ。

尙ほ我國ばかりが誠意を以て對しても、先方が支那一流の勝手な眞似をしては、我國が莫迦を見るではないかと論ずる人があらうかも知れぬが、私は彼を咎めずに我から進んで行くが宜いと主張する者である。孔子の教に『己れの欲せざる所は人に施す勿れ』と言ひ、又孟子の教に『行ひて得ざるあれば却つて己れに求めよ』といふ事があるが、此の孔孟の教訓に基いて支那に對したならば、日支の外交は必ず圓滿を期する事が出來るだらうと固く信ずるものである。

思想問題と教育の改善

思想善悪の基準は何か

近来、我が国の青少年の間に、好んで奇矯な言を弄《もてあそ》び過激な行動に出て世間の注目を惹き、それで得意になるような風潮が一部に散見します。これをもって、思想の悪化であるとして憂慮する心ある人もいます。しかしながら、思想問題は実に難しいものであって、そもそも、善と言ったり悪と言ったりしますが、見方によってどうにでも見られるものです。ある場合、ある時において善と見られたものが、他の場合と時によって悪となり、あるいはまたこれと反対になることもあり得るのです。これらは今日までの東西の歴史を繙《ひもと》いても容易にわかることです。しかしながら、国家社会の一員として天地神明に対して恥じざるような本当の善、つまり人間としてなすべき善は確かに存在しているのです。ただ、それが時により場合により見る人により、善として見えたり悪として見えたりするのです。

元来、思想は時代に応じて変化するのが当然であって、決して同一の思想で五百年も千年も通していけるものではありません。このように絶えず変化するのが思想の常です。それなのに、これを変化させせまいと思うのは、それこそ間違った思想であると言わなければなりません。ですが、どんなに変化してもよいのかと言うと、そうではありません。私は、その関係はあたかも養生説と同じようなものであると考えます。たとえば、しきりに身体の具合を喧《やかま》しく言い、胃の働きはどういうものでどういう飲物を摂るとどこのほうからどうめぐって胃の働きを助けるとか害するとかなどと言いますと、食べ物の些細なことについて、常住坐《じょうじゅうざ》臥《が》、綿密な注意をしなければならないことになってしまいます。これに反し、抵抗療法の説に従うなら、そういう馬鹿なことをするから身体を弱くするので、胃が弱ければ固いものを食べると強くなり、寒いところに出ていれば皮膚が丈夫になるということになれば、養生などは不必要なことになってきます。双方ともに理由はあるけれども、一方は密に入りすぎ、他の一方は乱暴に陥りすぎている譏《そし》りを免れません。養生説といい抵抗説といい、当然そこには程度というものがなければなりません。また教育についてみても、君に忠に、親に孝に、長老を敬い、恩に感ずる善良なる精神は、どこまでも推し進めていかなければならぬものでありますが、近年はこれに対しても反対の説が唱えられています。私の信ずるところによれば、人の性は善であるけれども、人欲が始終妨げをなすので、己に克って礼に復らないと人欲を圧迫することはできません。この克己復礼は人が最も尊いとするところであって、かつ孔子の説く仁、すなわち博愛心が強く、己自身を空うして人を救い、人を助け、国家社会を益するように努めるのが人としての本分であり、地位の進むにしたがってその関係を広く考えればよいと思います。このように、人の性を細かく論じて仁道をしきりに奨めていくのに対し、そういう風に細かく喧しく言うから人間の性を危険にするのであって、何もそれまでにしなくても、人間は自分の欲するところを自分でやればよいではないかという反対説を主張する者もあります。すなわち、ちょうど前の養生説に対して抵抗法を唱え、不養生がむしろ養生であると言うがごとく、自己の希望を自己が満すのが天然自然の法則に従うものであるとの説で、孔子の説を直接に反撃するのではないのでしょうが、私には、克己復礼などという愚な話はないと称《とな》えているように聞えます。

ところで、思想界の学説を立てる人々は、それぞれ議論に根拠があるのはもちろんなのですが、思想は種々に変化していくものであるということは、否定できない事実です。しかしながら、結局の真理はどうしてもいちばん真直なものに帰着するであろうと思います。昔から、ある一つの新しい学説が起こると、それに向かってしきりに賛成する人があると同時に、必ずこれに反対して異説を唱える人が出て、右と言えば左というように正反対の議論が行われていました。しかしながら、人道というものは根本においては動かし難いものであると信じます。したがって、人間の履むべき道を標準とすれば、思想の善悪は自然と識別がつくであろうと思うのです。

【原文】

近來我國の青少年の間に好んで奇矯なる言を弄び、過激なる行動に出でて世間の注目を惹き、以て得々たる風が一部に散見する。之れを以て心ある人は思想の惡化であるとして憂慮するものがある。乍併思想問題は實に難かしいものであつて、抑〻善と云ひ惡と云ふも、見方如何によつて怎うにでも見られる。或る場合、或時に於いて善と見られたものが、他の場合と時によつて惡となり、或は又之れと反對になる事もあり得る。是等は今日までの東西の歴史を繙いても容易に解ることである。併しながら國家社會の一員として天地神明に對して恥ぢざる底の本當の善、即ち人間としてなすべき善は確かに存在してゐる。只、それが時により、場合により見る人如何によつて、善として見えたり惡として見えたりするのである。

元來思想は時代に應じて變化するのが當然であつて、決して同一の思想で五百年も千年も通して行けるものではない。斯くの如く絶えず變化して來るのが思想の常である。而して之れを變化させまいと思ふのは、それこそ間違つた思想であると謂はなければならぬ。然らば怎麼に變化しても宜いかといふに、さうではない。恰かも養生説と同じやうなものであると考へる。例へば頻りに身體の具合を喧しく言ひ、胃の働きはどういふもので、怎ういふ飲物を攝ると何方の方からどう廻つて胃の働きを助けるとか、害するとか申すと、些細の間でも食物に對し、常住坐臥綿密な注意をしなければならぬ事となる。又是れに反して抵抗療法の説に從ひ、さういふ馬鹿な事をするから身體を弱くするので、胃が弱ければ固いものを食べると強くなり、寒い處に出て居れば皮膚が丈夫になるといふ事になれば、養生などは不必要な事になつて來る。双方共に理由はあるけれども、一方は密に入り過ぎ、他の一方は亂暴に陷り過ぎてゐる譏りを免れない。養生説といひ、抵抗説といひ、其處には自から程度がなければならぬ。又教育の上に就いて見るも、君に忠に、親に孝に、長老を敬ひ、恩に感ずる善良なる精神は、何所までも推し進めて行かなければならぬものであるが、近年は之れに對しても反對の説が唱へられてゐる。私の信ずる處によれば、人の性は善であるけれども、人慾が始終妨げをなす故、己に克つて禮に復らぬと人慾を壓迫する事は出來ない。此の克己復禮は人の最も尊しとする所であつて、且つ孔子の說く仁、即ち博愛心が強く、己れ自身を空うして人を救ひ、人を助け、國家社會を益する樣に勗むるのが人たるの本分であり、地位の進むに從つて其の關係を廣く考へれば宜いと思ふ。斯くの如く人の性を細かく論じて仁道を頻りに奬めて行くのに對し、さういふ風に細かく喧しく云ふから人間の性を危險にして來るのであつて、何もそれまでにしなくても、人間は自分の欲する處を自分でやれば宜いではないかと云ふ反對說を主張する者もあるのである。即ち恰度前の養生說に對して抵抗法を說へ、不養生が寧ろ養生であるといふが如く、自己の希望を自己が滿すのが天然自然の法則に從ふものであるとの說で、孔子の說を直接に反擊するのではないだらうが、私には克己復禮などといふ愚な話はないと稱へて居る樣に聞える。

處で、思想界の學說を立てる人々は、それ〴〵議論の根據があるのは勿論であるが、思想は種々に變化して行くものであるといふ事は、否定すべからざる事實である。併しながら結局の眞理は怎うしても一番眞直なものに歸着するであらうと思ふ。昔から或る一つの新らしい學說が起ると、それに向つて頻りに贊成する人があると同時に、必ず是れに反對して異說を唱へる人が出で、右と言へば左といふ樣に正反對の議論が行はれる、併しながら人道の根本に於いては動かし難いものであると信ずる。從つて人間の履むべき道を標準とすれば、思想の善惡は自から色別がつくであらうと思ふ。

思想の統一は不可能である

試みに自分の欲するがままに希望を満すがよいという説と、養生などは要らぬという説とを推し進めていったならばどうでしょうか。これではほとんど禽獣《きんじゅう》と等しいものになってしまいます。そのようなわけで、この説を好《よ》いとするならば、人類として智能を進める必要がなくなり、抑情の心も不要であって、すべては強い者が勝つということになります。こうした生活が自分の意思を天真爛漫に発揮したものであるとするならば、親子の情合というものもなければ、師弟の情誼もなく、恩義を感ずるということもなくなります。こう考えてくると、どうしてもこの思想は人道の根本であるべき真理に背いているわけですから、私はあくまでも斥《しりぞ》けなければならぬと思います。思想に対して善悪の差別をつけるならば、このような考えは健全な思想と言うことはできません。要するに思想というものは、人智の進歩とその人の心によって判断をなし得るものですから、思想界の変化に対してはそれほど憂うべきものではないと信じますが、一定の信念を抑えることだけは忘れてはならないと思います。私は儒教によって人間はかくなければならぬという根本を固く握っているつもりですが、人によってはあるいは耶蘇《やそ》教（キリスト教）もよいでしょうし、仏教もよいでしょうし、神道もよいだろうと思います。しかし、「父母に孝に兄弟に友に夫婦相和し朋友相信じ」という教育勅語の御趣旨を根本とし、この根本精神に背反する思想でなければ、どう変化してもかまわぬというくらいに推し拡げて考えたほうがよかろうと思うのです。

思想問題とは違いますが、趣味にしても時代によって変化します。たとえば私どもは今の西洋音楽にはサッパリ趣味がありませんが、日本在来の義太夫とかあるいは清元とかいうものには趣味をもっており、他人がやっているのを聴いても上手とか下手とかいうことがよく分かります。ところが私の孫などになると義太夫や清元などは少しも分かりませんが、その反対に西洋音楽に趣味をもっており、このほうはよく分かる。このように、一家にしても老人と青年とでは趣味が異り、老人のほうは義太夫の寄席に行きたくても子供は行こうとせず、また新しい音楽の会には老人は行きたくないけれども、子供は行きたがるというように違ってきます。趣味嗜好の相違はおのずから思想の上にも影響を及ぼしていくものですから、思想が時代の推移に伴って変遷するのは、けだし必然の結果なのです。そのようなわけで、その思想には根柢的思想と一時的思想とがありますが、思想界が動揺していると申しても、これを統一することはとうてい不可能ですから、根本思想を覆そうとするものでない限り、これを放任しておいても差し支えがないだろうと思います。ただ、我が建国の精神を無視し、国民道徳の根本に抵触するような思想に対しては、どこまでもこれを防止すべきなのは当然のことです。

そうであれば、我が国体と相容れないような悪思想をいかにして防止すべきかが当面の問題となってきますが、言うまでもなく思想に対するには思想をもってしなければなりません。無暗に堰堤《えんてい》を設けてこれを形の上で防止しようとしても、澎湃《ほうはい》たる潮流はかえってその勢いを増してしまうものですから、この点についてはその任に当たる人たちが、大いに心しなければならないと信じます。

【原文】

試みに自分の欲するがまゝに希望を満すがよいといふ説と、養生などは要らぬといふ説とを推し進めて行つたならば怎うであるか。之れでは殆んど禽獸と等しいものになつて仕舞ふ。而して此説を好いとするならば、人類として智能を進める必要がなくなり、抑情の心も不要であつて、總ては強い者が勝つといふ事になる。斯うした生活が自分の意思を天眞爛漫に發揮したものであるとするならば、親子の情合といふものもなければ、師弟の情誼もなく、恩義を感ずるといふ事もなくなる。斯う考へて來ると怎うしても此の思想は人道の根本であるべき眞理に背いて居る譯であるから、私は飽くまでも斥けなければならぬと思ふ。思想に對して善惡の差別をつけるならば、斯くの如き考へは健全なる思想と云ふ事は出來ない。要するに思想といふものは人智の進歩と其人の心によつて判斷をなし得るものであるから、思想界の變化に對しては左程憂ふべきものではないと信ずるが、一定の信念を抑へる事だけは忘れてはならぬと思ふ。私は儒教によつて人間は斯くなければならぬといふ根本を固く握つて居る積りであるが、人に依つては或は耶蘇教もよからう、佛教もよからう、神道もよからう。が、詰り『父母に孝に兄弟に友に夫婦相和し朋友相信じ』といふ教育勅語の御趣旨を根本とし、此の根本精神に背反する思想でなければ、怎う變化しても構はぬといふ位に推し擴げて考へた方が宜からうと思ふ。

思想問題とは違ふが、趣味にしても時代によつて變化する。例へば私どもは今の西洋音樂にはサツパリ趣味がないが、日本在來の義太夫とか或は清元とか云ふものには趣味を有つて居り、他人がやつてゐるのを聽いても上手とか下手とか云ふ事がよく分る。處が私の孫などになると義太夫や清元などは少しも分らぬが、其の反對に西洋音樂に趣味を有つて居り、此方は能く分る。此様に一家にしても老人と青年とでは趣味が異り、老人の方は義太夫の寄席に行きたくても子供は行かうとせず、又新らしい音樂の會には老人は行きたくないけれども、子供は行きたがると云ふやうに違つて行く。趣味嗜好の相違は自から思想の上にも影響を及ぼして行くものであるから、思想が時代の推移に伴うて變遷するのは蓋し必然の結果である。而して其の思想には根柢的思想と一時的思想とがあるが、思想界が動搖してゐると申しても、到底之れを統一する事は不可能であるから、根本思想を覆へさうとするものでない限り、之れを放任して置いても差支へがないだらうと思ふ。只、我が建國の精神を無視し、國民道德の根本に觸るゝが如く、思想に對しては何處までも之れを防止すべきは當然の事に屬する。

然らば我が國體と相容れざるが如き惡思想は、如何にして之れを防止すべきかゞ當面の問題となつて來るが、言ふまでもなく思想に對するには思想を以てしなければならぬ。無暗に堰堤を設けて之れを形の上で防止しようとしても、澎湃たる潮流は却つて其の勢ひを增すやうなものであるから、此點に就いては其の任に當る人達が大に心せねばならぬ事であると信ずる。

智育偏重の教育と其の弊害

思想に対するに思想をもってするということは、世の識者もまた唱えるところでありますが、結局のところは国民教育の改善ということになります。したがって、その教育をいかに改善すべきかということが問題となり、識者または専門家の間にはいろいろ頭を悩ましておられるようです。私は教育については経験もなければ知識もない、いわゆる門外漢ですから専門家とは意見が一致しないかもしれませんが、私の見るところによると、思想を善導するにはどうしても教育の力によって、人としてまた社会人として踏んでいくべき大道を教えることが必要だと思います。今日の学校教育を見るに、単に多くの科学的知識を詰め込みさえすればそれでよしとするかのようです。修身や倫理という科もありますが、それがいかにも通り一遍で、形式的に流れていて、科目があるから一応は教えるといった具合におざなりになっていますから、教えられる子弟にとってもなんの感興も起こらなければ、深い印象にも残らないようなのです。小学校令にも明示してあるとおり、徳育を完全に授けて人の人たる道を教えるのが第一義でなければならないはずなのに、事実はそうでなく、智的方面に偏重して徳育を閑却している嫌いがあるようなところは、まずは改善を要する点であると信じます。

元来、人間というものは、物質と精神とからなっているものですから、したがってその教育というものも、やはり物質方面と精神方面との二つに分けるべきものだと思います。その二つの方面が均衡を得るというところに、完全な教育が生まれるのではないでしょうか。もし教育上においてこの二方面の均衡を保つことができず、いずれかその一方に偏ってしまったならば、必ずやそこに弊害が生じてくると思います。全《まった》き人を作るという教育は、どうしてもこの二方面の調和的均衡が完全に保たれていなければならないと信じます。この見地より日本の教育を考えてみると、古い時代の我が国の教育は物質上の知識に乏しく、はなはだしく精神教育に偏していたようですが、今日の教育は昔とまったく反対に、科学的教育が偏重される結果、精神教育の方面はほとんど顧みられない状態になっています。なにごとも智育一点張りで、徳育というものはまったくないと言ってもよい。したがって世の中はますます世智辛くなるばかりで、人々はみな自我を主張し私利私欲を貪るという、はなはだ憂うべき思想が有力に民心を支配するようになってきているように思われます。このようにすべての教育が智育にのみ力を入れるようでは、道徳的に尊敬されるような人物が出ようはずがありませんし、自我本位の思想は、ひいては我が国体と相容れないような悪思想にかぶれる原因をなすことにもなってしまうのです。そして、智育偏重の教育がどのような悪傾向を産みつつあるかは、我が国における一般家庭についてみても手近い実例を挙げることができます。つまり我が国の社会状態を見るに、貧富貴賤の別なく、一般民心はほとんど功利観念に鋭く、ことに多くの家庭においては親が子供を教育するにあたって、人格が立派な人間にしようという観念に乏しく、単に子供の栄達ということのみを目的としており、自動車を乗りまわすとか、大厦高楼《たいかこうろう》に住むとか、あるいは高位高官に出世するとか、そうしたことのみをもって子供の成功と心得て、いやが上にもその方面への鞭撻《べんたつ》ばかりしているようです。そうであれば、軽佻浮華、奢侈贅沢というような悪傾向はすでに家庭において醸成している有り様であって、この根本教育が改善されない限り、質実剛健なる気風などいうものは、いかに口が酸っぱくなるほど叫んでも「木に拠って魚を求むる」（『孟子』より）ようなものです。為政者や識者たちもこの点を論じてはいますが、単に口で言ったり、文字に表したりするだけでは、結局、神社のお守札と同じことでなんらの効果もないと思います。教育の根本に触れて国民の根本精神を涵養するということでなければ、どうしても実効は期待できないのです。

【原文】

思想に對するに思想を以てするといふことは、世の識者も亦稱ふる處であるが、歸する處は國民教育の改善といふ事になる。從つて其の教育を如何に改善すべきかと云ふことが問題となり、識者又は專門家の間には種々と頭を惱まして居られる樣である。私は教育に就いては經驗もなければ知識もない所謂門外漢であるから、專門家とは意見が一致せぬかも知れぬが、私の見る處を以てすれば、思想を善導するには怎うしても教育の力によつて、人として將た社會人として踏んで行くべき大道を知らしむる處がなくてはならぬと思ふ。今日の學校教育を見るに、單に多くの科學的知識を詰め込みさへすればそれで宜しとするかの觀がある。修身や倫理といふ科もあるが、それが如何にも通り一遍であり、形式的に流れて居り、科目があるから一應は教へると云つた具合に所謂御座なり式であるから、教へらるゝ子弟にとつても何等の感興も起らなければ、深い印象にも殘らぬ樣である。小學校令にも明示してある通り、德育を完全に授けて人の人たる道を教へるのが第一義でなければならぬ筈なのに、事實はさうでなく智的方面を偏重して德育を閑却して居る嫌ひあるが如きは、先づ以て改善を要する點であると信ずる。

元來人間といふものは、物質と精神とから成つてゐるものであるから、從つて其の教育といふものも矢張り物質方面と精神方面との二つに分るべきものであると思ふ。其の二つの方面が均衡を得るといふ處に完全な教育が生れるものではあるまいか。若し教育上に於いて此の二方面の均衡を保つ事が出來ず、何れか其の一方に偏したならば、必ずや其處に弊害が生じて來ると思ふ。

全き人を作るといふ教育は、怎うしても此の二方面の調和的均衡が完全に保たれねばならぬものであると信ずる。此の見地より日本の教育を考へて見るに、古い時代の我國の教育は物質上の知識に乏しく、甚だしく精神教育に偏して居つた様であるが、今日の教育は昔と全然反對に、科學的教育が偏重される結果、精神教育の方面は殆んど顧られない狀態である。何事にも智育一點張りで、德育といふものは全くないと云つても好い。從つて世の中は益〻世智辛くなるばかりで、人々は何れも自我を主張し、私利私慾を貪るといふ甚だ憂ふ可き思想が、有力に民心を支配する様になつて來てゐる様に思はれる。此様に總ての教育が智育にのみ力を入れる様では、道德的に尊敬さるゝ様な人物が出やう筈がない。且つ自我本位の思想が、惹いては我が國體と相容れざる惡思想にかぶれる原因をなすに到るのである。而して智育偏重の教育が如何なる惡傾向を産みつゝあるかは、我國に於ける一般家庭に就いて見るも手近い實例を擧げる事が出來る。即ち我國の社會狀態を見るに、貧富貴賤の別なく一般民心は殆んど功利觀念に鋭く、殊に多くの家庭に於いては親が子供を教育するに、人格の立派な人間にしようといふ觀念に乏しく、單に子供の榮達といふ事のみを目的として居り、自動車を乘り廻すとか、大厦高樓に住むとか、或は高位高官に出世するとか、さうした事のみを以て子供の成功と心得、いやが上にも其の方面への鞭撻を事として居るやうである。されば輕佻浮華、奢侈贅澤といふ様な惡傾向は既に家庭に於いて釀成して居る有様であつて、此の根本教育が改善されない限り、質實剛健なる氣風などいふものは、如何に口の酸くなるほど叫んでも、木に據つて魚を求むるやうなものである。爲政者並びに識者なども此點を論じて居るが、單に口で言つたり、文字に表したりするだけでは、結局神社のお守札と同じ事で何等の効果もないと思ふ。怎うしても教育の根本に觸れて、國民の根本精神を涵養するといふ事でなければ、實効を期し得られない。

国民教育の根柢は東洋道徳

今日、一部の人々の間で漢学復興の声が盛んになってきたようです。欧米の文化が非常な勢いをもって日本に侵入している今日において、漢学の復興を説くのは時代錯誤だとして反対する人達もいるし、特に識者間にさえも漢学の不必要を唱える人もいますが、私の考えでは、我が国道徳の根柢となり、国民教育の真髄となるべきものは、やはり東洋文化の精粋たる漢学を措《お》いて他にないと信じます。国民教育の方針についても、他の人が改善と見るところを我々が改悪と見ることがあり、我々の改善と見るところを他が改悪だとすることもあるでしょう。しかし、いわゆる教育専門家たちがどのように考えるとしても、我々は以上のように断じて信じるのであって、世界の聖人、哲人であると目される東洋の大智識、孔子と孟子の学説教訓を土台として徳育を行うことが、東洋人である我が日本民族にとって最も相応しいことであると信じます。

しかしながら私も、どこまでも孔孟の教訓一点張りでよいと主張するものでは決してありません。時勢の進運に伴い、泰西の倫理徳育を遵奉しなくてはならない場合があるのは言うまでもありませんが、今日のように修身教育の権威が失墜したかのような観があるのは、まことに慨《なげか》わしいことであって、倫理教育と言っても同じく丁寧親切をもって精神を打ち込むようにし、学生生徒が社会に出てからもよくこれを実践躬行し、単に日本人として立派な国民であるのみならず、世界の人類としても申分ない世界人、これを東洋的に言うならば君子人であり、欧米風に言うならば紳士として恥ずかしくない人を出したいものと希《ねが》っている次第です。現在、高等の教育を受けた人たちの間にも、ややもすれば人倫道徳に外れた言動をなして、国家社会の秩序を紊乱《びんらん》させるような、我が国体と相容れない思想を懐《いだ》く者が少なくない傾向がある事実から見て、私は特にこの感を深くすると同時に、教育の根本的改善は急務中の急務であると信じるのです。

【原文】

今日一部の間に漢學復興の聲が盛んになつて來た様である。歐米の文化が非常な勢ひを以て日本に侵入して居る今日に於いて、漢學の復興を説くは時代錯誤なるかの如く反對する人達もあるし、殊に識者間にさへも漢學の不必要を唱へる人があるが、私の考へを以てすれば、我國道徳の根柢たり、國民教育の眞髓たるべきものは、矢張り東洋文化の精粹たる漢學を措いて他にないと信ずる。即ち國民教育の方針に就いても、他の改善と見る所を我々が改惡と見ることがあり、我々の改善と見る所を以て他が改惡なりとする事もあらう。併し所謂教育專門家達が如何に見やうとも、我々の斷じて信ずる處は以上の如くであつて、世界の聖人たり哲人たりと目せらるゝ東洋の大智識、孔子及び孟子の學説教訓を土台として德育を行ふことが、東洋人たる我が日本民族にとりて最も相應しい事であると信ずる。

乍併、私と雖も決して飽くまでも孔孟の教訓一點張りで宜いと主張するものではない。時勢の進運に伴ひ、或は泰西の倫理德育を遵奉せねばならぬ場合があるのは言ふまでもないが、今日の如く修身教育の權威の失墜したるかの觀あるのは、洵に慨はしい事であつて、等しく倫理教育と云つても同じく叮嚀親切を以て精神を打ち込む様にし、學生々徒が社會に出てからもよく之れを實踐躬行し、單に日本人として立派な國民であるのみならず、世界の人類としても申分なき世界人、之れを東洋的に言ふならば君子人であり、歐米風に申すならば紳士として耻しからぬ人を出したいものだと希つてゐる次第である。現在高等の教育を受けた人達の間にも、動もすれば人倫道德に外れた言動をなし、國家社會の秩序を紊亂せしむるやうな、我が國體と相容れざる思想を懷く者が尠からざる傾向ある事實より見て、私は特に此感を深うすると同時に、教育の根本的改善は急務中の急務であると信ずるものである。

我国労働問題の前途

一

未来のことを想像して話す段になるといろいろありますけれども、その観察の立脚地に依ってその言うことが違ってくるものです。ですから未将（未来）のことを話すのは容易ですけれども、責任ある予測をするということになるとなかなか困難なものです。ところで、当面の我が国の労働問題について観察すると、不景気は当分持続するでしょうから、諸事業不振の結果、今後、工場等の縮小または事業休止等により、失業者がますます増えることになるだろうと思われます。そのため、好景気時代においては労働者階級はすこぶる鼻息が荒く、資本家に対する態度が強硬でありましたが、最近においては労働者階級の気勢が揚がらなくなりました。それに反して、資本家が労働者に対して大いにわがままが利くようになりましたが、もし資本家が労働者階級の態度が軟弱なのに乗じて威張るようなことがあっては、かえって労働階級の反発を招き、紛争を惹起してしまうでしょうから、資本家としては今後、特に労働者に対する態度について慎重に考慮し、協調的態度で進めていかなければならないと思います。

さらに、今後の不景気の持続による失業者の増加については、その応急救済策を講ずることが当面の課題ですが、それには国家または公共団体等において不急の事業を興し、失業した労働者をこの方面に使役するようにすべきだと思います。その一例を挙げれば、道路の改修、港湾の修築、鉄道の敷設、上下水道、電信電話の拡張および未開土地の開拓等、数え挙げれば枚挙に暇はありません。そして、これらは不急の事業とは言うものの、すべて国家枢要の事業であって、一日早ければ一日早いだけ国家の利益になり、国民の福利を増進するのですから、いわゆる一挙両得なのです。ですからこの際、公共団体においては各地方に適切な事業を興し、国庫の補助を必要とするものはその補助を仰ぎ、また国家においても事業を興して、ぜひともこの当面の応急策を講ずるべきです。

【原文】

未來のことを想像して話す段になると種々あるけれども、其の觀察の立脚地に依つて其の言ふことが違つて來る。されば未將の事を話す事は容易であるけれども、責任ある豫測をするといふ事になると仲々困難なものである。處で、當面の我が勞働問題に就いて觀察するに、不景氣は當分持續すべきを以て諸事業不振の結果、今後工場等の縮小又は事業休止等に依り、失業者を益ゝ加ふるに至るであらうと思ふ。されば好景氣時代に於いては、勞働者階級が頗る鼻息が荒く、資本家に對する態度が强硬であつたが、最近に於いては勞働者階級の氣勢が揚らなくなつた。之れに反して資本家が勞働者に對して大に我儘が利く様になつたが、若し資本家が勞働者階級の態度の軟弱に乘じて威張る様な事があつては却つて勞働階級の反撥を招き、紛爭を惹起すべきを以て、資本家としては今後特に勞働者に對する態度に就いて愼重に考慮し、協調的態度を以て進まねばならぬと思ふ。

更に今後不景氣の持續による失業者の增加に就いては、其の應急救濟策を講ずる事が當面の問題であるが、それには國家又は公共團體等に於いて不急の事業を興し、失業せる勞働者を此の方面に使役する様にすべきであると思ふ。其の一例を擧ぐれば、道路の改修、港灣の修築、鐵道の敷設、上下水道、電信電話の擴張及び未開土地の開拓等、數へ擧ぐれば枚擧に遑がない。而して是等は不急の事業とは言ふもの〻、悉く國家樞要の事業であつて、一日早ければ一日早いだけ國家を益し、國民の福利を增進するのであるから、所謂一擧兩得である。故に此際是非公共團體に於いては、各地方に適切なる事業を興し、國庫の補助を必要とするものは其の補助を仰ぎ、又國家に於いても事業を興して、此の當面の應急策を講ずべきである。

二

しかしながら、この不景気は一都会、一地方に止まらず、全国的であり、世界的でありますから、失業者もまた当然全国にわたって続出することを覚悟しなければなりません。このようにその範囲が広いだけに、応急事業を興すにしても、需要供給の関係をよほど徹底的に考慮し実行しなければ、効果は薄いでしょう。我が国の主要都市には公設の職業紹介所があり、また個人のいわゆる雇人口入所もありますが、これらは一向に連携ができていないので、需要供給の有無相通じさせる手段がありません。ですから、この需要供給を均衡させられるような方法を講ずることは、事業を興すこととともに、刻下の急務でなくてはなりません。

労働者には種々の種類がありますが、技術的方面の労働者には比較的失業者が少なく、また失業しても相当の需要があるだろうと思いますが、なんらの専門的技術もなく、単に労役を資本とする者に至ってはその数も多く、もっともその処置に困るであろうと思います。現に鎌倉河岸に行ってみれば、たちどころに数百人の浮浪労働者が得られる有り様であって、このほか深川にも、本所にもこうした浮浪労働者がたくさんいます。聞くところによりますと、東京市内だけでもすでに十万以上の失業者を出したということですが、今にその救済方法を講じなければ、忌むべき危険思想が醸成されることがないとは保証できません。

【原文】

乍併、此の不景氣は一都會、一地方に止まらず、全國的であり、世界的であるから、失業者も亦當然全國に亙つて續出する事を覺悟しなければならぬ。斯く其の範圍が廣いだけに、應急事業を興すにしても、需要供給の關係を餘程徹底的に考慮し、其の實行を期するのでなければ効果が薄い。我國の主要都市には公設の職業紹介所があり、又個人の所謂雇人口入所もあるが、是等は一向に聯絡がとれて居ないから、需要供給の有無相通ずるの途がない。されば此の需要供給の圓満を期するの方法を講ずる事は、事業を興す事と共に刻下の急務であらねばならぬ。

殊に勞働者には種々の種類があるが、技術的方面の勞働者には比較的失業者が少く、又失業しても相當の需要があるだらうと思ふが、何等の專門的技術なく、單に勞役を資本とする者に至つては其數も多いし、且つ最も其の處置に困るであらうと思ふ。現に鎌倉河岸に至つて見れば、立所に數百人の浮浪勞働者が得らるゝ有樣であつて、此外深川にも、本所にも斯ういふ浮浪勞働者が澤山に居る。聞く所に依れば東京市内のみにても既に十萬以上の失業者を出したといふ事であるが、今にして其の救濟方法を講ずるに非ずんば、忌む可き危險思想を釀成するなきを保せぬ。

三

最後に、使う人、使われる人に対して私は一言申したいと思います。いまさら言うまでもないのですが、とかくこの両者の間に意志の疎通を欠き、使う人、使われる人との間に利己一点張りの感情が蟠《はびこ》っていますが、この感情が一掃されないかぎり、景気の好い時にしてもまた悪い時にしても、物議の種はなくなりません。そして、これは使う人、使われる人、すなわち資本家、労働者のためにともに不利益であるのみならず、国家のためにも、まことに悲しむべき現象と言わなければなりません。そうであれば、使う人も、使われる人も譲り合い、我慢し合い、扶《たす》け合い、利己的我利心を捨て、仁義に基く公明正大な態度によって、私が常に唱道してきたいわゆる「王道」を守り、資本家は資本家の分を守り、労働者は労働者の分に適うようにすれば、労資の関係は円満になり、自然失業者の数も減って、将来における労資の紛争もほとんど根絶されるであろうと思います。そして、いかなる場合においても、誠意をもって事に当たるということが第一要件でなくてはなりません。ですが世人の多くは、この誠意というものをあたかも履き古したぞうりを捨てるようにして顧みなくなっています。このような軽薄な心情で事に当たってしまえば、たとえどんな名案良策があっても、十分な効果は望めないのです。

私は常に論語を処世訓として後進、子弟に説いているのですが、事業界不振のために失業者がますます増加しようとするに当たって、その所感を述べるとともに、使う人、使われる人に対し、いまこそ誠意あれと切に望んでやみません。

【原文】

最後に予は使ふ人、使はるゝ人に對して一言したいと思ふ。今更言ふ迄もないが、兎角此の兩者の間に意志の疏通を欠き、使ふ人、使はるゝ人との間に利己一點張りの感情が蟠つて居るが、此の感情が一掃されない間は、景氣の好い時にしても又惡い時にしても、物議の種は切れない。而して之れは使ふ人、使はるゝ人卽ち資本家、勞働者の爲めに共に不利益であるのみならず、國家の爲めにも、誠に悲しむべき現象と謂はなければならぬ。されば使ふ人も、使はるゝ人も相譲り、相忍び、相扶け、利己的我利心を捨て、仁義に基ける公明正大の態度を以て、予の常に唱道する所謂『王道』を守り、資本家は資本家の分を守り、勞働者は勞働者の分に叶ふ様にしたならば、勞資の關係も圓滿になり、自然失業者の數も減じ、將來に於ける勞資の紛爭も殆んど其跡を絕つに到るであらうと思ふ。而して如何なる場合に於いても、誠意を以て事に當るといふ事が第一要件であらねばならぬ。然るに世人の多くは此の誠意を顧みざること恰も弊履の如くである。斯く如き輕薄なる心情を以て事に當つては、假令、如何なる名案良策があつても、十分の効果を奏し得る事は期し得られない。

予は論語を以て處世訓とし、常に後進子弟に之れを說いて居るものであるが、事業界不振にして失業者の益〻增加せんとするに當り、其の所感を述ぶると共に、使ふ人、使はるゝ人に對し、此際特に誠意あれと切に望んで止まざるものである。（大正十年二月）

外来思想と咀嚼消化の力

　欧米文化の輸入が頻繁となり、思想的交渉がいよいよ密接となるにつれて、さまざまな思想が我が国民の脳裡を支配するに到りました。これはまことに悦ぶべき事象であると同時に、一面においては相当考慮を要する事柄であると思われます。私は決して外来思想の全部を挙げて非とするものではありません。事実において、我が国における各種の文化的施設はほとんどすべてが欧米文化の賜物であります。したがって、その恩恵はよく知っていますが、ただ、ここで最も警戒しなければならないことは、一般の思潮が、欧米のものでありさえすれば何事も進歩していて、新しく美しいものであるという錯誤に陥っていることです。十分に咀嚼し消化する力がなく、無条件に讃美し謳歌する悪い風潮があることです。ことにそれが思想問題である場合、多くの弊害が伴う惧《おそ》れがあります。採長補短（長所を採り、短所を補う）は極めて歓迎すべきことです。しかし、その選択が不適切で何事も欧米のことなら進歩したものだと過信し、単に皮相的な見方に囚われて模倣しようとするような風潮は、大いに戒めなければならないと思います。

　古来、我が国には我が国として特有の道徳が構成されていました。道徳も時代に適応し、時流に従って推移し、変遷するものですから、その形式においては必ずしも一定不変のものではありませんが、その根幹に到っては厳乎として動かないものです。それはつまり、忠孝の大義のような、いずれの時代でも我が国民が遵守しなければならない最高至上の道徳です。ですが、この忠孝の道さえも、泰西思想の流入によってどうやら影が薄くなってきたかに思われないでもありません。現に、先年の虎の門事件（当時の裕仁皇太子＝後の昭和天皇が無政府主義者に狙撃された暗殺未遂事件）のような不敬漢を出すにいたっては、たとえそれが七千万国民中のただ一人であるとは言っても、ひいては国民道徳の根幹までも動揺を来たしたものとも見られます。このような状態ですから、我が国の前途は実に深憂に堪えないような次第です。

　現今は社会主義とか、共産主義とか、無政府主義とか、虚無主義とかその他さまざまな外来思想が一部の人々によって研究され、かつ唱道宣伝されていますが、これらの思想にももちろん長所があるでしょうが、欠点もとても多いことは否定できない事実です。ことに我が国体ならびに国民性とまったく相容れられない思想もあります。いずれ遠い将来において、完全に国境が撤廃される理想境に到達する日がくるかもしれませんが、少なくとも現在および近い将来においては国家が単位なのですから、国家があってはじめて国民の安寧秩序があり、これがなくなっては国民の生活が脅威を受けずにはいられません。ですから、国民として国家の発展を助長することは、実に国民自身の幸福を伸長させるということを覚《さと》らなければなりません。国民に自覚を促すことは、思想界が動揺している今日において、実に急務中の急務であると信じます。だから、歴史家はここに建国以来の美しい歴史を説き、宗教家は国民の確固たる信念の養成に努め、教育家は国民の道徳的立脚点に間違いがないようにさせるべく努力しなければなりません。とくに為政者は国民思潮の流れをよく視て善導するよう最善の手段を講じ、国家の深憂を取り除いて、世界に冠たる我が国体に瑕瑾《きず》をつけぬようにしなければなりません。そして、一般国民に対しては今後批判力を養って、外来思想はよく咀嚼消化するように努め、また建国の由来を稽《かんが》えて、浅薄な宣伝にだまされて盲動するようなことのないように切望すると同時に、特に若き青年諸君は新しい思想を謳歌し、新人ぶりたい傾向が顕著だから、大いに自重して邪道に陥らないように、高遠な理想に向かって精進することを切に望みます。

【原文】

歐米文化の輸入が頻りとなり、思想的交渉が愈〻密接となるにつれて、種々なる思想が我が國民の腦裡を支配するに到つた。之れは寔に悦ぶ可き事象であると同時に、一面に於いては相當考慮を要する事柄であると思はれる。私は決して外來思想の全部を擧げて非とするものではない。事實に於いて我國に於ける各種の文化的施設は殆んど其の悉くが歐米文化の賜物である。從つて其の恩惠はよく知つて居るが、只、玆に最も警戒しなければならぬことは、一般の思潮が歐米のものでありさへすれば何事も進歩せる、新らしく美しいものであるといふ錯誤に陷つてゐる事である。卽ち十分に之れを咀嚼し消化するの力がなく、無條件に讃美し謳歌するの弊風がある事である。殊にそれが思想問題である場合、幾多の弊害が伴ふ愼れがある。採長補短は極めて歡迎すべき事である。併し採擇其の宜しきを得ずして、何事でも歐米の事と云へば進歩せるものと過信し、單に皮相の見解に囚はれて、之れを模倣せんとするが如きは大に戒めなければならぬ風潮であると思ふ。

古來、我國には我國としての特有の道德が構成されてゐる。道德も時代に適應し、時流に從つて推移し、變遷するものであるから、其の形式に於いては必ずしも一定不變のものではないが、其の根幹に到つては儼乎として動かぬものである。即ち忠孝の大義の如き、何れの時代を問はず、我が國民の遵守しなければならぬ最高至上の道德なのである。然るに此の忠孝の道さへも、泰西思想の流入によつてどうやら影が薄くなつて來たかに思はれぬでもない。現に先年の虎の門事件の如き不敬漢を出すに到つては、假令それが七千萬國民中の只一人であるとは言ふものゝ、惹いては國民道德の根幹までも動搖を來たしたものとも見られる。斯くの如き狀態なるに於いては、我國の前途たるや實に深憂に堪へない次第である。

現今は社會主義とか、共產主義とか、無政府主義とか、虛無主義とか其他種々の外來思想が、一部の人々によつて硏究され、且つ唱道宣傳せられて居るが、是等の思想にも勿論長所があらう。が、缺点も亦頗る多いことは否定すべからざる事實である。殊に我が國体並びに國民性と全然相容るべからざる思想もある。而して遠き將來に於いて、完全に國境が撤廢せらるゝの理想境に到達するの日があるかも知れぬが、少くも現在及び近き將來に於いては、國家が單位であるから、國家があつて初めて國民の安寧秩序があり、之れを除いては國民の生活が脅威を受けることは、到底免れ得ざるところである。故に、國民として國家の發展を助長することは、實に國民自身の幸福を伸長せしむる所以である事を覺らなければならぬ。國民に自覺を促すこと、是れ思想界動搖の今日に於いて實に急務中の急務であると信ずる。されば歷史家は玆に建國以來の美しい歷史を說き、宗敎家は國民の確固たる信念の養成に努め、敎育家は國民の道德的立脚點に謬りなからしむべく努力しなければならぬ。殊に爲政者は國民思潮の流れに眼を放ち、之れを善導すべく最善の途を講じ、國家の深憂を除き、世界に冠たる我が國體に瑕瑾をつけぬ様にしなければならぬ。而して一般國民に對しては今後批判力を養つて、外來思想はよく咀嚼消化するやうに勗め、且つ建國の由來を稽へて、淺薄なる宣傳に謬られて盲動するが如き事のないやうに切望すると同時に、特に若き青年諸君は新らしい思想を謳歌し、新人振りたいやうな傾向が顯著であるから、大に自重して邪道に陷らぬやうに、高遠の理想に向つて精進せんことを望むや切である。

国家観念と世界主義

国家を離れて個人の幸福はない

私は常に大局に目を注げということを言っています。それは単に青年にのみ限ったわけではありませんが、国民一般があまりに利己主義に走りすぎているからです。利己主義がはなはだしい結果、国家観念がとても稀薄になっていますが、これはまことに嘆かわしいことです。私は常に世界主義を称えておりますが、国境が完全に撤廃され、かつ真に人類差別撤廃が実施された暁《あかつき》はいざ知らず、少なくとも現在および近い将来においては、国家観念が欠如してしまっては国家の自滅を来すよりほかはないと思います。学問的なことはよく知りませんが、判りやすく言えば親子夫婦が集まって家をなし、家が集まって部落をなし、部落が集まって大きな団体を組織しているはずです。これは人類が頼りあい、扶けあって、その生存を全うしようとする自然の要求から出たものであって、国家はこうした団体の最も発達したものなのです。したがって、国家を離れて我々個人の生活が完全なものではありえません。この意味において、国家観念は大いに必要であると思うのです。

国家観念を帝国主義や軍国主義と混同する者も少なくないようでありますが、これは大なる誤りであり、また、国家観念を世界主義と相反するように解釈する人も少なくないようですが、これもまた誤りなのです。世界主義は人類の共存共栄の大きな目標に向かって進むものです。そして、正しい国家観念というものは個人の自由を尊重するものでなければなりません。なんとなれば個人の自由をはばむことは、国家の退化滅亡を招くものだからです。ですから、正しい意味の国家観念と世界主義とはなんら牴触するところがないのです。換言すれば、世界人類を愛することは国家を愛することとなります。これでこそ真の幸福と進歩発展の希望をもつことができるのです。そうであるのに、日本国民は利己主義に囚われて国家観念に欠けているようです。いかに立派な素質を有する人でも、国家観念に欠けるところがあっては立派な人物ということができません。日本国民たる者はこの点に深く留意し、正しい意味における新人としての修養を怠ってはなりません。

【原文】

私は常に大局に目を注げと云ふ事を云つてゐる。それは單り青年にのみ限つた譯ではないが、國民一般が餘りに利己主義に走り過ぎて居るからである。利己主義が甚だしい結果、國家觀念が頗る稀薄になつて居るが、此れは誠に歎かはしい事である。私は常に世界主義を稱へて居るものであるが、國境が完全に撤廢され、且つ眞に人類差別撤廢が實施された曉はいざ知らず、少くも現在及び近き將來に於いては、國家觀念が缺如して國家の自滅を來たすより外はない。學問的の事はよく知らぬが、判り易く云へば親子夫婦が集つて家をなし、家が集つて部落をなし、部落が集つて大なる團體を組織してゐる。此れは人類が相依り、相扶けて、其の生存を全うせんとする自然の要求から出たものであつて、國家は卽ち此の團體の最も發達したものである。從つて國家を離れて我々個人の生活は其の完全を期し得ない。此の意味に於いて、國家觀念は大に必要であると思ふ。

國家觀念を帝國主義や軍國主義と混同する者も少くないやうであるが、之れは大なる誤りであり又國家觀念を世界主義と相反するが如く解釋する人も少くない樣であるが、之れも又誤りである。世界主義は人類の共存共榮の大きな目標に向つて進むものである。而して正しい國家觀念と云ふは個人の自由を尊重するものであらねばならぬ。何となれば個人の自由をはゞむことは、國家の退化滅亡を招くものである。されば正しい意味の國家觀念と世界主義とは何等牴觸するところがない。換言すれば世界人類を愛することは、國家を愛することゝなる。此れでこそ眞の幸福と進歩發展とを期することが出來るのである。然るに日本國民は利己主義に囚はれて國家觀念に缺けて居る。如何に立派な素質を有する人でも、國家觀念に缺くる處があつては立派な人物と云ふ事が出來ない。日本國民たるものは此點に深く留意し、正しい意味に於ける新人としての修養を怠つてはならぬ。

道徳の根幹と消化力の涵養

論語の全巻を通じてその根柢をなしているものは「仁」です。この仁が孔子の実践道徳の根本なのですが、そのため非常に広い意味に用いられています。孝悌忠信のようなことも、やはり孔子の説くところですが、現代の新しい教育を受けた人々の中には、時代遅れの思想であるかのように言う人も少なくありません。しかし、これは決して時代後れの教訓ではなく、特に思想界混沌たる今日において、青年には最も必要な実践道徳です。口では旧道徳とけなしていても、他人が孝悌忠信の行ないをした際には必ずこれを賞賛するにちがいありません。口に出してほめないまでも、心の中では感心な人だと思うにちがいないでしょう。

思想は時代とともに動きますが、人間の踏むべき道すなわち人道は、思想のごとく変化するものではありません。多少その解釈について異ってきたとしても、根本においては決して動かないものであります。いかに個人主義が発達しても、孝を尽すことが悪いという者はあるまいと思います。また、臣下として君に尽す忠義の道も、形式は多少異ってきましたが、その精神においては少しも異ってはいません。したがって、さまざまな思想が流入している今日、特にこの教えをもって道徳の中心とし、これにはずれるような行いは大いに慎まなければなりません。

思想は進歩します。ですから、さまざまな西洋思想を受け入れることは非常にけっこうなことです。しかし、これを咀嚼し消化して完全に日本化しなければ、かえって害毒を流す恐れがあります。

現代の青年は、外来思想と言えばすべて進歩したもののように考えて、そのままこれを受け入れて、天晴《あっぱれ》、新人ぶる傾向がありますが、これはとても危険なことです。かつて支那思想が日本に輸入され、一時その弊害がはなはだしい時代がありましたが、その後、完全に日本化するに到りました。西洋思想もまたそのように日本化せねばなりません。青年はぜひとも孝悌忠信を道徳の根幹として、泰西思想の消化に努めなくてはならないのです。これが青年の責任であり、義務でなくて何でありましょう。

【原文】

論語の全巻を通じて其の根柢をなして居るものは仁である。此の仁が孔子の實踐道徳の根本であるが、從つて之れは非常に廣い意味に用ゐられてゐる。孝悌忠信の如きも、やはり孔子の說く處であるが、現代の新しい教育を受けた人々は、時代後れの思想であるかの如く稱してゐる人も少くない。併し之れは決して時代後れの教訓ではなく、特に思想界混沌たる今日に於いて、青年には最も必要な實踐道徳である。口では舊道徳とけなしてゐても、他人が孝悌忠信の行をした際には必ず之れを賞するに相違ない、口に出してほめないまでも、心の中では感心な人だと思ふに違ひあるまい。

思想は時代と共に動くが、人間の踏むべき道卽ち人道は、思想の如く變化するものではない、多少其の解釋に就いて異つて來るが、根本に於いては決して動かぬものである。如何に個人主義が發達しても、孝を盡すことが惡いと云ふ者はあるまい。又臣下として君に盡す忠義の道も、形式は多少異つて來たが、其の精神に於いては少しも異つてはゐない。從つて種々な思想の流入してゐる今日、特に此の教をもつて道徳の中心とし、之れにはづれる樣な行は大いに愼まなければならぬ。

思想は進歩する、されば種々な西洋思想を受け入れることは非常に結構なことである。併し之れを咀嚼し消化して完全に日本化しなければ、却つて害毒を流す恐れがある。

現代の青年は、外來思想と云へば凡て進歩した物の如く考へて、其儘之れを受け入れて天晴新人振る傾向あるが、之れは頗る危険な事である。嘗て支那思想が日本に輸入され、一時其の弊害甚だしい時代があつたが其後完全に日本化するに到つた。西洋思想も亦斯くの如く日本化せねばならぬ。青年は宜しく孝悌忠信を道徳の根幹となして、是れ等泰西思想の消化に努めなくてはならぬ。之れ青年の責任であり、義務でなくて何であらう。

世界主義に立脚して産業の発達を期せ

国家的事業不振と事業合同

我が国はかつては孤立の日本でありました。それが東洋の日本となり、今日は世界の日本となったのです。だから、国民は単に日本の日本人ではなく、世界の日本人たることを覚らなければなりません。そして、すべての日本国民は、この世界の一員であるという観念を根本として世に処すようでなければならないのです。いまさら言うまでもなく、今日の我が国は鎖国時代の日本と異なり、すべてが対外的になっています。したがって、日本の事業はすべてが世界的になりつつあるのです。昔は日本の経済界は対内的であって、ほとんど外国の影響を受けることがなかったのですが、現在においては一波一動すべて世界経済の影響を被らないところはないのです。

たとえば大正九年以降の我が国の不景気も、すべて戦後欧米における不景気の影響によるもので、欧米の経済界が恢復《かいふく》しない限り、我が国もまたその余波を受けて不景気となることを免れられないのです。すべてがこのように世界的となっているのですから、日本としては是非とも国家としての大方針を樹立し、国民はこの大方針によって動くようにしなければなりません。それではこの大方針の根本とすべきは何であるかと言うと、「有無相通《うむあいつう》ずる」ということでなくてはなりません。共存共栄の目的をもって世界人類が相互に意志疎通を計り、「有無相通ずる」ように努めれば、人類の幸福は言うまでもなく、各国間の国交もまた円満となることができるでしょう。

翻《ひるがえ》って我が国における実業界の状態を見ると、欧洲戦前にくらべるとほとんど隔世の感があるほど急速な進歩発達を遂げてはいますが、なお遺憾の点が少なくありません。その一つは、国家的事業が比較的振わないことです。いずれの国家にしても国家として是非とも必要な事業があるものです。国家の存立上、損失犠牲を忍んでも経営しなければならない性質のものもあるのです。一例を挙げれば、製鉄事業のような、石油事業のような、国家の存立上欠くべからざる必需品の生産事業ですが、これらの事業に対しては特別の努力を払わなければならないと信じます。そして、国家としてこれらの事業に対して、でき得る限りの保護を与え、便宜をはかるべきことは当然ですが、大富豪や大実業家たる者は、自ら進んでそのような国家的事業の経営に当たる責務があるものと思います。

次に、現在のように同種の小事業がいたずらに激甚な競争を繰り返していては、お互いにとても不利になるばかりでなく、品種の統一、規則の制一を欠き、国家的見地からしても貿易上とても大きな支障を来すことが避けられません。よって、同種事業の大合同を実現し、堅実な基礎の上に立って世界的発展ができるようにしなければなりません。そうであるならば、同業者が事業合同の必要を覚ってその促進に努めるようにすべく、政府においても積極的にこれを慫慂《しょうよう》する（誘導し勧める）政策をとるべきだと信じます。近年、事業合同についてはようやく見るべきものがあるように思われます。たとえば紡績会社や肥料会社、銀行、船舶会社など、いずれも合同が実現しています。しかし、未だ局所的なところにとどまり、理想の域に達するまでは前途遼遠です。銀行にしても、紡績会社にしてももっともっと整理合同する余地があり、船舶の大合同なども国家的見地からして最も必要とするところです。

要するに、合同の必要なことは国民一般が認めるところですが、その実現に悩むのは、すべて一会社ないし一個人の利益に囚われすぎていることの結果にほかなりません。国家的観念によって、どんな場合においても自分の利益ということに固執せず、虚心坦懐の態度をもって協議すれば、整理合同は円満に進むであろうと思います。

【原文】

我國は曾ては孤立の日本であつた。それが東洋の日本となり、今日は世界の日本となつた。されば國民は單に日本の日本人に非ずして、世界の日本人たる事を覺らなければならぬ。而して凡ての日本國民は、此の世界の一員であるといふ觀念を根本として世に處する處あらねばならぬ。事新らしく言ふまでもなく、今日の我國は鎖國時代の日本と異なり、凡てが對外的である、從つて日本の事業は總てが世界的になりつゝあるのである。昔は日本の經濟界は對內的であつて、殆んど外國の影響を受ける事がなかつたが、現在に於いては一波一動悉く世界經濟の影響を被むらざるはない。

例へば大正九年以降の我國の不景氣も、凡て戰後歐米に於ける不景氣の影響によるもので、歐米の經濟界が恢復しない限り、我國も亦其の餘波を受けて不景氣たるを免れ得ないのである。總てが斯く世界的となつてゐるのであるから、日本としては是非共國家としての大方針を樹立し、國民は此の大方針によつて動く樣にしなければならぬ。而して此の大方針の根本とすべきは何であるかといふに、有無相通ずるの點にあらねばならぬ。共存共榮の目的を以て世界人類が相互に意志の疎通を計り、有無相通ずるの途を拓くに努めたならば、人類の幸福は言ふまでもなく、各國間の國交も亦圓滿なるを得るであらう。

飜つて我國に於ける實業界の狀態を見るに、歐洲戰前に比すれば殆んど隔世の感あるほど急速なる進步發達を遂げては居るが、猶ほ遺憾の點が尠くない。其の一つは國家的事業の比較的振はざる事である。何れの國家にしても國家として是非共必要な事業があるものである。國家の存立上、損失犧牲を忍んでも經營しなければならぬ性質のものもある。一例を擧ると製鐵事業の如き、石油事業の如き、國家の存立上缺くべからざる必需品の生產事業であるから、是等の事業に對しては、特別の努力を拂はなければならぬと信ずる。而して國家として是等の事業に對して、出來得る限りの保護と便利とを與ふべきは當然であるが、大富豪及び大實業家たるものは、自ら進んで斯くの如き國家的事業の經營に當るの責務を有するものと思ふ。

次ぎに現在の如く同種の小事業が徒らに激甚なる競爭を繰り返へしてゐては、お互ひに甚だ不利である計りでなく、品種の統一、規則の制一を缺き、國家的見地からするも、貿易上至大の支障を來すを免れざるを以て、同種事業の大合同をなし、堅實なる基礎の上に立ちて、世界的發展を期する樣にしなければならぬ。されば同業者は事業合同の必要を覺り、是れが促進に努むる樣にすべく政府に於いても積極的に之れを慫慂するの政策に出づ可きであると信ずる。近年事業合同に就いては、稍〻見るべきものが有るやうに考へられる。例へば紡績會社の如き、肥料會社の如き、銀行の如き、船舶會社の如き、何れも合同の實を示して居るが、併し未だ一小局部に止まり、理想の域に達する事は前途遼遠である。銀行にしても、紡績會社にしても、もつと〳〵整理合同するの餘地があり、船舶の大合同の如きも、國家的見地よりして最も必要とする處である。

要するに合同の必要なる事は國民一般の認むる處であるが、其の實現に行き悩むのは、凡て一會社乃至一個人の利益に囚はれ過ぎる結果に外ならない。國家的観念を以て、何時の場合に於いても自分の利益といふ事を固執せず、虚心坦懐の態度を以て協議したならば、整理合同は圓滿に進むであらう。

模倣より独創に邁進せよ

さらに技術に関する方面を見るに、すべてが模倣の域を脱しない状態になっています。学問的にも実際的にも、欧米にくらべてたいへん遅れています。特に物理化学方面においては独創がありません。ですが、果たして日本人の頭脳が欧米人にくらべて劣っているかというに、決して劣ってはいません。体力こそ多少劣っていますけれども、頭脳においても、技術そのものにおいても、欧米人に比して少しも劣っていないのです。そうであるにもかかわらずこの方面において遅れているのは、研究機関が十分でないことと、研究者の待遇がよろしくないことが、重大なる原因であると思います。もし設備を完全にし、かつ研究者が後顧の憂なく研究に専心できるようにすれば、恐らくは欧米のそれに遜色ないところまで到るだろうと信じます。

もっとも、我が国においても理化学研究所があり、各大学および陸海軍においても専門的研究が行われておりますけれども、欧米のそれに比べると、その規模は小さく貧弱で、とうてい比較にならぬほどです。加えて、これらの研究機関が統一に欠けているため、いわゆる無駄が少なくありません。欧米においては、この方面に対しては費用を惜しまず、ドシドシ経費を支出して完全な設備をつくり、各研究者が後顧の憂なく充分研究に没頭できるような待遇を与えています。ことにアメリカにおいては、富豪がこうした研究に多額の費用を醵出《きょしゅつ》することを少しも惜しまないのです。それでいながら、彼らは決して名を欲するのでもなければ利を求めることもなく、単に富豪としての当然の責務であると考えているだけなのです。「いまの自分があるのは世間のおかげである。だから世間に対して自分の力でできるだけのことを尽すのが当然である」という考えをもっています。だから社会、人類の利益となるような有用な研究に対してドシドシと醵金するのです。こうした美点には大いに学ぶべきではないでしょうか。贅言するまでもなく、今後、世界の大舞台に立って活動しようとするためには、何ごとも模倣であってはなりません。どうしても独創的なものでなければならないのです。この点に関しては、政府当局も大富豪も大いに反省しなくてはならないと思います。

要するに、今日の日本の立場としては、産業の発達を目指すことが最大の急務なのです。

それには、新規な方法、新規な機関を発明考案して生産費を少なくさせ、価格が低廉で品質が優良な品物を製出するようにしなければなりません。刻下の日本において、これ以上の急務はないのです。国民は一致してこれが達成されることを目指すべきなのです。そして、最も心すべきは、いついかなる場合においても、一個人一会社ないし一国を本位とせずに、人類を土台とし、世界を本位とするようにしなければならないということです。

商工業上の競争を目して、人々は俗に平和の戦争と言いますが、商工業は断じて戦いではありません。世界人類共同の利益のために貢献しようとするのが本旨であるべきはずです。有無相通ずるの原理に基いて、各国がその国土気候に応じて生産を行い互いに需給するようにすれば、忌わしい感情の阻隔や闘争が起こり得るはずがありません。国際関係は常に円満であり、しかも各国とも産業が盛んになり、大いに人類の幸福を増進させられるようになるだろうと信じているのです。

【原文】

更に技術上に關する方面を見るに、總てが模倣の域を脱しない狀態である。學問的にも實際的にも、歐米に比して甚だしく遲れてゐる。特に物理化學方面に於いて獨創がない。然らば日本人の頭腦は果して歐米人に比して劣つてゐるかといふに、決して劣つては居らぬ。體力こそ多少劣つて居るけれども、頭腦に於いても、技術そのものに於いても、歐米人に比して少しも劣つてゐない。然るにも拘らず、此の方面に於いて遲れて居るのは、研究機關が十分でない事と、研究者の待遇が宜しくないことが、重大なる原因であると思ふ。若し設備を完全にし、且つ研究者をして後顧の憂なく研究に専心するを得せしめたならば、恐らくは歐米のそれに遜色なきに到るであらうと信ずる。

尤も我國に於いても理化學研究所があり、各大學及び陸海軍に於いても専門的研究が行はれて居るけれども、歐米のそれに比すれば、其の規模の小にして貧弱なる、到底比較にならぬ程である。加ふるに是等の研究機關の統一が缺けて居るから、所謂無駄が尠くない。歐米に於いては、此の方面に對しては費用を惜まず、ドシ〳〵經費を支出して完全なる設備をなし、各研究者をして後顧の憂なく、充分研究に沒頭し得る樣に待遇してゐる。殊にアメリカに於いては、富豪が斯かる研究に多額の費用を醵出するを少しも惜まなく、而して彼等は決して名を欲するのでもなければ利を求めんとする爲めでもない。單に富豪としての當然の責務であると考へてゐるのみである。『自分の今日あるは世間のお蔭である。されば世間に對して自分の力で出來るだけのことを盡すのが當然である』といふ考へを持つてゐる。だから社會人類を益する樣な有用の研究に向つては、ドシ〳〵と醵金するのである。斯かる美點などは大に學ぶ可きではあるまいか。贅言するまでもなく、今後世界の大舞台に立つて活動せんとするには、何事も模倣であつてはならぬ。どうしても獨創的のものでなければならぬ。此點に關しては政府當局も、大富豪も大に反省するところあらねばならぬと思ふ。

要するに今日の日本の立場としては、産業の發達を期することが最も急務である。それには新規な方法、新規な機關を發明考案して生産費を少なからしめ、價格が低廉で品質の優良な品物を製出する樣にしなければならぬ。刻下の日本に於いて之れより急務なるはない、國民は一致して之れが達成を期すべきである。而して最も心すべきは、何時如何なる場合に於いても、一個人一會社乃至一國を本位とせずに、人類を土台とし、世界を本位とする樣にしなければならぬ。

商工業上の競爭を目して世人は俗に平和の戰爭といふが、商工業は斷じて戰ひではない、世界人類共同の利益の爲めに貢獻せんとするのが本旨であるべき筈である。有無相通ずるの原理に基いて各國が其の國土氣候に應じて生產をなし、之れを互ひに需給する樣にしたならば、其の間に忌はしい感情の阻隔や鬬爭の起るべき筈がない。國際關係は常に圓滿であり、而も各國とも産業が盛んになり大に人類の幸福を增進するに至るであらうと信ずるものである。

国産の振興と其《そ》の根本策

国情を深省せよ

国産品を愛用し、国産品の産額を増すようにすべきだと考えます。上下貴賤を問わず、男女老幼の別なく、国民を挙げてこれに努めるべきなのです。いつの時代でも必要でありますが、今日は特にこれが必要であると信じます。申すまでもなく、我が国は天然の資源に乏しく、土地は極めて狭く、しかも、これに反して人口の割合が多く、その増加率の多いことも世界各国に比して著しいものがあり、今においてこの対策を考えることは実に刻下の急務であると思います。ただ、現在の状態で言えば、我が国の農業だけは、決して欧米のそれに劣っていないと断言することができます。それはどういうことであるかと言えば、いわゆる、集約的農法でありますから、あたかも痒いところへ手が届くように、緻密に耕作が施されているという点です。しかし、それは単に手が届いている点において勝《すぐ》れているのであって、その働きの割合に伴って能率が挙がっていると言うことはできません。では、その原因はなんであるかと言えば、それは機械および人力の応用的方面が、欧米のそれに比べて著しく劣っていることです。

御承知のごとく欧米においては多く大農法が行われ、我が国は集約農法で小仕掛にやっています。そこで一部の人々の間には、我が国の農業上の能率を挙げるためには、すべからく大農法を採用すべしと唱える論者もあります。ちょっと聞くといかにも一理あるように聞こえますし、また欧米諸国に現に行われているのであるから、何人も異論のないことのようでありますが、しかし、それはいわゆる翻訳的、半可通の議論であって、よく考えると、我が国の国状に照らし、我が国の農業の実状に鑑み、深くその真相を弁《わきま》えない議論であることが判るのです。

【原文】

國產品を愛用し、國產品の產額を增すやうに。上下貴賤を問はず、男女老幼の別なく、國民を擧げて之れに努むべきは、何時の時代でも必要であるが、今日は特に必要であると信ずる。申すまでもなく、我國は天然の資源に乏しく、土地は極めて狹く、而も之れに反して人口の割合が多く、其の增加率の多いことも世界各國に比して著しいものがあり、今に於いて之れが對策を考へることは實に刻下の急務である。たゞ、現在の狀態で云へば、我國の農業だけは、決して歐米のそれに劣つてゐない事を斷言することが出來る。それは怎ういふ事であるかと云へば、所謂、集約的農法であるから、恰かも搔いところへ手が屆くやうに、緻密に耕作が施されてゐるといふ點である。併しそれは單に手が屆いてゐる點に於いて勝れて居るのであつて、其の働きの割合に伴うて能率が擧つてゐるといふ事は出來ない。而して其の原因は何であるかと云へば、それは機械及び人力の應用的方面が、歐米のそれに比べて著しく劣つてゐる事である。

御承知の如く歐米に於いては多く大農法が行はれ、我國は集約農法で小仕掛にやつてゐる。そこで一部の人々の間には、我國の農業上の能率を擧げる爲めには、須く大農法を採用すべしと唱ふる論者もある。ちよつと聞くと如何にも一理ある樣に聞かれ、又歐米諸國に現に行はるゝところであるから、何人も異論のない事の樣であるが、併しそれは所謂飜譯的、半可通の議論であつて、能く考へると、我國の國狀に照らし、我國の農業の實狀に鑑み、深く其の眞相を辨へざる議論であることが判るのである。

養蚕上の著しい進歩

この国情に照らして深思研究するという態度はただ精神科学であるだけでなく、特に形而下の学問技術においては、その当否を適確に証明することができるのですから、国産振興に対する理化学的研究の必要は、極めて重大なる位置と使命とを有することを知らなければなりません。

我が国における理化学研究所は、実にこの目的と使命とを帯びて生まれたものでありまして、朝野の識者賛成のもとに創始を見るに到ったものですが、漸次業績を挙げつつあるのは誠に喜ばしい次第であります。同研究所設立以来の成績を見ると、社会人類に裨益《ひえき》するところ少なくありませんが、その一例を挙げれば、最近の研究の中にすこぶる有益な一つの発見をなしました。それは、初冬蚕に成功したことです。昔は養蚕と言えば春蚕に限られていたものですが、この春蚕に限られていた養蚕が、次いで夏蚕の飼育に成功し、さらに進んで秋蚕の飼育を発見し、今ここに初冬蚕に成功するに到ったことは、みなこれ学問研究の賜物なのです。詳しく言えば秋蚕の中にも、初秋蚕と中秋蚕と晩秋蚕とがあり、ここに初冬蚕を加えると、その飼育ならびに生産上の能率は、驚くべき展開と言うことができます。今日、我が国の輸出貿易のおおむねのところでは、養蚕に伴う生糸、繭、絹織物の総額は七、八億円に上り、全貿易額の四割を占めていますが、これは一に研究努力の賜物であって、このことを見てもいかに国産の振興と学問研究ならびに国民の努力が大切であるかが判ろうかと思います。

【原文】

此の國情に照らして深思研究するといふ態度は獨り精神科學だけではなく、特に形而上の學問技術に於いては、其の當否を適確に證明することが出來るのであるから、國產振興に對する理化學的研究の必要は、極めて重大なる位置と使命とを有することを知らなければならない。

我國に於ける理化學研究所は、實に此の目的と使命とを帶びて生れたものであつて、朝野の識者贊成のもとに創始を見るに到つたものであるが、漸次業績を擧げつゝあるのは誠に喜ばしい次第である。同研究所設立以來の成績を見るに、社會人類に裨益するところ尠くないが、其の一例を擧ぐれば、最近の研究の中に頗る有益なる一つの發見をなした。それは實に初冬蠶に成功したことである。昔は養蠶といへば春蠶に限られてゐたものであるが、此の春蠶に限られてゐた養蠶が、次いで夏蠶の飼育に成功し、更に進んで秋蠶の飼育を発見し、今茲に初冬蠶に成功するに到つたことは、皆これ學問研究の賜物なのである。詳しく云へば秋蠶の中にも、初秋蠶と中秋蠶と晩秋蠶とがあり茲に初冬蠶を加へると、其の飼育並びに生產上の能率は、驚くべき展開といふ事が出來る。今日我國の輸出貿易の大宗として、養蠶に伴ふ生糸、繭、絹織物の總額が七八億圓に上り、全貿易額の四割を占めて居るが、之れは一に研究努力の賜物であつて、此の一事を以て見るも如何に國產の振興と學問研究並びに國民の努力が大切であるかゞ判らうと思ふ。

能率増進と着眼点

想うに我が国の農業は過去より現在に、さらに将来に向かって集約的に徹底しています。では、すでに限りある土地を緻密周到に耕しているからもはや改善の余地がないかと言うと、決してそうではありません。現在の農業をいたずらに高尚にせよと言うのではありませんが、さらに文化を加え、いっそうの学理を加えることは極めて必要であります。すなわち農具について見ても、昔からの手鍬、柄鍬などだけが農具ではありません。さらに能率を高められるように農具を工夫することも、確かに一つの大切な事柄だろうと思います。あるいは地質を改良するために簡易な方法を考え出すような、あるいは電気を農業に応用する道を進むような、その他、さまざまな点において改善を加えることのできる余地は、今後もまだ多く残されているように感じるのです。
電気の応用に関して想い出されることは、私どもが幕末時代に洋行してスイスに行ったときに、はじめて電灯の応用を見たことです。それからパリにいた時に、あるホテルの前に二つの電灯がついて輝いていると言うのでパリ中の評判となり、毎晩群をなして見物に出かけるという有り様でありました。我が国にはじめて電灯が輸入されたのは、たしか明治十六年頃と記憶しますが、爾来《じらい》、四十年にして全国津々浦々に到るまで電灯を見ないところはなく、さらにそれが陸に水に船車を動かし、各方面に動力を供給し、あるいは電信電話となり、無線電信ラジオとなり、ここに電気の世界を出現して、その応用の範囲は前途なお測りしれないものがあります。

【原文】

想ふに我國の農業は過去より現在に、はた將來に向つて集約的に徹底してゐる。而して既に限りある土地を緻密周到に耕して居るから、最早改善の餘地がないかといふに決してさうではない。現在の農業を徒らに高尚にせよといふのではないが、更に文化を加へ、一層の學理を加へることは極めて必要である。即ち農具に就いて見ても、昔からの手鍬、柄鍬などだけが農具ではない。更に能率を高め得るところの農具を工夫するも、確かに一つの大切な事柄であらうと思ふ。或は地質を改良する爲めに簡易な方法を考へ出すが如き、或は電氣を農業に應用する道を進むるが如き、其他種々の點に於いて改善を加ふるの餘地は、前途なほ餘裕の綽々たるものあることを感ずるのである。

電氣の應用に關して想ひ出さるゝ事は、私共が幕末時代に洋行して瑞西に行つたときに、初めて電燈の應用を見たのであるが、それからパリーに居つた時に、或るホテルの前に二つの電燈がついて輝いてゐるといふので、パリー中の評判となり、毎晩群をなして見物に出かけるといふ有様であつた。我國に始めて電燈が輸入されたのは、確か明治十六年頃と記憶するが、爾來四十年にして全國津々浦々に到るまで電燈を見ざるはなく、更にそれが陸に水に船車を動かし、各方面に動力を供給し、或は電信電話となり、無線電信ラヂオとなり、玆に電氣の世界を出現して其の應用の範圍は前途なほ測り知るべからざるものがある。

根本的振興策

翻って我が国の現状を見ると、このもっとも重要な学理的研究において、なお努力の足りないところがあり、応用工夫の実際に到ってはさらに遺憾の点が多い。国民の教育は年とともに進み、農学校の数は殖《ふ》え、生徒の数は増していくけれども、これらの教育がこの時勢の要求にしっかり応じられるようになっているかとなると、すこぶる疑問であります。いや、大いに考究すべき点が多々あることと思うのです。

以上は主として農業に関して、一、二の例を挙げて所見を述べたのですが、工業の方面においてもまたこれと同様であると思います。もとより我が国の資源は乏しく、原料の国産もはなはだ心細いのですが、これをもって前途を悲観する必要はありません。要するに今後はさらに学問の力により、国民の努力によって開発し、発見し、増加する方法は、決して少なくないことを確信すると同時に、一般国民がこの根本に触れて大いに精進することが、最も肝要であると思います。

【原文】

翻つて我國の現状を見るに、此の最も重要なる學理的研究に於いて、尙ほ努力の足らざるものがあり、應用工夫の實際に到つては更に遺憾の點が多い。國民の教育は年と共に進み、農學校の數は殖え、生徒の數は增して行くけれども、是等の教育がよく此の時勢の要求に應ずる樣に出來てゐるかは、頗る疑問である。否、大に考究すべき點が多々あることゝ思ふのである。

以上は主として農業に關して、一二の例を擧げて所見を述べたのであるが、工業の方面に於いても亦之れと同樣であると思ふのである。素より我國の資源は乏しく、原料の國產も甚だ心細いのであるが、之れを以て前途を悲觀する必要はない。要するに今後は更に學問の力により、國民の努力によつて開發し、發見し、增加する方法は、決して尠くない事を確信すると同時に、一般國民が此の根本に觸れて大に精進することが、最も肝要であると思ふ。

政治経済と道徳観念

物質文明偏重を排す

世界の大勢は刻々に進歩しつつあります。世界の日本である以上、日本もまたこの趨勢に順応して進歩するのは当然です。しかしながら、現今の状態を見ると、あまりに泰西の物質文明を輸入するに急にして、精神方面を閑却している傾きがあります。その結果一般の気風が実利一点張りに走りすぎ、権利のみを主張して義務の方面を放擲し、すべて利己心にのみ走る傾向が顕著であります。これは大いに遺憾とする風潮であると思います。権利と義務とは併行すべきものであります。そして、真実の意義から言えば、義務が先で権利が後であるべきはずであります。換言すれば義務を完全に果す時には、期せずして権利は伴うべきものであるのです。

要するに経済上においても、政治上においても、道徳ということははなはだしく閑却されて、ほとんど顧みられないに近い状態にあるということです。このような状態では、とうてい我が国の健全なる発達を期することはむずかしいことと思います。利用厚生ということはいつの時代にも必要であって、もし現代の風潮のごとく、いたずらに自己の権利のみを主張して義務を顧みなかったならば、ただに共存共栄の社会人としての原則に背くばかりでなく、ついには国家をして衰頽《すいたい》の悲運に導くに到るのではないかと惧《おそ》れるものであります。この点について特に国民の勘考《かんこう》を煩《わずら》わしたいと思います。

【原文】

世界の大勢は刻々に進歩しつゝある、世界の日本である以上、日本も亦此の趨勢に順應して進歩するのは當然である。併しながら現今の狀態を見るに、餘りに泰西の物質文明を輸入するに急にして、精神方面を閑却してゐる傾きがある。其の結果一般の氣風が實利一點張りに走り過ぎ、權利のみを主張して義務の方面を放擲し、總て利己心にのみ走る傾向が顯著である、之れは大に遺憾とする風潮であると思ふ。權利と義務とは併行すべきものである。而して眞實の意義から言へば、義務が先で權利が後であるべき筈である。換言すれば義務を完全に果す時は、期せずして權利は伴ふべきものである。

要するに經濟上に於いても、政治上に於いても、道德と云ふことは甚だしく閑却されて、殆んど顧られないに近い狀態である。此樣な狀態では、到底我國の健全なる發達を期する事は六ケ敷い事と思ふ。利用厚生と云ふ事は何時の時代にも必要であつて、若し現代の風潮の如く、徒らに自己の權利のみを主張して義務を顧みなかつたならば、啻に共存共榮の社會人としての原則に背くばかりでなく、遂には國家をして衰頽の悲運に導くに到るなきやを惧るゝものである。此點に就いて特に國民の勘考を煩はし度いと思ふ。

精神的方面の涵養に勗《つと》めよ

元来、経済というものは、単に利害関係のみによって判断することは大いなる誤りであります。必ず正しい道理によって判断するようにならなければならぬと思います。つまり富というものは、富の所有者その人だけの富が真の価値があるのではなくて、世の中の大きな利益が、本当に価値のあるということを、一般国民が考えるようにならなければいけないと思います。また、かりに自分自身の独力で財産が出来たところで、それは真の富とは言えないばかりでなく、事実においても独りの力で貨殖するということはできるものではありません。どうしても社会一般の人の進歩を図り、社会一般の事業が進んでくるということになって、はじめて真の富というものが生じるのです。論語に「己立たんと欲して人を立たせ、己達せんと欲して人を達す」という章句がありますが、これはただに個人としてばかりでなく、経済界にも適用しなくてはならない尊い教訓であると思います。

さらに政治という方面について見ても同様であって、昔は政治は力であるとか、政治は術数であるとか称したものでありますが、これまた誤りであって政治の根本は道徳でなければならぬと信じます。この根本の道徳を忘れると、ついには国政が紊《みだ》れて、国家的危機に遭遇するか、あるいは衰頽に陥るか、そのどちらかを免れることができないと思います。露骨な言い方かもしれませんが、今日の政治家の大部分は政治は道徳であるということは忘却しているかに見られます。そのような有り様では、日本は将来どうなるかと言いたくなるのです。老人の杞憂に過ぎなければ幸いでありますが、はなはだ懸念に堪えません。
このように、政治に対しても、経済に対しても、道徳ということは最も必要なことです。新興日本の国民たるものは、よろしくこの点を自覚して、欧米の物質文明を輸入する一面において、精神的方面を涵養することに努めなければなりません。

【原文】

元來經濟と云ふものは、單に利害關係にのみ依つて判斷する事は大なる誤りである、必ず正しい道理に依つて判斷する樣にならなければならぬと思ふ。つまり富といふものは、富の所有者其人だけの富が眞の價値があるのでは無くて、世の中の大きな利益が、本當に價値のあるといふ事を、一般國民が考へる樣にならなければいけないと思ふ。又假りに自分自身の獨力で財産が出來たところで、それは眞の富と云ふ事が出來ない計りでなく、事實に於いて獨りの力で貨殖すると云ふことは出來るものではない。どうしても社會一般の人の進歩を圖り、社會一般の事業が進んで來ると云ふ事になつて、初めて眞の富といふものが生ずるものである。論語に『己れ立たんと欲して人を立たせ、己れ達せんと欲して人を達す。』といふ章句があるが、之れは啻に個人としてばかりでなく、經濟界にも適用しなくてはならぬ尊い教訓であると思ふ。
更に政治と云ふ方面に就いて見るも同樣であつて、昔は政治は力であるとか、政治は術數であるとか稱したものであるが、是亦誤りであつて政治の根本は道徳でなければならぬと信ずる。此の根本の道徳を忘れると、遂ひには國政が紊れて、國家的危機に遭遇するか、或は衰頽に陥るか、二者其の一を免れる事が出來ないと思ふ。露骨な申分であるかも知れぬが、今日の政治家の大部分は政治は道德であると云ふ事は忘却して居るかに見られる。斯くの如き有様では、日本は將來どうなるかと言ひたくなる。老人の杞憂に過ぎなければ幸ひであるが、甚だ懸念に堪へない。斯くの如く、政治に對しても、經濟に對しても道德といふ事は最も必要な事である。新興日本の國民たるものは、宜しく此點を自覺して、歐米の物質文明を輸入する一面に於いて、精神的方面を涵養することに勗めなければならぬ。

経済と道徳の合一を信念とせよ

その国の経済事情が本当に発達し諸産業が隆盛となれば、これに従事する人は相応の働きに対して相応な地位を得られ、それから生ずる富を受け得られるものです。個人が富むということはその結果であって、この道理をよく覚《さと》らなければなりません。たとえばカーネギーのような人は、その家業は機織《はたおり》でありましたが、父の代になってから世の中の進歩に伴いほとんど家業が立ち行かなくなったので、家を畳んでアメリカへ渡ったのでありますが、それはカーネギーがわずか十四歳の時でありました。カーネギーはその後、勤勉努力して世界的大富豪となったのです。ところが大富豪となってから、その富をどういう風に用いたら最も有効であるかと考えた結果、これを経済界に散じ、世界の経済界の発展を図るのが、自分の富を積んだ本旨に添うものであるという結論に到達しました。それでカーネギーは晩年になってから、世界の経済界の発展を図るには、平和ということが最も必要であるという見地から、平和殿を造ったり、各所にカーネギー・ホールを作ったり、あらゆる公共事業に富を散じて社会のために貢献しました。富を私せぬという崇高な精神がよく窺《うかが》われると思います。富を作る人にはおしなべてこのような精神をもって欲しいと思います。一代で富を造る人は確かに傑出した人物に相違ないでしょう。しかしその富はその人一代には価値もあり働きもありますが、その子、その孫になると働きが伴わないものです。そればかりでなく、富豪の子弟はややもすれば金銭の貴さを知らず、無駄な方面に浪費することがありがちです。孔子の教に「君子財多ければその徳を損じ、小人財多ければその過を増す」という章句がありますが、これはまったく至言であって、最も味わうべき教訓であると思うのです。

日本は開国以来わずか六十年にして、世界最強国の一つに数えられるに至りました。その進歩発達の急速なことは、世界人が等しく驚異の目をもって見るところであります。これは無理からぬことでありますが、それだけ日本の発達には無理があり、変則なところがあるのです。それは、泰西の物質文明を入れるに急にして、精神方面を閑却したことがそれです。しかし、これは過渡時代の現象としてやむを得ないと言えるでしょう。畢竟、戒心すべきは今後にあります。そうであれば、日本国民たるものは大いに目醒めて、政治と道徳および経済と道徳の合一ということを信念となし、将来健全なる発達を期するよう切望に堪えぬ次第です。

【原文】

其國の經濟事情が本當に發達し、諸產業が隆盛となれば、是れに從事する人は、相當な働きをして相當な地位を得、それから生ずる富を受け得らるゝのである。個人が富むといふ事は其の結果であつて、此の道理をよく覺らなければならぬ。例へばカーネギーの如きは、其の家業は機織であつたが、父の代になつてから世の中の進歩に伴ひ殆んど家業が立ち行かなくなつたので、家を疊んでアメリカへ渡つたのであるが、それはカーネギーが僅か十四才の時であつた。カーネギーは其後勤勉努力して世界的大富豪となつたのである。ところが大富豪となつてから、其の富をどういう風に用ゐたならば最も有効であるかと考へた結果、之れを經濟界に散じ、世界の經濟界の發展を圖るのが、自分の富を積んだ本旨に添ふものであるといふ結論に到達した。それでカーネギーは晩年になつてから、世界の經濟界の發展を圖るには、平和と云ふ事が最も必要であるといふ見地から、平和殿を造つたり、各所にカーネギー・ホールを作つたり、あらゆる公共事業に富を散じて社會の爲めに貢献した。富を私せぬといふ崇高な精神がよく窺はれる。富を作る人にはおしなべて斯くの如き精神を有つて欲しいと思ふ。一代で富を造る人は確かに傑出した人物に相違ない、併し其の富は其人一代には價値もあり働きもあるが、其子、其孫になると働きが伴はぬ。それればかりでなく、富豪の子弟は動もすれば金錢の貴さを知らず、無駄な方面に浪費する事が有り勝ちである。孔子の教に『君子財多ければ其徳を損じ、小人財多ければ其過を增す』といふ章句があるが、之れは全く至言であつて、最も味ふ可き教訓であると思ふ。

日本は開國以來僅か六十年にして、世界最強國の一に數へらるゝに到つた。其の進歩發達の急速なる事は、世界人の等しく驚異の目を以て見るところである。之れは無理からぬ事であるが、それだけ日本の發達には無理があり、變則なところがある。即ち泰西の物質文明を入るゝに急にして、精神方面を閑却したことがそれである。併し之れは過渡時代の現象として已むを得ないと言ひ得やう。畢竟、戒心すべきは今後にある。されば日本國民たるものは大に目醒めて、政治と道徳及び經濟と道德の合一といふ事を信念となし、將來健全なる發達を期するやう切望に堪へぬ次第である。

道徳と経済の合一説

一

明治維新以来、我が国における経済界が長足の進歩発達を遂げたことはよく知られるとおりで、これはまことに国家のため慶賀すべきことでありますが、忌憚なく言いますと、どうも知識の進歩というほうに趨りすぎてはいないかと思われます。したがって富というものが堅実でなく、すべての方面にうわすべりの進歩が多いように見受けられるのであります。とかく、この富を致すという経済と、私たちの主義である東洋式の精神的道徳論とは、ややもすれば一致を欠く嫌いがあるように思われます。すなわち、あまり道徳に傾くと富貴栄達を嫌うようになり、また功名富貴を論ずると道徳などはそっちのけになって、富さえ得ればよいという風になりがちで、いわゆる賢い人でも両者の均衡を得ないという弊に陥りやすいようです。これは昔からよくある実際問題でありますが、私はこの弊はどうしても除かなければならぬと信じています。かつてインドの詩聖タゴール氏が来朝した際、私は次のような意味の話をして、その意見を問うたことがあります。

すべての人類には教育を要します。教育によって知識を増さなければなりません。知識が進むと知識のためにどういう変化を惹き起すかというと、富を生みます。科学的な知識が進むから富も増加するのです。そして富が増すと同時に力が出てくるし、兵器などというものも富から生じてきます。そこまではよいのですが、さて、富が増し力が増した暁《あかつき》はどうなるかと言うと、今度は悪いほうに傾き、得手勝手《えてかって》なこと、わがままなことなどに趨って、そこに種々な弊害を生ずるようになります。かの欧洲大戦乱などもこれに原因するのですが、そのような弊害は国際上にも一家の上にもありがちなことです。それでは、富が進むとともにこの富に附帯して生ずる弊害を、どうして防ぐべきでしょうか？　この方法が十分に講究されなければ、とうてい国際関係は安定しませんし、国内においても同様であると思いますが、御意見はいかがですか？

これはあえてタゴールに問わなくてもいいことではありますが、タゴールはインド哲学の碩学であるとかねてより聞き及んでいましたので、来朝されたのを幸いに意見の交換をしたのです。するとタゴールは、

それは至極ごもっともなことである。あなたは実際の研究をされたからそういうことを言われるのであろうが、これは結局、富を得る人々が深く講究をして、その弊害を防ぐ

ようにしなければならぬと思う。また富を増した人はごく清い考えを以て、抑遜《よくそん》してやるようにするよりほかに仕方がなかろう。

と言って、いちいち例などを引き、詳しく意見を述べられたのでありましたが、だいたいにおいて「道徳と経済とは一致しなければならぬ」という私の持論と軌を一にするものでありました。それで、私は多年かくかくの説を主張しているものであると、私の主義を申し述べたところ、タゴールは私の説に賛成され、「まったく同感です。インドの人などはそういうことを言っても問題外ですが、本当の道理を考えたならばどうしてもそうでなければならぬでしょう」と答えられました。

【原文】

明治維新以來、我國に於ける經濟界が長足の進歩發達を遂げた事は世人の熟知する如くであつて之れは誠に國家の爲め慶賀すべき事であるが、忌憚なく申すとどうも知識の進歩といふ方に趨り過ぎて居りはせぬかと思はれる。從つて富といふものが堅實でなく、凡ての方面に上辷りの進歩が多い樣に見受けられるのである。兎角、此の富を致すといふ經濟と、私共の主義とする東洋式の精神的道徳論とは、動もすれば一致を缺く嫌ひがある樣に思はれる。卽ち餘り道徳に傾くと富貴榮達を嫌ふ樣になり、又功名富貴を論ずると道徳などはそつちのけになつて、富さへ得ればよいといふ風に成り勝ちで、所謂賢い人でも兩者の權衡を得ないといふ弊に陷り易いやうである。之れは昔からよくある實際問題であるが、私は此の弊はどうしても除かなければならぬと信じて居る。曾て印度の詩聖タゴール氏が來朝した際、私は次の様な意味の話をして、其の意見を問うた事がある。

『凡て人類に對しては教育を要する。教育によつて知識を增さなければならぬ。知識が進むと知識の爲めにどういふ變化を惹き起すかといふに富を生ずる。科學的の知識が進むから富も增加するのである。そして富が增すと同時に力が出て來るし、兵器などといふものも富から生じて來る。其處まではよいが、さて富が增し力が增した曉はどうなるかといふに、今度は惡い方に傾き、得手勝手なこと、我儘なことなどに趨つて、其處に種々な弊害を生ずる様になる。彼の歐洲大戰亂の如きも之れに原因するのであるが、斯くの如き弊害は國際上にも一家の上にも有り勝ちなことである。されば富が進むと共に此の富に附帶して生ずる弊害を、どうして防ぐべきであるか、此の方法が十分に講究されなければ、到底國際關係は安定せぬし、國內に於いても同様であると思ふが、御意見は如何ですか？』

是れは敢てタゴールに問はなくても好い事ではあるが、タゴールは印度哲學の碩學である事を豫ねて聞き及んで居るので、來朝されたのを幸ひに意見の交換をしたのである。するとタゴールは

『それは至極御尤もなことである。貴方は實際の研究をされたからさういふ事を言はれるのであらうが、是れは結局富を得る人々が深く講究をして、其の弊害を防ぐ様にしなければならぬと思ふ。又富を增した人は極く淸い考へを以て、抑遜してやる様にするより外に仕方がなからう。』

と言つて、一々例などを引き詳しく意見を述べられたのであつたが、大體に於いて『道德と經

済とは一致しなければならぬ』といふ私の持論と其揆を一にするものであつた。それで私は多年斯く斯くの説を主張して居るものであると、私の主義を申述べた處、タゴールは私の説に賛成され『全く同感である。印度の人などはさういふ事を言つても問題外であるが、本當の道理を考へたならばどうしてもさうなければならぬでしやう』と答へられた。

二

いささか話が枝途に入った嫌いがありますが、さて前にも申しましたとおり、明治初年以来、一般の事物は大いに進歩を来たしましたけれども、遺憾ながらその進歩に対して、いまだ本当に堅実な基礎が据っていないのではないかと思わざるを得ません。どうしても富というものを正しい道理と一致させるようにしないと、富を完全な富とすることは難しいのではないかと思うのです。これはただ経済界ばかりではありません。今日一般の気風に、なにかしらうわすべりのような嫌いがありはしないでしょうか。たとえば若い人々の多くは古い説を排し、特に私どもの言う孝悌仁義の道徳などは一笑に付し、そんな古臭いことなどは聞きたくないというような有り様でありますが、このようなことは決して国家の慶事ではないだろうと思います。このような有り様で自分さえよければかまわぬという考えで進んでいったならば、けだし富というものは人生の道理と一致することができぬのみならず、はなはだしきに至っては憂慮すべき結果を惹起しないだろうかと気遣われるのです。それでは、その富を正しく維持させるにはいかなる道理によってなすべきかと言うと、私は富というものは道徳と一致するということでなければ正しい富とは言えず、真正なる富とは言えないと断言して憚《はばか》りません。私などは微々たるものでありますが、三井とか岩崎とかをはじめとして富豪はたくさんいるし、大きな事業を営む人もたくさんいますが、この国家を維持するにはどうしても道理正しい人でなければ、本当の正しい国家を維持することはできないと思うのです。真正の道理によって富を維持し、それによって極く堅実な国家となるようにしなければなりません。忌憚なく申すと、一人が大なる金を併せ集めるということは、あるいは弊害の本になるかもしれないと思います。なぜかと言うと、その集めた財産がどうなるかを考えてみるとよいでしょう。集める人はそれ相当の能力があるから集めるわけでありますが、多くはそれが無用なことに使われがちです。したがって財産そのものから言うならば、そのような人にわがままな使い方、無用な使い方をされることははなはだ迷惑だと感じます。集める能力があると言っても、何の役にも立たないことに使われたならば、それほど迷惑なことはないでしょう。もし財産に心があれば「俺の主人は実に困ったものだ」と思うに違いありません。ですから、財産が多いことのみを以て尊いと言うことはできないのです。道理正しい真正の力ある富、真に正しい国家を維持する富こそ、本当に大事な価値ある富だと言えるのです。ゆえに私は常に富が真正の道理に適うようでなければならないと唱道します。これすなわち、道徳と経済の合一ということを強く主張している理由です。

【原文】

聊か話が枝途に入つた嫌ひがあるが、さて前にも申す通り明治初年以來一般の事物は大に進歩を來たしたけれども、遺憾ながら其の進歩に對して、未だ本當に堅實な基礎が据つて居らぬではないかと云ふ事を思はざるを得ない。どうしても富といふものを正しい道理と一致せしめる様にせぬと富をして完全なる富たらしむる事は難かしいのではないかと思ふのである。之れは啻に經濟界ばかりでなく、今日一般の氣風が何かしら上辷りのやうな嫌ひがありはせぬか。例へば若い人々の多くは古い説を排し、殊に私共の云ふ孝悌仁義の道徳などは一笑に付し、そんな古臭いことなどは聞きたくないといふ様な有様であるが、斯くの如きは決して國家の慶事ではなからうと思ふ。此様な有様で自分さへ好ければかまはぬといふ考へで進んで行つたならば、蓋し富といふものは人生の道理と一致する事が出來ぬのみならず、甚だしきに至つては憂慮すべき結果を惹起しはせぬかと氣遣はれるのである。然らば其の富を正しく維持させるには、如何なる道理によつてなすべきかといふに私は富といふものは道徳と一致するといふ事でなければ正しい富とは言へず、眞正なる富とは言へないといふ事を斷言して憚らぬものである。私などは微々たるものであるが、三井とか岩崎とかを始めとして富豪は澤山に居るし、大きな事業を營む人も澤山にあるが、此の國家を維持するにはどうしても道理正しい人でなければ、本當の正しい國家を維持する事は出來ぬと思ふ。眞正の道理によつて富を維持し、それによつて極く堅實なる國家たらしむる様にしなければならぬ。忌憚なく申すと、一人が大なる金を併せ集めるといふ事は、或は弊害の本になるかも知れぬ。何故かといふに其の集めた財産はどうなるかを考へると、集める人はそれ相當の能力があるから集める譯であるが、多くはそれが無用な事に使はれ勝ちである。從つて財産そのものから言ふならば、斯かる人に我儘なる使ひ方、無用なる使ひ方をされることは甚だ迷惑に感ずるであらう。集める能力があると言つても、何の役にも立たぬ事に使はれたならば、是れ位迷惑なことはあるまい。若し財産に心あらば『俺の主人は實に困つたものだ』と思ふに違ひない。故に財産が多いことのみを以て尊いといふ事は出來ない。道理正しい眞正の力ある富、眞に正しい國家を維持する富こそ、本當に大事な價値ある富だと謂ひ得るのである。故に私は常に富が眞正の道理に叶ふやうでなければならぬ事を唱道し、即ち道徳と經濟の合一といふ事を強く主張して居る所以である。

三

私は前に、一人が大いなる金を併せ集めるということは、弊害の本となるかもしれないと言いましたが、国を富ませたいという希望から言うと、富豪は造りたくないということはどうしても言えません。富豪が出るようでなければ国は富まないからです。国が富めば必ず富豪が出てきます。分かりやすく申せば、その人に勝れた智慧があって常に勉強をし、よく時機を察して仕事をしたならば、その人は必ず富豪になり得る可能性をもっていると言うことができます。こういう人物がたくさん輩出すれば、国富も進むのですから、この見地よりすれば富豪のたくさん出来ることは、むしろ国家のために慶すべきことと言わなければなりません。しかしながら、富豪というものが自分さえ富めばそれでよいという考えをもつならば、大いなる誤りであると思います。どうしても、富めば富むほど自分の周囲が進んでくる、その進む周囲に対して相当の考えをもって自分の富を維持していくには、これに応じた勤めが必要であると富豪自身が考えなければなりません。特に富豪の出来たため一方に貧乏人が出来るということを深く考えなければなりません。地主と小作人の関係を見ればよく分かりますが、現在、地方においては大地主がだんだん地面を併せて、ますます大きくなっていくのに反し、自作農が減少して水呑み百姓が増加しつつあります。都会においてもまたこれと同じような現象を呈しています。すなわち一方に富豪が肥え太りつつある時、他方においてははるかに多数の貧民が殖えていくのです。これは富豪の罪悪だと無理に言うことはできないけれども、富豪には富豪として当然なすべき務めがあるのですから、富豪はできるだけこれらの無産者を向上させていくことに努めなければなりません。そうでないと、いつまでも富豪として存続することは、よほど困難になりはしないでしょうか。このように、どうも日本の富豪には、概してこの社会的観念が薄いように思われるのです。これが私の深く遺憾とするところです。

先年アメリカのニューヨーク聯邦準備銀行総裁ストロング氏が来朝された際、私は種々意見を交換しましたがストロング氏は富豪の問題に対して、

一国の進歩にはどうしても富が進まなければならぬ。そこで富が進むということには富豪がたくさん出来なければならないが、その富豪が自分の位置を安全に保っていくには、社会に対して相当に勤めをしなければならない。アメリカの富豪がことごとくこの

観念に富んでいるとは言い兼ねるが、近年はよほどこの点に自覚してきた模様で、カーネギーやロックフェラーなどをはじめとして、富豪は富豪として自分を富ますのみではむしろ罪悪であると考えるようになった。一面において社会のために人智を増し、社会人類に貢献するということに努めなければならないという考えをもって、公共事業に尽しているが、こういう考えを持つ富豪が多くなってきたのは喜ぶべきことである。翻って日本の富豪の有り様を見るに、新事物の発展から大いに富が増してきたのは非常にけっこうであるが、全体的には自己の富の力をもって社会を進めていくというほうの働きは、はなはだ力が乏しいように思われる。これは外国人としての私の見違いかもしれないが、露骨に申すと日本の富豪は社会的観念を主義としないように思う。もしこの観察に誤りがないとすれば、その富豪はいつまでも永続することはできない。やはり自分を保つためには、富の一部分を割いて社会に貢献するという観念がなければならない。

という意味の意見を述べられました。私もこの言を聞いて大いに我が意を得たと思ったので、私の持論も話をし、義利合一を主義とすることを申したような次第であります。

要するに、富を増したいというのは世間普通の人情であって、誰しもそういう考えをもつのは当然でありますが、これには先に述べた道徳と経済の合一を主義とし、この考えに基づいて、その積んだ富を国のために散じ、それによって社会の事物あるいは秩序の進むようにしていくのが、すなわち社会の富を進める原因になるのですから、一般世人はこの心得をもって世に処しなければならないと信じます。

【原文】

私は前に一人が大なる金を併せ集めるといふ事は、弊害の本となるかも知れぬと言つたが、國を富ましたいといふ希望から言ふと、富豪は造りたくないといふ事は怎うしても云へない。富豪が出るやうでなければ國は富まない、國が富めば必ず富豪が出來る。分り易く申せば、其人に勝れた智慧があつて常に勉強をし、よく時機を察して仕事をしたならば其人は必ず富豪に成り得る可能性を持つて居るものと謂ふ事が出來る。斯ういふ人物が澤山輩出すれば國富も進むのであるから、此の見地よりすれば富豪の澤山出來ることは、寧ろ國家の爲めに慶すべき事と謂はなければならぬ。併しながら富豪といふものが、自分さへ富めばそれで宜いといふ考へを持つならば、大なる誤りであると思ふ。怎うしても富めば富むほど自分の周圍が進んで來る、其の進む周圍に對して相當の考へを以て自分の富を維持して行くには、之れに應ずる勤めが必要であるといふ事を富豪自身が考へなければならぬ。殊に富豪の出來る爲め一方に貧乏人が出來るといふ事を深く考へなければならぬ。地主と小作人の關係を見ればよく分るが、現在地方に於いては大地主が段々地面を併せて、益〻大きくなつて行くに反し、自作農が減少して水呑百姓が增加しつゝある。都會に於いても亦之れと同樣な現象を呈してゐる。即ち一方に富豪が肥え太りつゝある時、他方に於いては遙かに多數の貧民が殖えて行くのである。是れは敢て富豪の罪惡といふ事は出來ぬけれども、富豪には富豪として當然なすべき務めがあるのであるから、富豪は出來るだけ是等の無產者を向上させて行くといふ事に努めなければならぬ。さうでないと何時までも富豪として存續して行くことは、餘程困難になつて行きはせぬだらうか。而して怎うも日本の富豪には、概して此の社會的觀念が薄いやうに思はれるのは、私の深く遺憾とする處である。

先年アメリカの紐育聯邦準備銀行總裁ストロング氏が來朝された際、私は種々意見を交換したがストロング氏は富豪の問題に對して

『一國の進歩には怎うしても富が進まなければならぬ。そこで富が進むといふ事には富豪が澤山出來なければならぬが、其の富豪が自分の位置を安全に保つて行くには、社會に對して相當に勤めをしなければならぬ。アメリカの富豪が悉く此の觀念に富んで居るとは言ひ兼ねるが、近年は餘程此點に自覺して來た模樣で、カーネギーやロックフエラーなどを始めとして、富豪は富豪として自分を富ますのみでは寧ろ罪惡である。一面に於いて社會の爲めに人智を增し、社會人類に貢献するといふ事に努めなければならぬといふ考へを以て公共事業に盡して居るが、斯ういふ考へを持つ富豪が多くなつて來たのは喜ぶ可き事である。翻つて日本の富豪の有樣を見るに新事物の發展から大に富が增して來たのは非常に結構であるが、大體に於いて自己の富の力を以て社會を進めて行くといふ方の働きは甚だ力が乏しいやうに思はれる。之れは外國人としての私の見違ひかも知れぬが、露骨に申すと日本の富豪は社會的觀念を主義としない樣に思ふ。若し此の觀察にして誤りがないとすれば、其の富豪は何時までも永續する事は出來ない。矢張り自分を保つためには、富の一部分を割いて社會に貢献するといふ觀念がなければならぬ。』

といふ意味の意見を述べられた。私も此言を聞いて大に我が意を得たと思つたので、私の持論も話をし、義利合一を主義とする事を申した樣な次第であつた。

要するに富を增したいといふのは世間普通の人情であつて、誰しもさう云ふ考へを持つのは當

然であるが、之れには先きに逃べた道徳と經濟の合一を主義とし、而して其の積んだ富を國の爲めに散じ、それに依つて社會の事物或ひは秩序の進む樣にして行くのが、即ち社會の富を進める原因になるのであるから、一般世人は宜しく此の心得を以て世に處しなければならぬと信ずる。

商業道徳の振興

一

今日の経済界を見て私が最も憂慮に堪えないのは、信義の心をもって商工業に従事する者が依然として少ないことです。換言すれば、商業道徳が重んぜられないこと、経済と道徳との合一が進歩しないことです。なかんずく、海外貿易上にこの弊害が多いと聞きます。たとえばインド、南洋等に輸出する商品が粗製濫造で、かつ約束を守ることが堅くないという事実です。同地方へは欧洲から戦争のため商品が輸入されなかったので、その当時は本邦品がしきりに需要されましたが、今日のように欧洲から次第に供給されるようになってからは、輸出が激減したということです。その原因は、商品の生産費が割高で、勢い商品が高価となっていることによるのでしょうが、また一半は、必ず道徳上の欠点に責があると思います。

かつて明治三十五年、私が東京商業会議所会頭として日本商業会議所を代表して英国に赴いた時、彼の地の主たる商工業者会の席上で、ある一人から「日本人は約束を固く守らない、またインボイスを二枚書けと言う、これは非常に困ることで、後者のようなことは税を避けるための強要であるから、不法の行為である」と非難されました。そのときは、サミュルサミュル商会のミッチェル君から、「それは日本人のみではないがお互いに注意しよう」と取りなされて、やっとのことで答弁ができた苦い経験がありますが、最近の海外取引にはこの種の弊がなお多いと聞くと慨嘆に堪えません。ことに今日、海外貿易の均衡を失している事態に鑑みて、営業者個々がよく自覚しなくてはなるまいと思います。

【原文】

今日の經濟界を見て、私の最も憂慮に堪へないのは信義の心を以て、商工業に從事する者の依然少いことである、換言すれば商業道徳が重んぜられないこと、經濟と道徳との合一が進歩しないことである。就中海外貿易上此の弊害が多いと聞く、例へば印度、南洋等に輸出する商品が粗製濫造で、且つ約束を守ることが堅くない事實である。同地方へは歐洲から戰爭の爲め商品の輸入されなかつた當時、本邦品が頻りに需要されたが、今日の如く歐洲から漸次供給されるやうになつてからは、輸出が激減したといふ。其の原因は商品の生産費が不廉で、勢ひ商品の高價となるに依るであらうが、また一半は必ず道徳上の缺點に責があると思ふ。曾つて明治卅五年、私が東京商業會議所會頭として日本商業會議所を代表して英國に赴いた時、彼地の主なる商工業者會の席上で、ある一人から『日本人は約束を固く守らない、又インボイスを二枚書けといふ、之れは非常に困ることで後者の如きは稅を避けるための強要であるから、不法の行爲である。』と非難せられ、漸くサミユルサミユル商會のミツチエル君から、『それは日本人のみではないがお互ひに注意しやう』と取りなされて、やつと答辯し得た苦い經驗があるが、最近の海外取引には此種の弊がなほ多いと聞くのは慨嘆に堪へない。殊に今日海外貿易の均衡を失してゐる事態に鑑みて、當業者個々はよく自覺しなくてはなるまい。

二

右は外国との関係でありますが、各種の事業についても私は言いたいことがたくさんあります。その中で、重要産業に目を放つならば、第一には、船の問題はどうするかということです。現在では、政府の補助がある定期航路さえ維持するのが困難に陥ろうとする有り様でありますから、当業者は大なる覚悟をもって事に当たり、政府も国策上、今日より以上の保護を行い、監督、指導を怠ってはなるまいと思います。また次に、各種の事業は自然の発展にまつべきものでしょうが、船舶と同様、国策樹立の緊要なるものに製鉄事業があります。近頃、政府でも製鉄調査委員を設けたと聞きますが、著々、実現の歩みを進めて欲しいものです。

第三に、貿易の不均衡と対外為替相場の下落については、学者や識者の研究が盛んでありますが、私は今その対策を具体的に言うことができないのを遺憾としますが、なんとか解決の方法を講ぜねばならないと力説したいと思います。さらに日本輸出品中の大宗《たいそう》である生糸に関しては、今の取引上の仕組に改善を要すべき点が多々あるようです。例えば検査方法また売込方法です。また、かの紡績の原棉輸入法、あるいは石炭に代わる水力電気の真正なる経済的発電施設、引続いては農村救済の第一着手段たるその電化に、安価な電力を供給することなど挙げて数えるならば、重大事項のみで実に十指を屈するともなお足らないでしょう。

【原文】

右は外國との關係であるが、各種の事業に就いても私は言ひ度い事が澤山ある。中に重要産業に目を放つならば、第一には船の問題はどうするか、現在では政府の補助がある定期航路さへ、維持難に陥らうとする有様であるから、當業者は大なる覺悟を以て事に當り、政府も國策上今日より以上の保護をなし監督、指導を怠つてはなるまい。また次ぎに各種の事業は自然の發展に俟つべきものであらうが、船舶と同様國策樹立の緊要なるものに製鐵事業がある。近頃政府でも製鐵調査委員を設けたと聞くが、著々實現の歩を進めて欲しい。

第三に貿易の不均衡と對外爲替相場の下落に就いては、學者や識者の研究が盛んである。私は今其の對策を具體的にいふを得ないのを遺憾とするが、何とか解決の方法を講ぜねばならぬ事を力説する。更に日本輸出品中の大宗である生糸に關しては、今の取引上の仕組に改善を要すべき點が多々ある。例へば檢査方法また賣込方法である、又かの紡績の原棉輸入法、或は石炭に代はる水力電氣の眞正なる經濟的發電施設、引續いては農村救濟の第一着手段たる其の電化に、安價な電力を供給することなど擧げて數ふるならば、重大事項のみで實に十指を屈するともなほ足らないであらう。

事業経営に必須の条件

周囲の事情を察知せよ

すべて世の進歩というものは、各方面において組立てたものが順序よく発展していくことです。このすべての組立が順序よく発達するには、相寄り相扶けてともに進むようでなければなりません。たとえばここにある人がいて、一つの事業を目論んだと仮定します、その一つの事業を営むにしても、自分の力だけで進むことは困難でありまして、必ず周囲の事情を察知して、よくこれに適応するようにしなければなりません。ことに経済界の中心に立つものは、周囲の関連するさまざまな事態によって振不振を来すのですから、それぞれが助けあって進むようにしなければならないものなのです。なかんずく銀行業などは、銀行そのものの力だけで成績を挙げることは困難であって、商工業が盛んになれば銀行業も盛んになり、商工業が不振となれば銀行業もまた不振となるという関係があります。

事業というものは、これを譬《たと》えれば、あたかも鏡のごときものであると言えます。鏡そのものは澄んだ一点の曇りのないものであっても、これに写るものが醜ければ醜く見え、美しければ美しく見えるのです。つまり鏡に醜く写るのは、鏡そのものが悪いのではないのです。鏡に美しく写そうとするには、写すものそれ自身が美しくなければならないのです。世の中のすべてはこれと同様です。であれば、われわれが社会の一員として生存している以上、絶対に自分一箇で立ちゆけるものではありません。いかなる事業も、ともに持ちあうことで成就します。したがって事業を営む上においては、決して相冒し相悖る（侵害しあったり違背しあったりする）ようなことがあってはなりません。事業を経営せんとするに当たって、何人もまずこの点を深く考えねばならないのです。

【原文】

凡て世の進歩といふものは、各方面に於いて組立てたものが順序よく發展して行く事である。此の凡ての組立が順序よく發達するには、相寄り相扶けて共に進むやうでなければならぬ。例へば此處に一つの事業を目論んだと假定する、其の一の事業を營むにしても、自分の力だけで進むことは困難であつて、必ず周圍の事情を察知して、よくこれに適應する樣にしなければならぬ。殊に經濟界の中心に立つものは、周圍の關聯せる諸種の事態に依つて振不振を來すのであるから、兩々相扶けて進む樣にしなければならぬものである。就中、銀行業の如きに至つては、銀行そのものゝ力によつてのみ成績を擧げる事は困難であつて、商工業が盛んになれば銀行業も盛になり、商工業が不振となれば銀行業も亦不振となると云ふ關係がある。

事業といふものは、之れを譬ふれば恰かも鐘の如きものである。鐘そのものは澄んだ一點の曇りのないものであつても、之れに寫るものが醜ければ醜く見え、美しければ美しく見えるのである。つまり鏡に醜く寫るのは、鏡そのものが惡いのではない、鏡に美しく寫さうとするには、寫すものそれ自身が美しくなければならぬのである。世の中の凡ては之れと同様である。されば吾々が社會の一員として生存してゐる以上、絶對に自分一箇で立ち行けるものではない。如何なる事業も共持ちで成就する。從つて事業を營む上に於いては、決して相冐し相悖るやうなことがあつてはならぬ。事業を經營せんとするに當つて、何人も先づ此點を深く考へねばならぬ。

事業経営と成功の条件

次に、事業を経営するについては、すべて無駄のないように、二重の手数を掛けないようにしなければなりません。目に見えぬような小さな無駄でも、それがたびかさなると非常な損失となります。ことに二重の手数を煩わすようなことは、事業を経営する上においても少なからぬ損失を来すものであります。事業経営者はあらかじめこの点を深く考えなければなりません。

端的に言えば、他人の妨げにならぬことで、人間生活に必要な仕事が順よく進んでいけば、その国が進歩していくのです。文明国の有り様と野蛮国の有り様――すなわち開けた国と未開の国とは、この事物の進歩いかんによって岐《わか》れるのです。また、事業経営については、もちろん当事者の知識も必要ですが、それだけではいけません。根本となるところの一国の政治が、健実で善良なものでなければなりません。たとえば時の政府が政府万能主義で、なんでも政府でやっていこうというようでも困ります。だからと言って、すべてを放任して万事を成行に委せるというようでもよろしくないのです。あるものに対しては保護を加え、または奨励的施設をつくり、あるものに対しては自然の発達にまかせるというような、その都度よろしきを得た政治の下にあって、事業経営者たるものが公徳、常識、知識と、これに加えて誠意と努力とをもって進んだならば、産業も発達し、いわゆる富強国となることができます。以上は、まず私の事業経営に対する大体論でありますが、さらに進んで事業経営に対する実際について一言したいと思います。

【原文】

次ぎに事業を經營するに就いては、凡て無駄のないやうに、二重の手數を掛けない樣にしなければならぬ。目に見えぬやうな小さな無駄でも、それが度重なると非常な損失となる。殊に二重の手數を煩はすやうな事は、事業を經營する上に於いても尠からぬ損失を來たすものである。事業經營者は豫め此點を深く考へなければならぬ。

單的にいへば、他人の妨げにならぬ事で、人間生活に必要な仕事が順よく進んで行けば、其國が進歩して行くのである。文明國の有樣と野蠻國の有樣——即ち開けた國と未開の國とは、此の事物の進歩如何によつて岐れるのである。又事業經營に就いては勿論當事者の知識も必要であるが、それだけではいけない。根本となる處の一國の政治が、健實な善良なものでなければならぬ。例へば時の政府が政府萬能主義で、何でも政府でやつて行かうといふ風でも困る。さればと云つて凡てを放任して、萬事を成行に委せるといふ風でも宜しくない。或るものに對しては保護を加へ、又は奨勵的施設をもなし、或るものに對しては自然の發達に任せるといふやうな、其度宜しきを得た政治の下にあつて、事業經營者たるものが公德、常識、知識と、之れに加ふるに誠意と努力とを以て進んだならば、産業も發達し、所謂富强國となる事が出來る。以上は先づ私の事業經營に對する大體論であるが、更に進んで事業經營に對する實際に就いて一言したいと思ふ。

合本法の最初の試み

私は明治初年以来ほとんど五十年間、諸種の事業を経営してきましたが、論理的に学問の上から事業経営策を論ずることは得意でもないし、別にそうした専門家の人もいるでしょうから、それはここに述べないこととして、私自身が多年の実地経験において感じたことをお話しして、参考に資したいと思います。

私は明治初年に官を辞して民間に下ったのですが、各種の事業を創始するについては、どうしても合本法によらなければならぬという考えを抱いていました。この考えはフランス留学当時の見聞によって痛感するに到ったものでありまして、私が帰朝後まだ官途に就く前に、この合本組織による商法会所を静岡に創立したのが、これがまず我が国における合本法の最初の試みであったと言えましょう。アメリカの国立銀行の制度に倣い銀行制度を実施することとなったのは、言うまでもなく合本法の具体化です。私は前にも述べたように、「今後はどうしても個人仕組では発展していけない、共同仕組すなわち合本仕組でなければならぬ」という考えを早くから持っていたのですが、この私の考えがその後、実現されて、株式組織、合資組織、合名組織などの会社法および産業組合法などとなったのです。第一銀行の前身である第一国立銀行などは、とりもなおさずこの合本法により創立された最初の一つです。我が国における各種事業はこの合本法の採用によって着々と発展を来し、ついに今日の隆盛を見るに到ったのです。私自身はその先達として各種事業の創始経営に関係しましたけれど、それがために金持ちとなるようなことはできませんでした。もっとも、私は産業の発展を目的として終始し、名利などはまったく眼中になかったのですから、いくぶんでも我が国の産業発達に貢献したことで満足しています。なお、私は貧乏人というわけではありませんが、さりとて金持ちでもなく、今日ある程度の体面を保つことができるにすぎません。この点から言えば、事業のほうは順序よく発達したとは言えましょうが、致富の道に至っては失敗者であることを免れません。

【原文】

私は明治初年以來、殆んど五十年間諸種の事業を經營して來たが、論理的に學問の上から事業經營策を論ずる事は得意でもないし、別に其人もあるだらうから、それは玆に述べぬ事とするが、私自身が多年の實地經驗に於いて感じた事をお話して參考に資したいと思ふ。

私は明治初年に官を辭して民間に下つたが、各種の事業を創始するに就いては、どうしても合本法によらなければならぬと云ふ考へを抱いて居つた。此の考へはフランス留學當時の見聞によつて痛感するに到つたものであつて、私が歸朝後未だ官途に就かぬ前に、此の合本組織による商法會所を靜岡に創立したが、之れが先づ我國に於ける合本法の最初の試みであると言へやう。アメリカの國立銀行の制度に習ひ、銀行制度を實施する事となつたのは、言ふまでもなく合本法の具體化である。私は前にも述ぶるが如く、『今後はどうしても個人仕組では發展して行けない、共同仕組即ち合本仕組でなければならぬ』といふ考へを早くから持つて居つたのであるが、此の私の考へが其後實現されて、株式組織、合資組織、合名組織の會社法及び產業組合法などとなつたのである。第一銀行の前身である第一國立銀行の如きは、即ち此の合本法により創立された最初の一つである。我國に於ける各種事業は此の合本法の採用によつて着々發展を來し、遂ひに今日の隆盛を見るに到つたのであるが、私自身は其の先達として各種事業の創始經營に關係したけれども、それが爲めに金持ちとなるやうな事は出來なかつた。尤も私は產業の發展を目的として終始し、名利の如きは全く眼中になかつたのであるから、幾分でも我國の產業發達に貢献した事を以て滿足とするものである。尙ほ私は貧乏人といふ譯ではないが、今日漸く相當の體面を保つ事が出來るに過ぎない。此點から言へば、事業の方は順序よく發達したとは云へやうが、致富の道に至つては失敗者たるを免れぬ。

事業計画に必要な条件

さて、事業を興すに当たって第一に考えるべきことは、その計画している事業が果たして今日の世の中に必要であるか、かつ公益的な性質のものであるかという点です。いかに資本があり、経営の能力があり、また当事者としての適当な人物があって、確実に儲かる見込みのある仕事でも、合理上、社会のために必要であるかどうかを考え、必要である場合に限り計画遂行を決定すべきであって、いかに確実に儲かる仕事であっても、この点に欠けるところがあったならば絶対に手を染めるべきではありません。

第二には、その仕事が道理上正しく、かつ社会に必要なことであっても、時代に適応しているかどうかを考えなければならないということです。もし、この点を深く省慮せずに着手した場合、その事業は結局不成功に終わってしまうということをあらかじめ心得ておくべきです。

第三には、その計画が道理に適い、時代にも適応するものであっても、資本が確実に得られる成算があるかどうか、この点をよく考えなければなりません。仕事さえ確実で儲けが多ければ、投資者はいくらでもあるというような漫然たる考えでは、仕事の前途に確実性を欠いているものと言わなければなりません。

第四には、その事業を営むに当たって、首脳となって全責任を負い、十分信頼するに足る人物がいるかどうか、これを考えなければなりません。会社さえ成立したら誰か適当な人物を得られるだろうというような漠然たる考えで計画を進めては、そもそも、それが失敗の基となります。事業と人物との関係はいまさら余計なおしゃべりをするまでもありませんが、事業の成否の一半は、実に首脳に立つ人物がどうかにかかっているのです。

まず、以上の諸点について欠けるところがないかどうかを十分に調査し、これらすべてを備えているようでしたら、事業を創めても差し支えないだろうと思います。もっとも、このほかに経営に関する詳細な営業予算が必要であることはもちろんです。それによって事業の当否の最後の決定をするわけですが、こういう順序のとおり事業に着手したならば、だいたいにおいて間違いはなかろうと思います。物事はすべて出発点が肝腎なのです。ですから、事業を計画するに当たっては、念には念を入れてこれらの諸条件を具備するどうかを見極めなければならないのです。

【原文】

さて事業を興すに當つて第一に考ふ可き事は、其の計畫せる事業が、果して今日の世の中に必要であるか、且つ公益的の性質のものであるかといふ點である。如何に資本があり、經營の能力があり、又當事者としての適當な人物があつて、確實に儲かる見込みのある仕事でも、合理上社會の爲めに必要であるか怎うかを考へ、其の必要である塲合に限り其の計畫遂行を決定すべきであつて、如何に確實に儲かる仕事であつても、此點に缺くる處があつたならば斷然手を染むべきでない。

第二には其の仕事が道理上正しく、且つ社會に必要な事であつても、果して時代に適應して居るかどうかを考へなければならぬ。若し此點を深く省慮せずして之れに着手するに於いては、其の事業は結局不成功に終ることを豫め心得べきである。

第三には其の計畫が道理にも適ひ、時代にも適應するものであつても、果して資本が確實に得られる成算があるか怎うか、此點をよく考へなければならぬ。仕事さへ確實で儲けが多ければ、投資者は幾らでもあるといふやうな漫然たる考へでは、其の仕事の前途に確實性を缺いてゐるものと謂はなければならぬ。

第四には其の事業を營むに當つて、首腦となりて全責任を負ひ、十分信頼するに足る人物があるかどうか、之れを考へなければならぬ。會社さへ成立したら、誰か適當な人物を得られるだらうと云ふやうな漠然たる考へで計畫を進めては、抑〻失敗の基である、事業と人物との關係は今更喋々する迄もあるまい。事業の成否の一半は、實に首腦に立つ人物の如何にあるのである。

先づ以上の諸點に就いて缺くるところなきや否やを十分に調査し、それらが總て具備して居つたならば、事業を創めても差支ないだらうと思ふ。尤も此外に經營に關する詳細なる營業豫算が必要である事は勿論である。それによつて事業の當否の最後の決定をする譯であるが、斯ういふ順序を以て事業に着手したならば大體に於いて間違ひはなからう。物事は凡て出發點が肝腎である。されば事業を計畫するに當つては、念には念を入れて是等の諸條件を具備するや否やを見極めなければならぬのである。

絶大なる忍耐力の必要

いよいよ会社が成立したとして、もうこれでよいかと言えば、なかなかそうはいきません。その後の経営が非常に難しい。と言うのも、計画の時の予想と実際の仕事に着手した時とで、多少の齟齬《そご》が起こることは少なくないからです。これを切り抜けるには勉強が必要です。最善の努力を尽し、仕事そのものに生命を打ち込んで励精《れいせい》するようでなければなりません。ですが、これでもまだ足りません。たとえば、生まれたばかりの赤ン坊がその手当さえよければ痼も起らず風邪もひかず順よく育つかと言うと、なかなかそうはいかないのと同じです。注意に注意を加え、大事に大事をとって育てても、時に下痢を起したり、風邪をひいたりすることが多いものです。事業の経営もちょうどこれと同じです。いかに計画がよく、すべてにおいて見込み違いがないつもりで経営しても、創業当時にはいろいろ思いがけない出来事があったり、不可抗力の損失を招いたりして順調に進まないことが少なくないのですから、当事者には絶大なる忍耐力が必要となります。いかに苦境にあっても、どこまでもこれを切り抜けてやりとおしていくだけの忍耐心がなければなりません。こうしてこそ、その事業ははじめて芽を出し、樹木が風雪に堪えて根を張り、幹が太くなるように、しだいに事業そのものの根柢が固まり、経営の基礎が安定するのです。

【原文】

愈〻會社が成立したとして、もう之れでよいかと云へば、仲々さうは行かぬ、其後の經營が非常に難かしい。即ち計畫の時の豫想と、實際の仕事に着手した時とには、そこに多少の齟齬の起る事は少なくない。之れを切り抜けるには勉强が必要である。最善の努力を盡し、仕事そのものに生命を打ち込んで勵精する様でなければならぬ。だが、之れでもまだ足りない。例へば生れたばかりの赤ン坊が、其の手當さへよければ痼も起らず風邪も引かず、順よく育つかといふになか〳〵さうは行かない。注意に注意を加へ、大事に大事を取つて育てゝも、時に下痢を起したり、風邪をひいたりする事が多い。事業の經營も丁度これと同じである。如何に計畫がよく萬違算ない積りで經營しても、創業當時にはいろ〳〵思ひ設けぬ出來事があつたり、不可抗力の損失を招いたりして順調に進まぬ事が尠くないのであるから、當事者は絶大なる忍耐力が必要である。如何に苦境にあつても何處までも之れを切り抜けて遣り徹して行くだけの忍耐心がなければならぬ。斯くてこそ其の事業は初めて芽を出し、樹木が風雪に堪へて根を張り幹が太くなる様に、漸次事業そのものゝ根柢が固まり、經營の基礎が安定となるのである。

商業道徳の必要

さらに事業に従事する人の心掛けについて言えば、ただ単に金儲けをしたいというばかりではいけません。単に金儲けばかりを考えると、仕事に無理を生じます。したがって破綻を招きやすいのです。その事業が前に述べたような条件を具備している時は、これを円満に運転させると国家社会のためになり、同時に会社自身も儲かっていきます。その円満の運転を目指すには、誠実親切を信条として進まなければなりません。とかく金儲けばかりを考えて儲けよう儲けようと焦る人々は、仕事そのものに対し、また世間に対し誠実親切を欠きがちです。ただ儲かりさえすればよいので、法律に触れさえしなければよいという間違った考えを持っている者があり、商売の駆け引きと称して平気で嘘を言う者もいます。一時はそれで儲かるでしょうけれども、決して永続きはしないのです。いわんや信用ある確実なる事業と称することはできません。私は実業界を引退するまで多数の会社に関係し、金融事業をはじめとしてほとんどあらゆる事業に関係してきましたが、その中には見込み違いをして順当な発達をしなかったものも少しはありますが、仕事そのものはことごとく社会が必要を感じているものであり、大部分は順当な発達を遂げてきました。

そして、私は事業当事者に向かって、誠実親切を最も必要な信条として進まなければならないことを常に唱道すると同時に、私自身は徹頭徹尾これを遵守してきたつもりです。事業経営者に誠実親切ということが最も大切であることは以上に述べたとおりでありますが、同時に、事業そのものに対する知識と勉強とが必要であることはもちろんであります。これに加えて、よく商業道徳を守っていけば、少しの無理もせずに安心して儲かっていくことができるはずです。自分一人儲けようとすれば、勢い事業にも危険が伴い、また商業道徳にも反するような行いをするようになります。全部とは言いませんが、近時、我が国の商業道徳は大いに頽《すた》れつつあるように見受けられます。すべてが世界的となって、日本だけが勝手に振る舞うことは許されないような時代になっている今日、商業道徳を重んじないようでは、とうてい列強に伍していくことはできないと思います。ついには劣敗者の地位に立たねばならないことになります。これはただ当事者だけの損失であるばかりでなく、国家という立場から見ても大なる損失であると言わなければなりません。それで私は多年、孔子の教えであるところの『論語』を奉じて、自分自身の処世訓としていると同時に、後進に対しても『論語』を鼓吹《こすい》しているような次第なのです。

【原文】

更に事業に従事する人の心掛けに就いて言へば、たゞ單に金儲けをしたいと云ふばかりではいけない。單に金儲けばかりを考へると、仕事に無理を生ずる、從つて破綻を招き易い。其の事業が前に述べた様な條件を具備して居る時は、之れを圓滿に運轉させると國家社會の爲めになり、同時に會社自身も儲かつて行く。其の圓滿の運轉を期するには、誠實親切を信條として進まなければならぬ。兎角金儲けばかりを考へて儲けよう〳〵と焦る人々は、仕事そのものに對し又世間に對し、誠實親切を缺き勝ちである。たゞ儲かりさへすればよいといふので、法律に觸れさへしなければよいといふ間違つた考へを持つて居る者があり、商賣の駆引と稱して平氣で嘘をいふ者も居る。一時はそれで儲かるだらうけれども、決して永續きはしない。況んや信用ある確實なる事業と稱する事は出來ない。私は實業界を引退するまで多數の會社に關係し、金融事業を初めとして殆んど凡ゆる事業に關係して來たが、其中には見込み違ひをして、順當の發達をしなかつたものも少しはあるが、仕事そのものは悉く社會が必要を感じて居るものであり、大部分は順當の發達を遂げて來た。そして私は事業當事者に向つて誠實親切を最も必要なる信條として進まなければならぬ事を常に唱道すると同時に、私自身は徹頭徹尾之れを遵守し來たつた積りである。

事業經營者に誠實親切といふ事が最も大切である事は、以上述ぶる如くであるが、同時に事業そのものに對する知識と勉强とが必要であることは勿論であつて、之れに加へてよく商業道德を守つて行けば、少しの無理もせずに安心して儲かつて行く事が出來る。自分一人儲けようとすれば勢ひ事業にも危險が伴ひ、又商業道德にも反する様な行ひをする様になる。全部とは言はぬが、近時我國の商業道德は大に頽れつゝある様に見受けるが、凡てが世界的となつて日本の孤立を許さぬ今日商業道德を重んぜぬ様では、到底列强と伍して行く事は出來ない。遂ひには劣敗者たるの地位に立たねばならぬ、之れは啻に當事者の損失である許りでなく、國家といふ立場から見ても大なる損失であると云はなければならぬ。それで私は多年孔子の教へである處の論語を奉じて、自分自身の處世訓としてゐると共に、後進に對しても論語を鼓吹して居る様な次第である。

百貨商店経営の可否

近年、デパートメント・ストアのような店が大分盛んになってきたようですが、分業法の論者から言うと、これは仕事を集中独占するからよろしくない、どうしても分業にしていかなければならぬと主張することになります。一方、合同法の論者のほうから言うと、現代においては大資本を擁《よう》して事業を経営するようでなければ、決して順当な発達を期することはできない。ことに大規模のデパートメント・ストアであれば一ヵ所ですべての買い物ができるから、需要者の側から見ればすこぶる便利なものです。ですから、事業経営者の側から見ても、また消費者の側から見ても、資本を合同して大規模の大デパートメント・ストアを営むのが合理的であると唱えることになります。いずれも一理はありますが、これは土地の情況と仕事そのものを判断して可否を決すべき問題であって、単に分業法と合同法との理論的見地より可否を決めることはできないと思います。仕事を独占するということは、もとよりよろしいことではありませんが、総合的な組織の店の経営法を必ずしも悪いと言うことはできません。要はその性質いかんを正しく判断するにあります。私は可否をこの見地から定めたいと思います。

なお、一人一業主義ということが唱えられていますが、これは至極結構なことであると思います。事業を達成する上において、また全生命をその仕事に打ち込む上において、どうしてもそれでなければならないと思います。そうだとすると渋沢はなぜあらゆる事業に関係したかという反問があるでしょうが、これには相当の理由があります。すなわち我が実業界は極めて幼稚でありましたから、これを発達させるためには、どうしても自ら第一線に立ってことを成さねばならなかったからなのです。たとえば、新開地に店を開くとして、分業的に呉服屋は呉服物だけ、瀬戸物屋は瀬戸物だけを商売するとしたら、とうてい立ち行くものではありません。一軒の店で荒物もあれば小間物も商い、かたわらでは味噌醤油も売るという風ではじめて立ち行くのであり、土地の住民も大いに助かるのです。やがて、その土地が繁盛になれば、自然に各商店が専門的に分かれて経営されるようになり、またそうでなければかえって経営ができぬようになります。私の立場はちょうど新開地に店を出したと同じようなものだったのです。

だとすると今日の時代は絶対に一人一業主義でなければならないかと言うと、簡単にそうとばかりは断言できません。事業の性質によっては兼営することが得策だというものもあります。ですが、まずだいたいの論としては一人一業主義で進むようにしなければならないと思います。

【原文】

近年、デパートメント・ストアのやうな店が大分盛んになつて來たやうだが、分業法の論者から言ふと、之れは仕事を集中獨占するから宜しくない、どうしても分業にして行かなければならぬと主張する。一方合同法の論者の方からいふと、現代に於いては大資本を擁して事業を經營する樣でなければ、決して順當な發達を期する事は出來ない。殊に大規模のデパートメント・ストアであれば一ケ所で凡ての買物が出來るから、需要者の側から見れば頗る便利なものである。故に事業經營者の側から見ても、亦消費者の側から見ても、資本を合同して大規模の大デパートメント・ストアを營むのが合理的であると稱へる。何れも一理はあるが、之れは土地の情況と仕事そのものを判斷して可否を決すべき問題であつて、單に分業法と合同法との理論的見地より可否を決することは出來ないと思ふ。仕事を獨占するといふ事は、素より宜しい事ではないが、綜合的の組織の店の經營法を、必ずしも惡いといふ事は出來ない。要は其の性質如何を正しく判斷するにある。私は可否を此の見地から定めたいと思ふ。

尙ほ一人一業主義といふ事が唱へられて居るが、之れは至極結構な事であると思ふ。事業を達成する上に於いて、將た全生命を其の仕事に打ち込む上に於いて、どうしてもそれでなければならぬと思ふ。然らば澁澤は何故凡ゆる事業に關係したかといふ反問があるだらうが、之れには相當の理由がある。即ち我が實業界は極めて幼稚であつたから、之れを發達せしむるためには、どうしても自から第一線に立つて事を成さねばならなかつたからである。例へば新開地に店を開くとして、分業的に吳服屋は吳服物だけ、瀨戸物屋は瀨戸物だけを商賣するとしたら、到底立ち行くものではない。一軒の店で荒物もあれば小間物も商ひ、傍らでは味噌醬油も賣るといふ風で初めて立ち行くのであり、土地の住民も大に助かるのである。軈て其の土地が繁盛になれば、自然に各商店が専門的に分れて經營される様になり、又さうでなければ却つて經營が出來ぬ様になる。私の立場は丁度新開地に店を出したと同じ様なものだつたのである。

然らば今日の時代は絶對に一人一業主義でなければならぬかといふに、簡單にさう計りも斷言されない。事業の性質によりて兼營するを得策とするものもあるが、先づ大體論としては、一人一業主義で進む様にしなければならぬと思ふ。

事業経営者の考うべき点

会社工場等においては多数の人を使っていますが、上に立つ人はその社員店員ないし職工に対して、安心して働くことができるとともに将来発展できるような道を講じてやらなければなりません。これは事業経営に直接関係がないように思う人もいるかもしれませんが、実際、仕事をなす上には大いに関係があります。つまり、こういうやり方をすれば、各自が自分の担当の仕事に対し自然と誠実親切の心をもって働くようになるのです。この仕事に対して親切であるか否かは、結果において非常に径庭《けいてい》を来す（大きな違いが生じる）ようになります。これはアメリカあたりの施設について見ればよく分かりますが、日本においてはこの点がたいへんおざなりにされていますから、大いに注意すべきでしょう。これが施設としては、会社、商店、工場等、それぞれ事業の性質によって異なりますが、共通して必要とするのは、従業員のすべてが物質的ならびに精神的に安心して働けるようにすること、および将来の地位の向上し得るような方法を講ずることです。

青少年従業員に対する教育的設備のようなこともまた重要な要素です。これらの人々に対して、そのほどあいに応じて相当なる道理を判るようにすることは、本人のためでもありかつ会社のためでもあります。次に、従業者はいつでもうるわしい心持で別れ得るような自由な空気が必要です。大きな会社などでは、規則的に退職手当の法などが設けられていますが、多数資本家の中には自分さえ都合がよければ、使用人は不利益であっても差し支えないように思っている者もあります。なるほど、直接金銭の計算からだけ言えば、退職手当が少なければそれだけ経営者の利益になるように見えますけれども、そういうところに限って使用人の腰が落ちつかないものです。他によい就職口があればいつでも逃げ出したいようなソワソワした気持でいるから、仕事に対して真剣味を欠いているのです。したがって十分な成績が挙らないことになります。このようなことは目に見えるわずかな金に較べると、非常に大きい損失であると言えます。事業経営者はこれらの点もまた深く考えなければなりません。

【原文】

會社工塲等に於いては多數の人を使うて居るが、上に立つ人は其の社員店員乃至職工に對して、安心して働くことが出來ると共に、將來發展し得る樣な道を講じてやらなければならぬ。之れは事業經營に直接關係がない樣に思ふ者があるかも知れぬが、實際仕事をなす上には大に關係がある。即ち斯ういふやり方をすれば、各自が自分の擔當の仕事に對し、自然誠實親切の心を以て働く様になる。此の仕事に對して親切であると否とは、結果に於いて非常に逕庭を來たす様になる。之れはアメリカあたりの施設に就いて見ればよく分るが、日本に於いては此點が頗る困却されて居るから大に注意すべきであらう。之れが施設としては、會社、商店、工場等それ〴〵事業の性質によつて異なるが、共通的に必要とするのは、従業員の凡てが物質的並に精神的に安心して働ける様にすること及び將來の地位の向上し得る様な方法を講ずる事である。

青少年従業員に對する教育的設備の如きも亦重要なる一つである。是等の人々に對して、其の程合ひに應じて相當なる道理を判る様にする事は、本人のためでもあり且つ會社のためでもある。次ぎに従業者は何時でもうるはしい心持で別れ得るやうな自由の空氣が必要である。大きな會社などでは、規則的に退職手當の法などが設けられてあるが、多數資本家の中には自分さへ都合がよければ、使用人は不利益であつても差支ない様に思つてゐる者もある。成程、直接金錢の計算からばかり云へば、退職手當が少なければそれだけ經營者の利益になるやうに見えるけれども、さういふ處に限つて使用人の腰が落ちつかない。他によい就職口があれば何時でも逃げ出したいやうなソワソワした氣持で居るから、仕事に對して眞劍味を缺いて居る。從つて十分の成績が擧らない。此様な事は目に見える僅かな金に較べると、非常に大きい損失である。事業經營者は是等の點も亦深く考へなければならぬ。

模範とすべきコダック会社

アメリカのロチェスターにイーストマンという人がいます。若い時には銀行の事務員などをした人で立志伝中の人であり、写真器械で有名なコダック写真会社の経営者です。その工場の規模ももちろんだいぶ大きいけれども、それよりその経営がまことによく行われているのに私は感心したのです。私は先年ワシントン会議について渡米した際、親しくその会社を視察しましたが、仕事ぶりを見るといずれも沈着におちついていて、一見して誠実熱心に働いていることがよく解りました。そして、上下一家親族のように親しくしている有り様を見て、実に羨やましいと感じたのです。

同社には技術および事務に属する部長が十八人いましたが、工場を一覧した後、イーストマン氏は私のために午餐会を開いてくださり、これらの部長も打ち揃って列席しました。その席上、イーストマン氏から私に何か話をしてくれとの希望でしたので、

私は機械そのものに対する知識がありませんから、これに対する批評はできませんが、世界に定評があるのですから、(コダックの製品機械が)精巧優秀であることはいまさら申すまでもないでしょう。それはさておき、私が特に感じたのは、従業員諸君がみな仕事に対して真剣に働いている点であります。これは部長諸君の平素の注意と訓練が行

き届いているから、このような有り様を呈していることと思います。この実況をじっくり拝見して、私が別に申し上げる必要もないのですが、私自身は万事仕事に対する忠実誠意を信条としてきたので、多年の経験からこれが最も必要であると確信しています。

というような意味のことを述べたような次第でした。

イーストマン氏も大いに私の説に共鳴されていましたが、この会社などは全従業員に対して、仕事に対する忠実と誠意との精神が最もよく行きわたっていたように見受けられました。日本のすべての事業もこのようでありたいと思います。なお細かい点に言及すればいろいろ申し述べなければならないこともありますが、ここは、その根本条件について一言するに止めておきます。

【原文】

アメリカのロッチエースターにイーストマンといふ人がある。若い時には銀行の事務員などをした人で、立志傳中の人であり、寫眞器械で有名なコダック寫眞會社の經營者である。其の工場の規模も勿論大分大きいけれども、それより其の經營がまことによく行つて居るのに私は感心したのである。私は先年華府會議に就いて渡米した際、親しく其の會社を視察したが、其の仕事振りを見ると何れも沈着に落付いて居り、一見して誠實熱心に働いて居ることがよく解つた。そして上下一家親族のやうに親しくしてゐる有様を見て、實に羨やましいと感じた。

同社には技術及び事務に屬する部長が十八人居つたが工場を一覽した後、イーストマン氏は私のために午餐會を開かれ、是等の部長も打ち揃うて列席した。其の席上イーストマン氏から私に何か話をして吳れとの希望だつたので、

『私は機械そのものに對する知識がないから、之れに對する批評は出來ぬが、世界に定評あること故其の精巧優秀なる事は今更申すまでもあるまい、而して私の特に感じたのは、從業員諸君が何れも仕事に對して眞劍に働いてゐる點である。之れは部長諸君の平素の注意と訓練が行き屆いてゐるから、斯かる有樣を呈してゐる事と思ふ。此の實況を親しく拜見して私は別に申上げる必要はないが、私自身は萬事仕事に對する忠實誠意を以て信條とし來たつたので、多年の經驗から之れが最も必要であると確信して居る。』

といふ樣な意味の事を述べたやうな次第であつた。イーストマン氏も大に私の說に共鳴されて居つたが、此の會社などは全從業員に對して、仕事に對する忠實と誠意との精神が最もよく行き渡つて居つた樣に見受けた。日本の凡ての事業も此樣でありたいと思ふ。尙ほ細かい點に言及すればいろいろ申述べなければならぬ事もあるが、茲には其の根本條件に就いて一言するに止めて置く。

我国の財政経済問題

我が経済界変動の歴史

財政と経済とは、これを学問上では判然と区別すべきものなのでしょうけれど、私の抽象的見地よりすれば、ある時はこれを混同し、ある時はこれを区別して見る場合があります。ですから私は今、我が国の財政経済問題について所見を述べるに当たり、財政経済を一緒にして述べようと思います。しかし、ご承知のとおり私は実業界を退いてからすでに十年にもなりますので、実業界の実情にはあまり精通していませんから、あるいはその観察に誤りがあるかもしれません。しかし、数十年の経験に基づいて今日の状態を観れば、財政経済ともに大いに注意を要すべき時であると思います。この注意を要するということは、単に財政経済を緊縮しなければならないという意味ではなく、一面においてはその発展拡張を計る上において、時代に適切なる方法を樹てなければならないと思うのです。一体、財政経済に関することについて、一定不変の策を定めて行うことはできないものだと思います。たとえば人間について見ても、その体質によって養生法がそれぞれ異ならなければならないように、人間を同一に律することはできませんが、さらに一身について見ても、その健康状態によって摂生法が違ってくるようです。いわんや国家のような多数の人が集っている社会においては、一定不変の財政経済策を定めるということはできない相談です。時代の趨勢に応じて、その時勢に最も適切なはずだという策を樹てるのが、我が国において最も肝要なことであると思うのです。

我が国の財政経済は、旧幕時代より明治維新となるに及んで一変し、欧米先進国の長所をすべて採って進む一方の道を辿って現代まで至りましたが、畢竟、経済の根本が進んできたために財政が膨脹してきたのであります。経済は民間、財政は政府というのが普通ですが、中には財政政策から経済を進めていくようにするのが法則のように考えている学者もいます。しかし、これは誤りです。

我が国の経済界は、金融、運送、工業等をはじめとして、主要な機関はことごとく欧米式に組立てて進んできましたが、時に一張一弛《いっちょういっし》の（強まったり弱まったりする）変化があることを免れませんでした。とくに事件が起こったときは、必ず経済界は変動を来たしました。一例を挙げますと、明治初年における経済上の事変、すなわち台湾事件、西南戦争、佐賀の乱に際しては変動を来たさざるを得ませんでした。その後において日清戦争、日露戦争においてもまた経済界の変動が襲来しました。そして、その変化の程度は、国内的事件による時は比較的小さく、範囲も狭く、平静状態に復帰することも速かでありましたが、対外的原因による変化はその範囲も広く、恢復《かいふく》にも相当の時間を要することが常でした。これを明治十年の西南の役について見ると、突発事件ではありましたが経済界の反動は小さかったと言えます。ですが日清戦争においては、それが海外的関係であったために反動も大きく、かつ恢復するまで多少の時間を要しました。日露戦争においてはさらにその範囲が拡大しました。このように、幾多の事変があるごとに経済界にその反動が及び、程度の大小によって、あるいは過渡期に入り、あるいは緊縮し、膨脹し、幾多の当業者をこの渦中に捲き込んで、その都度《つど》、大いに儲けた人もいれば、損をした人もいました。しかし、いかに反動が大きく経済界の沈滞を来たした時でも、結局はその事件による変動前に比すれば、経済界ははるかに膨脹した状態になっているのです。これが明治大正を通じての五十年間における我が国経済界の大略です。

【原文】

財政と經濟とは、之れを學問上よりすれば判然と區別すべきものであらうけれども、私の抽象的見地よりすれば、或時は之れを混同し、或時は之れを區別して見る場合がある。であるから、私は今我國の財政經濟問題に就いて所見を述ぶるに當り、財政經濟を一緒にして述べようと思ふが、併し御承知の通り私は實業界を退いてから既に十年にもなるので、實業界の實情には餘り精通して居らぬから、或は其の觀察に誤りがあるかも知れぬが、數十年の經驗に基いて今日の狀態を觀れば、財政經濟共に大に注意を要すべき時であると思ふ。此の注意を要するといふ事は、單に財政經濟を緊縮しなければならぬといふ意味ではなく、一面に於いては其の發展擴張を計る上に於いて、時代に適切なる方法を樹てなければならぬと思ふのである。一體財政經濟に關することは、一定不變の策を定めて行ふ事は出來ぬものであると思ふ。譬へば人間に就いて見ても、其の體質によつて養生法がそれ〴〵異らなければならぬのである故、之れを同一に律する事は出來ないが、更に一身に就いて見ても、其の健康如何によつて攝生法が違つて來るのである。況んや國家の如き多數の人が集つてゐる社會に於いては、一定不變の財政經濟策を定めるといふ事は出來ない相談である。時代の趨勢に應じて、其の時勢に最も適切なる可き策を樹てるのが、我國に於いて最も肝要な事であると思ふのである。

我國の財政經濟は、舊幕時代より明治維新となるに及んで一變し、總て歐米先進國の長所を採つて進む一方の途を辿つて現代に及んで居るが、畢竟、經濟の根本が進んで來た爲めに財政が膨脹して來たのである。普通經濟は民間、財政は政府といふ風になつて居るが、中には財政々策から經濟を進めて行く樣にするのが法則の樣に考へてゐる學者もあるけれども、然し之れは誤りである。

我國の經濟界は、金融、運送、工業等を始めとして、主要なる機關は悉く歐米式に組立てゝ進んで來たが、時に一張一弛の變化あるを免れなかつた。殊に或る事件の起つた際には、必ず經濟界に變動を來たしたのである。一例を擧げると明治初年における經濟上の事變、即ち台灣事件、西南事件、佐賀の亂に際しては變動を來たすを免れなかつた。其後に於いて日清戰役、日露戰役に於いても亦經濟界の變動が襲來した。そして其の變化の程度は、國內的事件に依る時は比較的小さく、範圍も狹く、平靜狀態に復歸する事も速かであるが、對外的原因による變化は其の範圍も廣く、恢復にも相當の時間を要するのを常とした。之れを明治十年の西南役に就いて見るに、突發事件であつたけれども其の經濟界の反動が小さかつた。然るに日清事件に於いては夫れが海外的關係であつた爲めに、從つて反動も大きく且つ恢復するまで多少の時間を要したが、日露戰爭に於いては更に其の範圍が擴大された。斯ういふ風に幾多の事變がある毎に、經濟界に其の反動を及ぼし、程度の大小に依つて或は過渡期に入り、或は緊縮し、膨脹し、幾多の當業者を此の渦中に捲き込んで、其の都度大に儲けた人もあり、損をした人もあつたが、併し如何に反動が大きく經濟界の沈滯を來たした時であつても、結局は其の事件による變動前に比すれば、經濟界は遙かに膨脹の狀態になつてゐる。之れが明治大正を通じての五十年間に於ける我國經濟界の大略である。

世界戦乱の齎《もた》らせる影響

さて、先年の世界戦乱の影響による経済界の変化は、その関係の範囲が全世界にわたっているだけに、その変化の程度も大きかったのは当然の帰結です。ことに一面から言うと、欧洲や米国の影響がただちに我が国に響くようになったのは、我が経済界の発達を物語っているのであって喜ぶべきことでありますが、それだけ変動も大きくかつ激しくなるのは、けだし止むを得ないことです。言うまでもなく世界戦乱によってにわかに各種の生産物の無理な消費が激増し、これに反して生産力が著しく減退しました。この状態が一朝一夕ではなく数年のあいだ継続し、三千億の戦費を費やしたほどですから、戦後において大きな反動があったのは当然のことで、少しも怪しむべきところはないのです。欧洲戦乱が休戦となるや、私は従来の経験に照らしてただちに大きな変動がくると予期したのでありますが、私の短見の致すところか、鉄と船舶とには急に変動がきましたけれども、その他の物価は一向に下落しないばかりか、ある物はかえって騰貴し、大正八年の春頃には戦時中以上の好況を呈しましたので、世人の多くはこの状態が当分持続するものと考えたようです。私は当時、多少その観察を裏切られたような感じがしないでもなかったのですが、しかし、どうしてもほんの一時的現象で、早晩、当然の変動が襲来するとしか思われなかったので、あたかも砂上の楼閣に対するように、その前途を危ぶまずにはいられませんでした。それで、私はその頃、折に触れては警戒を要することを説いたのです。しかしながら、世人の多くはこの状態が永続するものと観察していましたので、あるいは無理に事業を拡張し、あるいは思惑的売買を試み、みな放漫に流れていましたので、我が経済界はあたかも消化し切れぬほど無理に胃袋に詰め込んだような状態になりました。そこへ持ってきて、世界的経済界の大変動が襲来したのですから堪りません。健康状態であったならば抵抗力もありますが、元来が不健康状態にあったのですから、ひと堪りもない、あるいは重い病気に罹《かか》り、あるいは一命を失う者も続出して、実に惨澹たる状況を呈するに至ったのです。銀行、会社、個人商店、および事業等の支払停止、事業休止、破産等が続出し、金融梗塞《こうそく》、事業の不振、商況の沈滞等が一時にやってきて、非常な悲況を現出してしまったことは、みなの熟知するとおりです。

　我が経済界がこのような悲況に陥ったのは、畢竟、その観測を誤り、放漫に流れ、不自然的膨脹をさせたことの当然の帰結と言わなければなりません。悪く言えば世人一般が時勢に負かされたのであると言っても差し支えないでしょう。これをだいたいの風潮から言えば、誤りはただに民間ばかりでなく、政府の財政経済の局に当たっている人にもこの思い違いはあったように思います。いまさら言ってもせんないことでありますけれども、変動の襲来に先だってもう少し引締めていたなら、変動の程度も多少は減殺できたでしょうが、いかんせん官民ともに同じ誤りをしたのですから、致し方がありません。というわけで、その大きな痛手は今日もなお続き、まったく健康状態に恢復しきらないのですから、これを本当の健康状態に恢復させることが最大の急務であると信じます。

【原文】

さて先年の世界戰亂の影響による經濟界の變化は、其の關係の範圍が全世界に亘つて居るだけに其の變化の程度も大きかつたのは當然の歸結である。殊に一面から言ふと、歐洲や米國の影響が直ちに我國に響く樣になつたのは、我が經濟界の發達を物語つて居るものであつて、喜ぶ可き事であるが、夫れだけ變動も大きく且つ激しくなるのは蓋し止むを得ざる事である。謂ふまでもなく世界戰亂によつて遽かに各種の生產物の無理な消費が激增し、之れに反して生產力が著しく減退した。此の狀態が一朝一夕に非ずして數年の間繼續し、三千億の戰費を費したる程であるから、戰後に於いて大なる反動の來たのは當然の事で、少しも怪しむに足らぬのである。私は歐洲戰亂が休戰となるや、從來の經驗に徵して直ちに大なる變動を來たすべきを豫期したのであるが、私の短見の致すところか、鐵と船腹とには急に變動が來たけれども、其他の物價は一向下落しない計りか、或物は却つて騰貴し、大正八年の春頃には戰時中以上の好況を呈したので、世人の多くは此の狀態が當分持續するものと考へたらしい。私は當時多少其の觀察を裏切られた樣な感じがしないでもなかつたが、然しどうしてもホンの一時的現象で、早晩當然の變動が襲來するとより思はれなかつたので、恰かも砂上の樓閣に對する如く、其の前途を危ぶまずにはゐられなかつた。それで私は其頃折に觸れては警戒を要する事を說いたのである。乍併世人の多くは此の狀態が永續するものと觀察して居つたので、或は無理に事業を擴張し、或は思惑的賣買を試み、一體に放漫に流れて居つたので、我が經濟界は恰かも消化し切れぬほど無理に胃袋に詰め込んだ樣な狀態になつた。其處へ持つて來て世界的經濟界の大變動が襲來したのであるから堪らない。健康狀態であつたならば抵抗力もあるが元來が不健康狀態にあつたのであるから、一と堪りもない、或は重い病氣に罹り、或は一命を失ふ者も續出して、實に慘澹たる狀況を呈するに到つたのである。銀行會社個人商店及び事業等の支拂停止、事業休止、破產等が續出し、金融梗塞、事業の不振、商況の沈滯等が一時にやつて來て、非常なる悲況を現出するに到つた事は、世人の熟知するが如くである。

我が經濟界が斯くの如き悲況に陷つたのは、畢竟其の觀測を誤り、放漫に流れ不自然的膨脹をなしたる當然の歸結と謂はなければならぬ。惡く言へば世人一般が時勢にまかされたのであると謂うても差支あるまい。之れを大體の風潮から言へば、此の誤りは啻に民間計りでなく、政府の財政經濟の局に當つて居る人にも、此の思ひ違ひはあつた樣に思ふ。今更言うても詮ない事であるけれども、變動の襲來に先だつて今少し引締めたならば、變動の程度も多少は減殺し得たらうが、如何せん、官民共に同じ誤りをしたのであるから致し方がない。而して其の大きな痛手は今日もなほ全く健康狀態に恢復し切らぬのであるから、之れを本當の健康狀態に恢復せしむる事が最も急務であると信ずる。

事業の整理合同が必要

さて今後、我が国の財政ならびに経済をいかにすべきかと言うと、これは非常に難しい問題でありまして、その観察によって意見がわかれるでしょう。しかし、あまり退嬰的な考えをもって時局に対しては、せっかく築き上げた我が国の今日の進歩を退転させてしまう虞れがありますから、何事に対しても主義主張や経過に基づいて将来の策を樹てて進まなければならないと思います。ですので、第一に考えるべきことは、今後ますます幾多の事業が分立し、一面においては経営の基礎を薄弱にさせる惧れがあるという理由から、この際、同種事業および会社の整理ならびに合同をいっそう奨励して、まず基礎を強固にすることが肝要であると思います。

二、三の例について述べれば、日本郵船と東洋汽船とが合同することになりましたけれども、なお、大阪商船、国際汽船その他の諸会社が誠意を以て協議を重ねたならば、幾多の難点はあるにしても、ついには合同の一致点を見出して、最も基礎強固な世界の一大会社にすることが可能になるはずです。鉄にしても、どの製鉄所においても経営困難を感じていますから、八幡製鉄所をはじめとして、数多い同業会社が十分な調査をなした上で、大合同をなすことがすこぶる得策であろうと思います。また、銀行にしても近年は合同の機運がしだいに台頭し、浪速、丁酉《ていゆう》両銀行の十五銀行への合併、安田系統の銀行合同、第一銀行と東海銀行の合併等をはじめとして地方小銀行の合同などが相当に行われていますが、私に言わせれば合同の速度があまりに遅々としているように思われます。我が国における銀行はその数において は相当に多いため、これ以上に増設する必要はないように思われますが、内容の充実と金融の統一とを計ることは最も必要であると思います。ことに銀行の不祥事件が頻発する事実に鑑みて、特にこれを痛感するものです。さらに紡績事業、人造肥料、製紙事業等をはじめとして、このほかにも併合統一を必要とするものは少なくないので、政府においてもできる限り助力をして、その機運を促進するようにするのがよろしかろうと思います。また、近年、動力問題が盛んに論ぜられていますが、石炭の経済よりも水力の利用を奨励すべきはもちろんでありますけれども、その水力の利用が十分経済的になっていないように思われます。もし水力をもう少し経済的に利用する方法を講究すれば、恐らくは同一の水力で現在の倍または数倍の動力を得られるだろうと思うのです。要するに、すべての事業に対して収縮方針を採ることは大いに考えるべきことであって、その間、将来の理想ある統一、緊縮でなければならないのです。

【原文】

さて今後我國の財政並びに經濟を如何すべきかといふに、之れは非常に難かしい問題であつて、其の觀察によつて意見が岐れるであらうが、餘り退嬰的の考へを持つて時局に對しては、折角築き上げた我國の今日の進歩を退轉せしむる虞れがある故、何事に對しても主義主張及び經過に基いて將來の策を樹てゝ進まなければならぬと思ふ。而して第一に考ふべき事は、今後益〻幾多の事業が分立し、一面に於いては經營の基礎を薄弱ならしむる惧れあるを以て、此際同種事業及び會社の整理並に合同を一層奬勵して、先づ基礎の鞏固を期する事が肝要であると思ふ。

今二三の例に就いて述ぶれば、日本郵船と東洋汽船とが合同するに到つたけれども、尙ほ大阪商船、國際汽船其他の諸會社が誠意を以て協議を重ねたならば、幾多の難點はあるにしても結局合同の一致點を見出して、最も基礎鞏固なる世界の一大會社たらしむる事が可能なるべく、鐵にしても何れの製鐵所に於いても經營困難を感じて居るから、八幡製鐵所を始めとして、數多い同業會社が十分なる調査をなした上、大合同をなすことが頗る得策であらう。又銀行にしても近年は合同の機運が漸次擡頭し、浪花、丁酉兩銀行の十五銀行合併、安田系統の銀行合同、第一銀行と東海銀行の合併等を始めとして地方小銀行の合同なども相當にあるが、私をして言はしむれば合同の速度が餘りに遲々としてゐる樣に思はれる。我國に於ける銀行は、其の數に於いては相當に多い故、之れ以上に增設する必要はない樣に思はれるが、內容の充實と金融の統一とを計ることは最も必要であると思ふ。殊に銀行の不祥事件が頻發する事實に鑑みて、特に之れを痛感するものである。更に紡績事業、人造肥料、製紙事業等を始めとして、此外にも併合統一を必要とするもの尠からざるべく、政府に於いても出來得る限り助力をして、其の機運を促進する樣にするのが宜しからうと思ふ。又近年動力問題が盛んに論ぜられて居るが、石炭の經濟よりも水力の利用を奬勵すべきは勿論であるけれども、其の水力の利用が十分經濟的になつて居らぬ樣に思はれる。若し水力を今少し經濟的に利用する途を講究したならば、恐らく同一の水力を以て現在の倍又は數倍の動力を得らるゝだらうと思ふ。要するに凡ての事業に對して收縮方針を採ることは大に考ふ可き事であつて、其間、將來の理想ある統一、緊縮であらねばならぬ。

財政経済の膨脹と其の対策

民間経済の膨脹が時勢の推移に伴う当然の帰結である以上、国家の財政がしだいに膨脹するのはけだし止むを得ないことです。したがって、政府においても自然増収によるもののほか、他に増徴の途を講じなければならないのは、これまた止むを得ないことでありますが、課税の標準については公正を失しないようにしなければなりません。税制については細かい点は承知しませんけれども、精査すれば現在は低くなりすぎている課目も相当にあるはずです。また当然、増税すべき性質のものもあるだろうと思われます。けだし国の大勢が進むにつれて、財政経済が膨脹することは当然のことですから、人為的にこれを収縮することは自然の勢いに反することとなります。ですから、以上述べたような我が国現在の財政経済状態に鑑み、整理的に拡張するような方針を採り、これを進めていくようでありたいと思います。これは、刻下の行き詰まっている我が財政経済を展開する唯一の方策であると信じます。

なお最後に一言したいのは、私の常に言っているところですが、政治にしても経済にしても、いわゆる道徳を心から守るようでなければその実績を期し得られないということです。お互いに自己の打算上より事をなし自己のためにのみ計る心があっては、ともに相奪い相取る結果となって、いかに立派な案を樹ててこれに向かって進んでも、期待される成果を完全に収めることは不可能でしょう。これは政治界実業界の区別なく、何事についても同様であって、最も戒むべきことですから、常に道理正しく進むということを念頭に置き、自我心をまったく打ち捨てて事に当たるべきなのです。この心掛けさえ失わなかったならば、今日の我が経済界を再び健康状態に進展させることは、決して困難ではないと信じております。

【原文】

民間經濟の膨脹が時勢の推移に伴ふ當然の歸結である以上、國家の財政が漸次膨脹するは蓋し止むを得ざる事である。從つて政府に於いても自然增收によるものゝ外、他に增徴の途を講じなければならぬのは、是亦止むを得ざる事であるが、課税の標準に就いては公正を失せぬ様にしなければならぬ。税制については細かい點は承知せぬけれども、精査したならば現在は低くきに失する課目も相當にあるべく、又當然增税すべき性質のものもあるだらうと思はれる。蓋し國の大勢が進むにつれて、財政經濟の膨脹することは當然の事であるから、人爲的に之れを收縮することは自然の勢ひに反する事となる。されば以上述ぶるが如き我國現在の財政經濟狀態に鑑み、整理的に擴張する様な方針を採り、之れを進めて行く様であり度いと思ふ。之れは刻下の行詰まれる我が財政經濟を展開する唯一の方策であると信ずる。

尙ほ最後に一言したいのは、私の常に言うて居る處であるが、政治にしても經濟にしても所謂道德を心から守る様でなければ其の實績を期し得られないと云ふことである。お互ひに自己の打算上より事をなし、自己の爲めにのみ計る心があつては共に相奪ひ相取る結果となつて、如何に立派な案を樹てゝ之れに向つて進んでも、完全に豫期の成果を收むることは不可能であらう。之れは政治界たると實業界たるの區別なく、何事に就いても同様であつて、最も戒むべき事であるから、常に道理正しく進むといふ事を念頭に置き、自我心を全く打ち捨てゝ事に當る可きである。此の心掛けさへ失はなかつたならば、今日の我が經濟界をして再び健康狀態に進展せしむる事は決して困難ではないと信ずるものである。

［付録］

家訓

第一則　処世接物の綱領

一、常に愛国忠君の意を厚うして公に奉ずる事を疎外にす可《べか》らず

一、言忠信を主として行篤敬を重んじ事を処し人に接する必ず其意を誠にすべし

一、益友を近け損友を遠け　苟《いやしく》も己れに諂《へつら》う者を友とすべからず

一、人に接するには必ず敬意を主とすべし宴楽遊興の時と雖《いえど》も敬礼を失うことあるべからず

一、凡《およ》そ一事を為し一物に接するにも必ず満身の精神を以てすべし瑣事たりとも之を苟且《こうしょ》に付すべからず

一、富貴に驕るべからず貧賤を患うべからず唯々智識を磨き徳行を修めて真誠の幸福を期すべし

一、口舌は福禍の因《よっ》て生ずる所の門なり故に片言隻語必ず之を妄《みだり》にすべからず

第二則　修身斉家の要旨

一、父母は慈にして能く其子弟を教え子弟は孝にして能く其父母に事《つか》え夫は唱え婦は随《したがい》て各々其天職を尽すべし

一、能く長幼の序を守り互に相敬愛して敢て憎嫉《ぞうしつ》紛争の事あるべからず

一、勤と倹とは創業の良図守成の基礎たり常に之を守りて苟も驕り且怠ることあるべからず

一、凡そ事務は正経のものを択《えら》みて之に就くべし苟も投機の業又は道徳上賤むべき務に従事すべからず

一、凡そ事を起すには先ず其始を慎み既に之に処しては勉めて耐忍恒久の念を厚うし猥《みだ》りに之を変更し又は之を抛却すべからず

一、慈善は人の貴むべき所のものなり故に縁戚故旧の貧困なる者は勉めて之を救恤《きゅうじゅつ》すべし唯々其方法を鑑みて之をして独立自活の念を失わしむべからず

一、家僕奴婢は篤実なる者を撰ぶべし寧ろ魯鈍なるも浮薄佞弁なる者を使用すべからず

一、家僕奴婢を遇するには能く之を愛憐撫恤《あいれんぶじゅつ》して中心奉公の念を厚うせしむべし然れども恩愛に狎《な》れて僭上怠慢の心を生ぜしむべからず

一、冠婚葬祭の儀式及び通常招客等の事あるも勉めて華美の風を避け其分に随て之を質素にすべし

一、凡そ同族たる者は同族会議に於て決議したる事項は瑣事たりとも必ず之に違背すべからず又同族に関すると一身に関するとを問わず事の重大なるものは必ず同族会議に於て議決の後之を行うべし

一、毎年一月の同族会議に於て家法朗読式を行うに際し同族中智識徳行ある年長者此の家訓を朗読し更に之を講演して同族は必ず之を遵守することを誓うべし

第三則　子弟教育の方法

一、子弟の教育は同族の家道盛衰の関する所なり故に同族の父母は最も之を慎みて教育の事を怠る可らず

一、凡そ生児其幼稚の間は身体健全にして品行賤しからざる保姆を撰みて保育せしめ父母たる者常に之を監督すべし

一、父母たる者は居常其言行を慎み子弟の模範たることを務め且家庭の教育に厳正にして子弟の性質を怠惰放逸ならしむべからず

一、学校の教育は其子弟身体の強弱を計り寛厳其宜に従て之を処すべし

一、子弟満八歳を超れば男子は保姆を止めて厳正なる監督者を付すべし

一、凡そ子弟は幼少の時に於て世間の艱苦を知らしめ独立自活の気象を発達せしむべし且男子は外出の時は成るべく歩行せしめて其身体の健康を保護すべし

一、凡そ子弟満十歳以上に達すれば自己の小費を弁ずる為めに小額の金員を給与するを得べしと雖も能く其分に応じて其額を定め之をして以て会計の注意を喚起せしむることを勉むべし

一、凡そ子弟には卑猥なる文書を読ましめ卑猥なる事物に接せしむべからず又芸妓芸人の類に近接せしむべからず

一、男子満十三歳以上に至らば学校休課中に行状正しき師友と共に各地を旅行せしむべし

一、凡そ男子は成年に達するまでは大人と区別して之を取扱うべし且其衣服は必ず綿物を用い器具の類も勉めて質素を主とすべし唯々女子は外出又は来客に接する等の事ある時は絹布を用ゆるを得

一、男子の教育は勇壮活潑にして常に敵愾の心を存し能く内外の学を修め且其理を講究して事に当りては忠実に之を遂ぐるの気象を養わしむべし

一、女子の教育は其貞潔の性を養成し優美の質を助長し従順周密にして能く一家の内政を修むることに訓練せしむべし

編訳者解説　「中庸の偉人」からのメッセージ

本書は昭和二年（一九二七）八月に青淵回顧録刊行会を版元として出版された『青淵回顧録 上・下』（子爵　渋沢栄一述　小貫修一郎編著　高橋重治編纂）の下巻に第一附録として収録された「青淵論叢」を編訳者の鹿島茂が現代語に訳したものである。

『青淵回顧録』について

『青淵回顧録』は、上巻すべてと下巻の三分の一までが「青淵回顧録」と題した自伝的口述、下巻の残りの三分の二が、①講演や講話あるいは寄稿を集めた第一附録「青淵論叢」、②各界著名人の渋沢への思い出や回顧を編纂した第二附録「諸名士の渋沢子爵観」によって占められている。本書はこの第一附録の部分のみを抜き出したものにほかならない。そのさい、それぞれのテクストの配列に関しては原著のとおりとしたが、原著で冒頭に置かれていた「家訓」についてのみ、原文を活かし新字新仮名に改めるに留め、巻末に配して付録とするという独自の編集を行った。

ところで、自伝部分に当たる「青淵回顧録」は、編著者である小貫修一郎の「『青淵回顧録』上梓に当りて」によれば、次のような経緯から編まれたものであるという。すなわち、渋沢栄一に私淑して刊行の十年ほど前から飛鳥山の自宅、第一銀行の事務所、あるいは伊香保、湯河原、大磯などの避暑・避寒地、さらには病床にまで出向いてその談話を筆記していた編著者が渋沢の米寿（八十八歳）記念にこれらの原稿をまとめ、高橋重治の力を借りてこれを青淵回顧録刊行会から刊行したものである。

ただし、渋沢は超多忙のために口述筆記された草稿に目を通すことはなく、「文責は編纂者に在る事を明かにして呉れ、さうすれば、原稿を校閲しなくとも差支ない」として、自身の校閲なしでの出版を許可したということであるから、厳密な意味では、これを渋沢の自伝と見なすことはできない。しかし、渋沢の生前に、しかも米寿記念として配布するために編纂されたテクストであることを考えれば、準著作的なものと見なすことは可能である。なぜなら、もし事実と大きく違っている点があったならば、これを回収して絶版とするか、あるいはすぐに正誤表が配られたり、改訂版が出されたはずだが、そうした措置は取られず、渋沢本人も内容に対して異議を差し挟むことはなかった。しかも、十年後の昭和十二年にはタイトル『渋沢栄一自叙伝』として渋沢翁頌徳会から「青淵回顧録」の部分だけが再刊されている。再版の内容の変更は冒頭部分だけで、ごく一部である。

このような観点に立ち、私は『渋沢栄一　上　算盤篇』『渋沢栄一　下　論語篇』（ともに文春文庫）を執筆したさいには、伝記的な記述にかんしては、公式な自伝と見なされている『雨夜譚』と「青淵回顧録」を比較検討しながら利用し、渋沢の経済思想にまで踏み込む場合には、第一附録の「青淵論叢」および第二附録の「諸名士の渋沢子爵観」を適宜参照した。

「青淵論叢」の重要性

ところで、『渋沢栄一』執筆のさい、一つの発見があった。第一附録「青淵論叢」の意外な重要性である。これは、渋沢が七十七歳で現役を完全引退してから後に行った講演や講話あるいは寄稿を編著者が独自の観点からまとめあげた講演・談話アンソロジーであるが、同じ趣旨に基づく『論語と算盤』と比較しても、重複する内容が少ないばかりか、「道徳経済合一説」を中心に、経済、経営、社会事業、教育などにかんする渋沢の考え方がおのずと浮き出るようなかたちに巧みに選択・配列された優れた「論叢」であるからだ。にもかかわらず、『青淵回顧録』の刊行後、昭和八年に『青淵論叢』というタイトルで統計資料協会から再刊されて以来、今日に至るまで入手困難なテクストとなっている。ならば、新一万円札の「顔」に渋沢が採用されたのを機に注目が集まっている今日、是非ともこれを復刊する必要があるのではないか？　これが、「青淵論叢」復刊に踏み切った理由である。

現代語訳について

このような判断に基づいて、「青淵論叢」の再検討を始めたのであるが、ここで大きな問題が生じた。それは、テクストをそのまま再録すべきか、それとも現代語に訳すべきかという問題である。

これについては、『渋沢栄一』を上梓したときに感じたことが一つの判断基準になった。それは、『渋沢栄一』の読後感として寄せられた意見の中に、私の地の文はすらすらと読めたが、引用されている渋沢の原文は非常に読みにくいのでこれを飛ばして読んでいるというものである。

この反応は意外だった。というのも、渋沢の文章というのは、基本的に漢文文脈ではあるものの、講演ないしは口述筆記であることもあって、明治・大正期の文章を読み慣れている人間にとっては、決して読みにくいものではなかったからである。

そこで、具体的にどういうところが読みにくいのかを知るために、大学の読解ゼミで渋沢の『雨夜譚』および『青淵回顧録』の一節をプリントしてこれを学生に読んでもらうことにした。その結果、次のような事実が明らかになった。

①旧字および旧仮名遣いは最初はかなり抵抗がある。しかし、慣れればそれほど難しいと

は感じられない。

②文中に登場する、現代では使われない四字熟語の類いは、意外なことにそれほど理解不可能なものではない。これは漢字という表意文字の力であろう。

③漢文の書き下し文のような文体は、逆にリズムがあるので、それほどの抵抗はない。

④動詞、名詞、形容詞の類いの漢字は多少読みがむずかしくとも、意味が取れないということはない。

⑤反対に、現在では平仮名が使用されている代名詞、接続詞、副詞の類いが漢字になっている部分は、躓くことがきわめて多く、なれるのに時間がかかった。たとえば、次のようなものである。

代名詞［其《その》、之・是・此《これ／この》、夫《それ》、etc.］

接続詞［又・亦《また》、然《しか》も、然《しかる》に、而《しこう》して、且《かつ》・可《か》つ、etc.］

副詞等［如何《いかん》、苟《いやし》くも、頗《すこぶ》る、若《も》し、茲《ここ》に、即《すなわ》ち、詰《つま》り、遂《つい》に、兎角《とかく》、併《しか》し、動《やや》も、凡《およ》そ、斯《こ》う、斯《か》く、etc.］

こうした観察結果から導き出すべき結論は、すでに自明である。すなわち、漢字が用いられている代名詞、接続詞、副詞の類いを平仮名に開く。これにより、渋沢のテクストは格段に読みやすくなる。これに対し、名詞、動詞、形容詞の類いは難読漢字にルビを振るだけでよい。ただし、特に難解なものにはカッコして解説をつける。漢文書き下し文のような文体はあえて直す必要はない。ただし、旧字、旧仮名遣いは新字、新仮名遣いに改める。

本書を現代語訳するに当たって方針としたのは、以上のような点である。こう書くと、なんだ、それじゃあ現代語訳とはいえないじゃないかという反論があるかもしれない。たしかに、その通りである。読みにくい部分の漢字を平仮名に転換しただけなのである。だが、不思議なことに古色蒼然とした渋沢の原文がきれいな現代文になったのだ。これは渋沢の文章が論理的であり、現代にも十分通用する内容を含んでいることを意味する。

しかし、現代語訳と銘打つ以上はなにかしらの工夫をすべきだとは思った。

そこで、特別の工夫として、「である」調を「です、ます」調に変えることにした。理由は、元のテクストのほとんどが講演、談話、口述であるからというもの。つまり、渋沢がしゃべっているのを耳にしたときのような文体に変えてみたのである。これだけでも受ける印象はかなり違うはずである。

とはいえ、当然、こうした配慮を煩わしいと感じる読者がいないはずはない。そこで、私の現代語訳の次に、渋沢の原文を添えることにした。こうしておけば、オリジナルで渋沢の文章を引用したいという人にとっても好都合と判断したのである。

「青淵論叢」について

「青淵論叢」では、「家訓」を除くと、全部で三十一篇の講演・講話の類いがほぼ年代順に並べられている。「立身出世の秘訣」「現代青年の短所と通弊」などといったビジネスマン向けの講演・講話から、「対支政策の根本義」「我国労働問題の前途」などという時局問題についての意見開陳など、テーマは多岐にわたっているが、これら三十一篇の中で中核をなすのは、本書の副題とした「道徳と経済の合一説」とそれに関連した講演・講話である。ここには、渋沢の経営思想、経済観念がもっとも端的に表れている。これを読めば晩年に渋沢が考えていたことがわかるはずである。

とはいえ、一切の文脈抜きにこれらのテクストを読んでもピンとこない人もいるかもしれない。そこで、この「解説」では、まず渋沢の伝記的な思想遍歴を語りながら、渋沢が晩年にこうした「道徳経済合一説（義利合一説）」に行き着いた理由を考えてみたいと思う。

道徳と経済の合一説

渋沢栄一の経済思想をもっとも端的に表現したのが「道徳経済合一説」であることは言をまたない。「青淵論叢」の後ろの方に置かれた「道徳と経済の合一説」と題したテクストは渋沢みずからが自説をわかりやすく解説したものである。

このテクストでも触れられているように、大正五年（一九一六）に来日したタゴールと渋沢は対話をしている。テクストの冒頭で、渋沢は、タゴールとほぼ意見が一致したように語っているが、実際には、論点はいまひとつかみ合わなかったらしく、会談の後、渋沢は「弘道」という雑誌で語った談話で、次のように述懐している。

決してタゴールは、物質的文明を詛はぬが、悲しい哉印度の人であるから、精神の向上の事ばかり深く考へて居るらしい。又其説も甚だ宜しいけれども、どうも物質的の観察談となると殆ど定案がない。

ここからも明らかなように、渋沢がタゴールから知恵を拝借したかったのは経済を発展させつつ、同時に道徳心を堅固に保っていくにはどうしたらいいかという、自らが一生考え続けてきた根源的問題についてのヒントであった。渋沢は「道徳経済合一説」というかたちで思想を練り上げてはいたが、それでもなお、東洋の英知であるタゴールの口から、この二つのファクターの関係についての意見を語ってほしかったのである。だが、タゴールは道徳心については語っても、経済についてはついに語らなかった（というよりも、語り得なかった）のである。

いっぽう、渋沢はというと、経済と道徳は、究極的には完全一致する、いやどんなことがあっても一致させねばならないという強い信念を抱いていたのだが、では、その「道徳経済合一説」とはどのような経験を積むことによって強い確信へと変わっていったのだろうか？これをまず考えてみよう。

屈辱的な原体験

思想の原点は、渋沢が十七歳のときに経験した一つの衝撃的な屈辱にある。それまで、渋沢は、従兄の尾高惇忠から漢学を学んでいたとはいえ、さしたる野心もなく、藍玉の加工・販売などの家業で実績を上げることで近在の村々から尊敬を得るような大人、つまり父親のような「分を知った」人間になればいいと思っていた。ところが、十七歳のときの屈辱経験により、俄然、社会の理不尽さに目覚めるのである。

故郷・血洗島一帯の領主・安部摂津守の陣屋は岡部にあった。ちなみに陣屋とは三万石以下の小領主の「城」に当たる。父・渋沢市郎右衛門は、若森という陣屋の代官から領主の娘が嫁入りするので御用金を融通するようにと命じられた。御用金というのは税金とは異なり、強制ではなく、領主が土木工事や災害対策など臨時の出費があった場合、富裕な町人や農民から金利付きの借上金として調達するもので、後には金利払いはおろか、元金さえ返済されず、事実上の強制献金となっていた。ただ、いちおう、農民や商人から「借りる」という形式だったので、かたちだけでも承諾を得る必要があったのだ。血洗島でも、藍玉製造の農民は裕福だったので、渋沢一族はなにかというと御用金を言い付けられていた。

渋沢は、父から自分は所用で伺えないので、代理として詳細について聞いてくるようにと命じられた。代官は、市郎右衛門には五百両の御用金を言い渡し、渋沢に、もう十七歳で女郎も買う年頃なのだから、一存で即答できるだろうと言ったが、渋沢は代理なので即答できないと答えた。すると、代官は激怒し、渋沢を面罵したのである。

渋沢は「金を借りるほうが貸す人間よりもいばっているのはおかしい」「自分よりも学問も知識もない人間が自分を馬鹿にするのはおかしい」と感じて、猛烈に怒った。そして、そこから「たんに武士であるからといって農民を奴隷扱いするのを許している幕府の政治がおかしい」という結論に突き進み、ついには討幕を志す草莽の志士となったのである。

温存された疎外的分担体制への疑問

さて、この原体験と道徳経済合一説はどのように結びついたのだろうか？

渋沢が青年期を過ごした徳川幕藩体制においては、「政治・思想・道徳」という上部構造は支配者である武士が担当し、「経済」という下部構造は被支配民である農工商が担当するという分担体制になっていた。武士は利潤追求（金儲け）を卑しいこととして蔑視し、これを農工商に任せるが、しかし、彼らの努力の結果として生じた利益は、その上前を撥ねるかたちで徴収するというシステムである。

渋沢は、一人の愚劣な代官に面罵されたのをきっかけに、このシステムはおかしいと考え始めたのである。

武士だけが政治・思想・道徳を担うのも理不尽だが、農工商は経済のことだけ考えておけというのもおかしいのではないか。なぜなら、自分は農業のかたわら藍玉を商う経営農民の息子として幼いころから父を真似ると同時に、師について四書五経を学んできたが、儒教の教えに忠実であろうとすれば、自然と政治・思想・道徳について思いを巡らさないわけにはいかなくなる。つまり、農工商は経済のことだけ考えていればいいといういまの体制はやはりおかしいのだ。

しかし、金銭は卑しむべきものとして利潤追求は農工商に任せながら、自分はその上前を撥ねている武士階級というのもまた許しがたい。こうした体制はやはり覆さなければならない。

こう考えて、渋沢は討幕運動に突き進み、巡り巡って、明治維新という革命を経ることによって新しい時代の担い手となったのだが、では「武士だけが政治・思想・道徳について考えるのもおかしいが、農工商が経済のことだけしか考えないのもおかしいのではないか？」という原体験の疑問は解決されたのかといえば、決してそうではなかった。

つまり、この原体験から出発して、ついには日本資本主義の父となった渋沢だが、疑問は依然として未解決のままであると感じていたのだ。いや、それどころか、疑問はさらに深まりつつあった。

なぜなら、たしかに士農工商という絶対的身分制度に代わって四民平等が実現し、武士はいなくなったが、その代わり西南雄藩出身の下級武士たちが官吏や政治家、あるいは大学教員となって政治・思想・道徳を担当している。経済はというと、こちらは没落した旧武士階級が加わりはしたが、基本的には、根幹を担っている主体は元の農工商であり、経済だけしか関心がないというメンタリティーはそのまま持ち越されている。自分さえ儲かれば、国家とか社会とか国民道徳とかそういったものは役人や政治家に任せておけばいいと考える気質に変化はないのだ。ひとことでいえば、「官」と「民」の分担体制はまったく変っていないのだ。

これでは、江戸の封建制と少しもかわらないではないか？　いや、それどころか、経済の規模が自分が主導した資本主義の本格的導入によって急拡大した分、自分さえ儲かればいいと考える人間が急増し、その結果、社会的格差は江戸時代よりも拡大しているから、よりひどくなっているではないか？　ひとことでいえば、江戸の封建主義に代わって明治・大正の資本主義が登場しても、官は官のもの、民は民のものという疎外的分担体制はよりひどくなっている。

これは、自分にも責任があるのだから、なんとしても最終解決しなければならない。

では、どうすればいいのか？

これが、日本の資本主義をほとんどゼロから独力で作り上げた渋沢が古希にあたって再度、自分に問いかけた疑問だったのである。

「道徳経済合一説」五つの要点

では、「道徳と経済の合一説」で渋沢が問題提起しているのはどういうことだろうか？

以下、私なりに要約してみよう。

①金儲けは決して否定されるべきことではない。金儲に成功する富豪が出るようでなけれ

ば、国が富むことはない。

富豪は造りたくないということはどうしても言えません。富豪が出るようでなければ国は富まないからです。国が富めば必ず富豪が出てきます。（二七八ページ、「道徳と経済の合一説」）

②その理由は、富豪は、人の見ないところに目をつけたり、創意工夫したり、大衆の望んでいるものを正しく見抜いたり、あるいは時の流れ、勢いといった「未来」を占うために勉強することから生まれてくるからである。なにも努力しない人で富豪になれる人はいない。こうした意欲や意思を否定したのでは、元も子もない。より良き生活をするために利潤追求することは、それ自体としてはむしろ積極的に肯定さるべきことである。

③江戸時代に利潤追求を否定する考えが武士階級で一般的だったのは、儒学のうち、利潤追求否定派の朱子学を武士階級が採用したからである。しかし、虚心坦懐に『論語』を読めば、孔子は、決して金儲けそれ自体は否定していない。否定しているのは「不義にして富む」ことで、正しい倫理に依る利潤追求は孔子もけっして否定していないのだ。武士階級が朱子学に依って利潤追求を卑しいことだとした過ちは明治になっても正されなかった。金は自分が手を染めないでもどこからか湧いてくるという観念は、大久保利通や西郷

隆盛のような政府高官にも等しく見られ、渋沢が大蔵省を辞任することになったのも、結局のところは、こうした政府高官の金銭蔑視だったのである。

④では、利潤追求は、どんなことがあっても肯定さるべきかというと、これも正しくない。まず、「不義にして富む」つまり不正な手段で利潤追求するのが否定さるべきであることはいうまでもないが、では、「不義」でない利潤追求ならまったく問題はないかというと、そうではない。正しく稼いだ金は正しく使わなければならないのである。

金というものは社会の力を表象している役にたつ道具ですから、これを貴ぶのは正当なことですが、しかし、必要な場合にはよくこれを消費しなければなりません。消費はもちろんよいことなのです。よく集めてよく散じ、もって社会を活発にし、それによって経済界の進歩を促すのはまさに有為の人が心がけなければならないことなのです。真に経済がよくわかった人は、よく集めてよく散じるようでなくてはなりません。よく散じるとは正当に支出することです。金を善用することです。（一六ページ、「富者の要務」）

⑤しからば、正しく消費することのできる大富豪なら全面的に許されるかといえば、そうでもない。つまり、自分一人だけが大富豪でいることは正しくはないのである。

富豪というものが自分さえ富めばそれでよいという考えをもつならば、大いなる誤りであると思います。（中略）特に富豪の出来たため一方に貧乏人が出来るということを深く考えなければなりません。（中略）すなわち一方に富豪が肥え太りつつある時、他方においてははるかに多数の貧民が殖えていくのです。これは富豪の罪悪だと無理にいうことはできないけれども、富豪には富豪として当然なすべき務めがあるのですから、富豪はできるだけこれらの無産者を向上させていくことに努めなければなりません。そうでないと、いつまでも富豪として存続することは、よほど困難になりはしないでしょうか。（二七八―二七九ページ、「道徳と経済の合一説」）

渋沢栄一の道徳経済合一説（義利合一説）は、これですべてである。なんだ、これだけかと思う人もいるかもしれない。しかし、特別にユニークな主張はないではないかと侮ってはいけない。ここには、経済学や経済政策に関する基本的な問題点はすべて出揃っているからである。つまり、渋沢の個人的な主張のように見えながら、実際には広い汎用性をもつ議論なのだ。

現代に通じる渋沢の洞察

ためしに、この五つのポイントについて、一つ一つチェックしてみよう。

①および②について。これは、資本主義について考えるときに最も肝要な論点である。つ

まり、諸悪の根源は利潤追求と私有財産の所有にあると考えた人々は、これを否定した制度ならすべてはうまく行くと考え、社会主義、共産主義というものを生み出した。そして、それを二十世紀にソ連、中国、およびそれらの衛星国で実行に移した。結果はというと、これが壮大な失敗だったというほかはない。現在、社会主義、共産主義を国是としているのは北朝鮮とキューバだけで、他は共産党およびその類似政党による一党独裁の資本主義に転換している。ひとことでいえば、利潤追求を否定したのでは、いいかえると、儲けたい、得をしたいという人間の本能を否定してしまっては、経済は回転していかず、ついには生活が成り立たなくなって、旧ソ連の場合のように、内爆して国家崩壊にまでいくほかはないのである。

③は、今日でも真剣に考えなければならない議論である。というのも、これは、利潤追求を、社会のある部分は肯定し、ある部分は否定するという考え方であり、江戸時代はまさにこうした考え方で身分制度が成り立っていた（武士においては否定で、百姓や職人、商人においては肯定）。

では、明治維新でこうした状況が完全に消滅したかといえば、そうではないというのが渋沢の考えである。武士にかわって政府高官や官僚が、さらに時代が進むと、学問を専門にする学者や文学者、芸術家が、金銭は卑しいものだと考えて、利潤否定の言動を行い、その一方では、政治、学問・芸術とは無縁の庶民は金儲けのことしか考えないという二極体制が出来上がってしまったのである。これは忌むべき状況であるというのが渋沢の認識であり、それは現在においてもまったく正しい。

このことは、アメリカ大統領選挙でトランプを支持したような人々を見ればわかる。彼らにとって、民主党やその支持母体であるインテリたちは、階層的に（つまり親の代から）利潤を確保して安全地帯にいながら、金銭を卑しんで利潤追求に否定的である人のように見えるからだ。いいかえれば、アメリカの対立は富裕層vs.貧困層ではなく、利潤追求肯定派（トランプ支持派）vs.利潤追求否定派（アンチ・トランプ）という構造から来ている。貧困層が利潤追求の権化であるトランプを支持するという不思議な現象はこれで説明できるのである。こうした二極構造は、激しい憎悪を生むという点で非常に危険である。

④と⑤は、新自由主義とグローバリズムの時代の到来で生まれた超格差社会において、いまこそ渋沢が召喚されるべき大きな理由となっている。すなわち、少数の大富豪が社会の富の大半を所有し、その残りの部分を大多数の貧困層が分け合うという現在の状況において、もう一度、厳密に検討されるべき主張なのである。渋沢は、資本主義を野放しにしておけば、このような超格差社会が到来することを予想していた。

経済的であろうとすれば道徳的でなければならない

では、①〜⑤の現状認識を踏まえて、渋沢は資本主義をどのようにして是正すれば、正しい社会が出来上がると考えていたのだろうか？

まず、しなければならないことは全国民一人一人が次のような考え方を持つことである。

Ⅰ利潤追求は、より良い生活をしたいという人間の本能であるから、これを否定してはならない。
Ⅱ利潤追求は、道義に則ってこれを行わなければならない。自分だけよければという利己的な考えや独占的な方法を捨てるべきだ。

しかし、こうした考え方がいかに正しくとも、欲望の塊である人間にとってそれが困難なことは渋沢もよくわかっていた。百年河清を俟つ、ではだめなのである。
では、どうすればいいのか？　ここで、渋沢の持論である「道徳経済合一説」が改めて登場することになる。

Ⅲ利潤追求を長期間にわたって持続しようとするなら、利益を広く社会に還元するようにしたほうがはるかに合理的である。社会に還元された富は、時間をおいて必ず自己の利益を増すかたちで戻ってくるからである。

渋沢はこうした主張を次のように展開している。

かりに自分自身の独力で財産が出来たところで、それは真の富とは言えないばかりでなく、（中略）どうしても社会一般の人の進歩を図り、社会一般の事業が進んでくるということになって、はじめて真の富というものが生じるのです。論語に「己立たんと欲して人を立たせ、己達せんと欲して人を達す」という章句がありますが、これはただに個人としてばかりでなく、経済界にも適用しなくてはならない尊い教訓であると思います。（二六五ページ、「政治経済と道徳観念」）

ひとことでいえば、道徳的であること（『論語』に忠実であること）が経済的（「算盤」に適う）なのであり、経済的であろうとすれば道徳的でなければならないという結論になるのだ。これが経済合理性というものなのである。かくて、次の言葉が渋沢の結論となる。

道理正しい真正の力のある富、真に正しい国家を維持する富こそ、本当に大事な価値ある富だと言えるのです。ゆえに私は常に富が真正の道理に叶うようでなければならないと唱道します。これすなわち、道徳と経済の合一ということを強く主張している理由です。（二七六ページ、「道徳と経済の合一説」）

教育としての社交

それでは、こうした合理的な「道徳経済合一説」への賛同者をどのようにして増やしていったらいいのか？

渋沢は、若い人に対しては教育、大人に対しては社交しか方法はないと考える。

まず、若者の教育だが、これはⅠとⅡとⅢを同時に教えるようなものでなければならない。教育、それも倫理的な教育というと、Ⅱだけを教えるように思われるがそうではない。ⅠとⅡを正しく理解させ、その理由としてⅢの経済合理性でその関係を説明できるような人々の教育が急務なのである。換言すれば、いったい何が自分にとって本当の得なのかを長いスパンで考え、しかも社会全体の中で総合的に利潤追求を行うことのできる人間が一人でも多くなっていくことが不可欠なのだ。

渋沢はまさにこうした考えに基づいて、今日の一橋大学の前身、東京商業学校を創立した。一橋大学こそは、渋沢が理想的商業人養成のために造った教育機関なのである。

次に社交である。

すでに大人になってしまった人間を矯正することは困難である。だが、交際を通して、近くにいる理想的人物を観察し、自分もその人のようになりたいという「まねび」を誘うことは不可能ではない。この意味で、経済人たちを「道徳経済合一説」の社交サークルに引き入れて、一つの理想に向かって切磋琢磨させることは有効である。

このような観点から渋沢は東京商工会議所をつくったのであり、社交の場としての東京会館の設立に動いたのである。さらに進んで、数度の渡米に当たっては、カーネギーやコダックなどアメリカの実業家たちに引き合わせるために、日本の実業家たちを引き連れていったのである。その結果、それまで社会事業や福祉には無関心であった浅野総一郎、根津嘉一郎、安田善次郎といった大富豪がこうした方面に関心を寄せるようになった。
ことほどさように、社交は渋沢にとっては教育の一環として捉えられていたのである。

渋沢の柔軟性

もちろん、こうした「教育」においても「社交」においても、渋沢はまず自分が模範として道理に叶った行動を取れるようにしなければならないと常に考えていた。そのときに規範と仰いだのは『論語』であり、どんな行動においても、『論語』の一言半句を参照して、倫理的に齟齬をきたしていないかどうか確認してから、決定がなされたのである。

私はこの道理を踏み過たぬために、その標準を孔子の教義にとっています。私が日常生活においていくつもの複雑な事件や問題に逢着するとき、ただちにそれが道理に適応する処置や方法を考えます。その際、私の心が誤らないようにしてくれるのは孔子の教えです。このことについて夫子はかくかくと教えている、この場合における夫子の態度はかくかくであったと、いちいち孔子の教えに照合してその事物を処理し、それが自然と道理となると信じているのです。（一八一―一八二ページ、「道理論」）

おもしろいのは、渋沢は自分は『論語』で育ったから『論語』に拠っているが、仏教でもキリスト教でも規範となる道徳律にはそれほど相違はないから各人が己の信じるものに即して道理を踏むようにと勧めていることだ。また、『論語』のすべてが正しいわけでもないと考え、時代に合わないところもあると認めている。さらに『論語』を読んでも自分なりに思考することがなければ、それは教条主義に陥ると戒めている。渋沢は決して『論語』教条主義者ではなかったのである。

中庸の思想

もうひとつ、渋沢が教育にかんして強調していることは、知育と徳育のバランスを取ることが必要だということである。「思想問題と教育の改善」において、渋沢は近代の教育が知育に傾きすぎて徳育を軽視してきたことを強調しているが、同時に、だからといって徳育一辺倒になる危険性も指摘している。

人はその思想を高尚にしていくときには、必ず道徳を履み誤ることはないのですが、しかし、ただ徳義さえ失わねばよいという一点張りでいくと、その事柄に対処するため智慧を働かせなくなります。その事柄を識別する学問がなければ、すべての事物に対して是非善悪を分別してよろしきを制することはできないはずなのです。（一八九ページ、「大国民は斯う有り度い」）

というわけで、教育に最も必要なのは、知育と徳育のバランスを取ることだというのが渋沢の結論になるのだが、このバランスという考え方は『論語』から渋沢が学んだ「中庸」の思想からきている。

この中庸を巧みに説いたのが、「弊を見て功を没する勿れ」の章である。

渋沢は言う。明治維新により過去の価値観が瓦解した結果、維新はむしろ弊害を多くもたらしたという人がいるが、これは「弊を見て功を没する」式の議論であり、中庸という観点から眺めれば、公正な態度ではない。同じように地方自治制度というものに対して、これにより中央政府から面倒を見てもらえなくなったので地方自治制度を否定する者が現れているが、これも同じような、極端から極端への反動であり、正しくない。教育改革も経済の進展もまた然りで、弊と功を秤にかけて、そのプラス・マイナスを正確に問うべきで、「弊を見て功を没する」ことがあってはいけない。要は、なにごとも中庸を得ることが肝要なのである。


中庸ということが世の中の事物にとってたいへん肝要になってきます。（中略）中庸というものはほとんど総てのことを網羅しているように見えます。（中略）中庸というものを互になるべく心掛けておいて、弊をもって功を没し、功に誇って弊を生ずということを防ぐようにしたいと私は懇望して止まないのです。（一六九ページ、「弊を見て功を没する勿れ」）

さて、以上の考察から、中庸こそが渋沢の思想の核心であると理解できたかと思うが、これに照らして「道徳経済合一説」を見てみると、「道徳経済合一説」は経済における中庸の思想の応用であることがわかるはずだ。すなわち、利潤追求一本槍で、道徳はいっさいこれを顧みないことも、逆に利潤追求を全否定し、道徳だけで生きようとする清貧の思想も、同じように退けられるべきアンチ中庸の思想であり、この二つのバランスを取り、道徳的であることがそのまま経済的であるような絶対的中庸の点を見いだすという姿勢こそが理想なのである。

かくて、渋沢という人をひとことで形容するならば「中庸の偉人」。こういうことになるのではなかろうか。

最後に、本書の刊行に当たって、講談社学術文庫の青山遊さんにお世話になった。この場を借りて感謝の言葉を伝えたい。

二〇二〇年十月二十八日

鹿島　茂

本書は訳し下ろしされました。

渋沢栄一（しぶさわ　えいいち）

1840-1931年。幕臣から明治政府を経て実業家。東京証券取引所，商法講習所（現・一橋大学）などの設立に関わる。雅号は「青淵」。

鹿島　茂（かしま　しげる）

1949年生まれ。東京大学大学院人文科学研究科博士課程単位取得満期退学。共立女子大学教授，明治大学教授を歴任。著作多数。

講談社学術文庫

定価はカバーに表示してあります。

渋沢栄一《しぶさわえいいち》「青淵論叢《せいえんろんそう》」
道徳経済合一説《どうとくけいざいごういつせつ》

鹿島《かしま》　茂《しげる》　編訳

2020年12月9日　第1刷発行

発行者　渡瀬昌彦
発行所　株式会社講談社
東京都文京区音羽 2-12-21 〒112-8001
電話　編集（03）5395-3512
販売（03）5395-4415
業務（03）5395-3615
装　幀　蟹江征治
印　刷　株式会社廣済堂
製　本　株式会社国宝社
本文データ制作　講談社デジタル製作

ISBN978-4-06-521903-4

「講談社学術文庫」の刊行に当たって

これは、学術をポケットに入れることをモットーとして生まれた文庫である。学術は少年の心を養い、成年の心を満たす。その学術がポケットにはいる形で、万人のものになることは、生涯教育をうたう現代の理想である。

こうした考え方は、学術を巨大な城のように見る世間の常識に反するかもしれない。また、一部の人たちからは、学術の権威をおとすものと非難されるかもしれない。しかし、それはいずれも学術の新しい在り方を解しないものといわざるをえない。

学術は、まず魔術への挑戦から始まった。やがて、いわゆる常識をつぎつぎに改めていった。学術の権威は、幾百年、幾千年にわたる、苦しい戦いの成果である。こうしてきずきあげられた城が、一見して近づきがたいものにうつるのは、そのためである。しかし、学術の権威を、その形の上だけで判断してはならない。その生成のあとをかえりみれば、その根は常に人々の生活の中にあった。学術が大きな力たりうるのはそのためであって、生活をはなれた学術は、どこにもない。

開かれた社会といわれる現代にとって、これはまったく自明である。生活と学術との間に、もし距離があるとすれば、何をおいてもこれを埋めねばならない。もしこの距離が形の上の迷信からきているとすれば、その迷信をうち破らねばならぬ。

学術文庫は、内外の迷信を打破し、学術のために新しい天地をひらく意図をもって生まれた。文庫という小さい形と、学術という壮大な城とが、完全に両立するためには、なおいくらかの時を必要とするであろう。しかし、学術をポケットにした社会が、人間の生活にとってより豊かな社会であることは、たしかである。そうした社会の実現のために、文庫の世界に新しいジャンルを加えることができれば幸いである。

一九七六年六月

野間省一

夏目漱石著
漱石人生論集

夏目漱石の屈指の読み手、作家の出久根達郎氏が随筆、評論、講演、書簡から編んだ、今も新鮮な漱石の「生き方のエッセンス」。人生を凝視し、人生の意義を見いだすべく苦闘した文豪の知恵と信念とに満ちた一冊。

2327

勝 小吉著／勝部真長編
夢酔独言

「おれほどの馬鹿な者は世の中にもあんまり有るまい」「馬鹿者のいましめにするがいゝぜ」。坂口安吾も激賞した、勝海舟の父が語る放埒一途の自伝。幕末の江戸の裏社会を描く真率な文体が時を超えて心に迫る！

2330

小林一三著（解説・鹿島 茂）
逸翁自叙伝　阪急創業者・小林一三の回想

電鉄事業に将来を見た男はどんな手を打ったか。沿線の土地買収、郊外宅地の開発分譲、少女歌劇……。誰も考えつかなかった生活様式を生み出した、大正・昭和を代表する希代のアイデア経営者が語る自伝の傑作。

2361

柳田國男著（解説・佐谷眞木人）
故郷七十年

齢八十をこえて新聞社に回顧談を求められた碩学は言った。「それは単なる郷愁や回顧の物語に終るものでないことをお約束しておきたい」。故郷、親族、官途、そして詩文から民俗学へ。近代日本人の自伝の白眉。

2393

キケロー著／大西英文訳
老年について　友情について

偉大な思想家にして弁論家、そして政治家でもあった古代ローマの巨人キケロー。その最晩年に遺された著作のうち、もっとも人気のある二つの対話篇。生きる知恵を今に伝える珠玉の古典を一冊で読める新訳。

2506

ラ・ロシュフコー著／武藤剛史訳（解説・鹿島茂）
箴言集

十七世紀フランスの激動を生き抜いたモラリストが、人間の本性を見事に言い表した「箴言」の数々。鋭敏な人間洞察と強靱な精神、ユーモアに満ちた短文が、自然に読める新訳で、現代の私たちに突き刺さる！

2561